D1230291

ENCICLOPEDIA DE LA
ENFERMERIA

ENCICLOPEDIA DE LA ENFERMERIA

Volumen
3

Medicoquirúrgica - II
Pediatría

OCEANO / CENTRUM

Es una obra de
OCEANO
GRUPO EDITORIAL

Milanesat, 21–23
EDIFICIO OCEANO
Tel: (343) 280 20 20*
Fax (343) 204 10 73
08017 Barcelona (España)

Impreso en España – Printed in Spain

ISBN 84-494-0383-9 (Obra completa)
ISBN 84-494-0386-3 (Volumen III)
ISBN 0-397-54461-8 y 0-397-54496-0 (Edición original)

Depósito legal: B-26197-97
Imprime: ALVAGRAF, S.A.
069706

Ellen Baily Raffensperger
Licenciada en Enfermería, Sibley Memorial Hospital, Washington, D.C.

Mary Lloyd Zusy
Licenciada en Enfermería, Montgomery Community College Takoma Park, Maryland

Lynn Claire Marchesseault
Licenciada en Enfermería, Visiting Nurse Association of Northern Virginia Arlington, Virginia

Jean D. Neeson
Profesora del Departamento de Cuidados de Enfermería y Salud Familiar, Escuela de Enfermería, Universidad de California. Directora del programa Women's Health Nurse Practitioner. San Francisco, California

EQUIPO EDITORIAL

Dirección: Carlos Gispert

Subdirección y Dirección de Producción: José Gay

Dirección de Edición: José A. Vidal

* * *

Dirección de obra: Joaquín Navarro

Editor: Dr. Xavier Ruiz

Edición general: Adolfo Cassan, Jorge Coderch, Xavier Ruiz

Equipo editorial de Enfermería: Eulalia Albuquerque, José de Andrés, María Asunción Codina Marcet, Mª Dolores Lozano Vives, Carmen Sánchez

Colaboradores: Miguel Barrachina, Mercedes Establier, Antonia García, Pedro González, Emma Torío

Ilustración: Montserrat Marcet

Compaginación: Mercedes Prats Bru

Preimpresión: Manuel Teso

Sistemas de Cómputo: Mª Teresa Jané, Gonzalo Ruiz

Producción: Antonio Aguirre, Antonio Corpas, Alex Llimona, Antonio Surís

Procedencia de las ilustraciones: AGE Fotostock, Archivo Océano, Mónica Borra, Manuela Carrasco, Centre National de la Recherche Iconographique, A. Sieveking/Collections, Fototeca Stone, Juan Pejoán, Angel Sahun Ballabriga/Retratería, SIEMENS, Centro de atención primaria del INSALUD en Castejón de Sos.

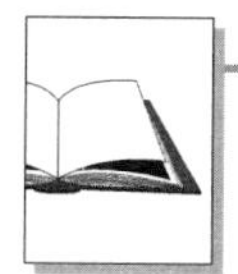

Plan general de la obra

VOLUMEN 1

VOLUMEN 2

VOLUMEN 3

VOLUMEN 4

VOLUMEN 5

VOLUMEN 6

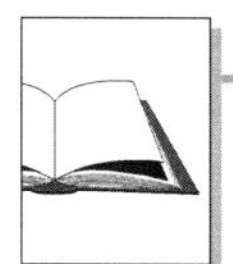

Índices del volumen 3

GENERAL DEL VOLUMEN

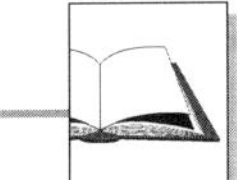

De las láminas

De las tablas

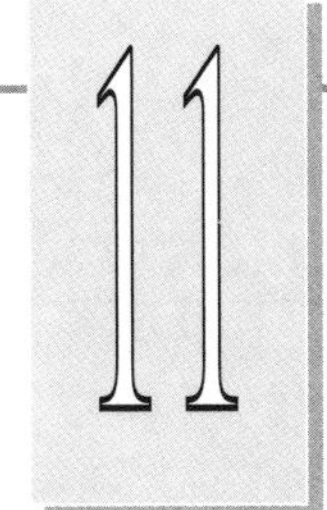

Neurología

Diagnósticos de enfermería asociados a enfermedades del sistema nervioso

Véase capítulo Diagnóstico de enfermería:

- Disreflexia (trastorno de la respuesta refleja autónoma).
- Termorregulación ineficaz.
- Hipertermia.
- Hipotermia.
- Incontinencia fecal.
- Alteración de la eliminación urinaria.
- Incontinencia urinaria refleja.
- Incontinencia urinaria funcional.
- Incontinencia urinaria total.
- Retención urinaria.
- Patrón respiratorio ineficaz.
- Dificultad para mantener la ventilación espontánea.
- Alto riesgo de lesiones.
- Alto riesgo de asfixia.
- Alto riesgo de traumatismo.
- Alto riesgo de broncoaspiración.
- Alto riesgo de síndrome por falta de uso.
- Alteración de la protección.
- Deterioro de la integridad de los tejidos.
- Alteración de la comunicación verbal.
- Deterioro de la interacción social.
- Aislamiento social.
- Alteración en el desempeño del rol.
- Alteración de la función parental.
- Sufrimiento espiritual.
- Trastorno de la movilidad física.
- Alto riesgo de disfunción neurovascular periférica.
- Intolerancia a la actividad.
- Fatiga.
- Alto riesgo de intolerancia a la actividad.
- Alteración del patrón de sueño.
- Déficit de la actividad recreativa.
- Déficit en los cuidados personales de alimentación.
- Alteración de la deglución.
- Déficit en los cuidados personales de baño/higiene.
- Déficit en los cuidados personales de vestido-/acicalado.
- Déficit en los cuidados personales de uso del orinal/retrete.
- Trastorno de la imagen corporal.
- Trastorno de la identidad personal.
- Alteraciones sensoperceptivas.
- Omisión unilateral.
- Desesperanza.
- Impotencia.
- Alteración de los procesos del pensamiento.
- Dolor.
- Dolor crónico.
- Alto riesgo de violencia dirigida hacia sí mismo o hacia otras personas.
- Alto riesgo de automutilización.
- Ansiedad.
- Temor.

Accidente vasculocerebral

Descripción

El accidente vasculocerebral (AVC) corresponde a una alteración de la irrigación sanguínea del encéfalo, ya sea de índole isquémica (falta de aporte sanguíneo) o bien hemorrágica, que provoca una abolición temporal o definitiva de las funciones neurológicas de la zona afectada y da lugar a un cuadro clínico denominado *ictus* o *apoplejía*, con pérdida de la consciencia, parálisis, trastornos del lenguaje, etc. Las manifestaciones, evolución y secuelas varían de un caso a otro, y se deben a la privación de oxígeno consecuente a la isquemia (que puede conducir a un infarto cerebral), a la compresión de las estructuras encefálicas por ocupación o edema, o a la dislaceración del tejido nervioso en el caso de un accidente hemorrágico.

El AVC puede tener un origen extracraneal o bien intracraneal y obedece esencialmente a tres mecanismos de producción:

- *Trombosis cerebral.* Es el AVC más frecuente, consecuente a la formación de un trombo en el interior de un vaso sanguíneo cerebral, por lo general sobre una placa de ateroma ya existente. Entre los factores predisponentes destacan los propios de la aterosclerosis: hipertensión arterial, diabetes, hiperlipidemia, tabaquismo, obesidad y sedentarismo.
- *Embolia cerebral.* En este caso, la obstrucción del vaso cerebral es causada por un coágulo transportado por el torrente sanguíneo, generalmente a partir del corazón afectado de valvulopatías o arritmias.
- *Hemorragia cerebral.* La rotura de una arteria y consecuente hemorragia intracraneal se da con mayor frecuencia en pacientes hipertensos, y a veces corresponde a una complicación de un aneurisma intracraneal.

Se habla de *ictus en curso* cuando tienen lugar cambios neurológicos progresivos durante un período de 24 a 48 horas o más. Cuando el paciente deja de presentar la progresión de los síntomas y se constituye un deterioro neurológico más importante, se dice que ha tenido lugar un *ictus completo.*

Otra forma de accidente vasculocerebral es el *ataque isquémico transitorio* (AIT), producido por una alteración momentánea del aporte sanguíneo cerebral generalmente causada por trombos o émbolos de pequeño tamaño que se disuelven rápidamente. Puede presentarse

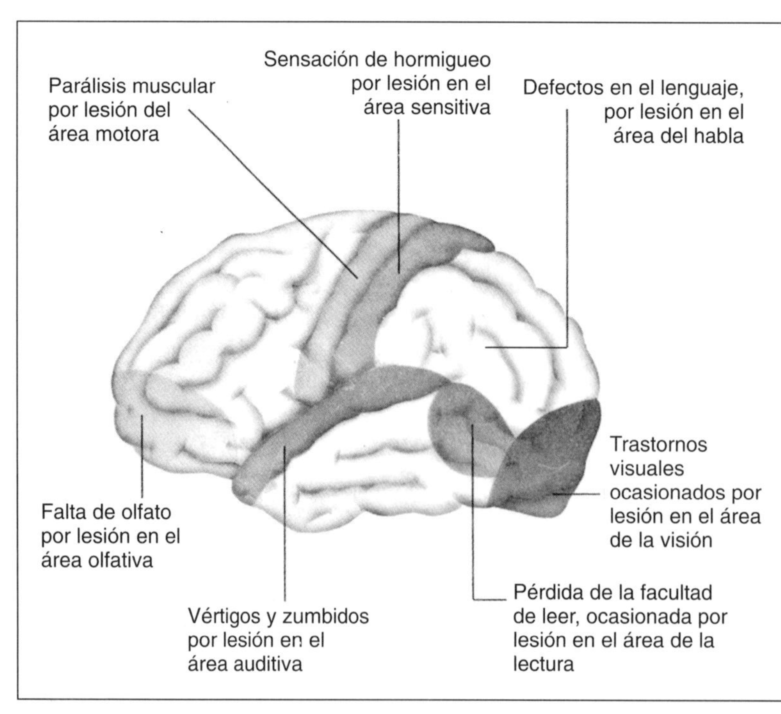

El accidente vasculocerebral incluye una serie de trastornos de la irrigación sanguínea encefálica que comportan isquemia (trombosis, embolia) o bien compresión y/o dislaceración (hemorragia) del tejido nervioso, cuyas manifestaciones, muy variadas en cada caso, corresponden a la abolición temporal o definitiva de las funciones neurológicas de las zonas afectadas. En el dibujo se muestran algunas de las manifestaciones causadas por el AVC según sean las distintas zonas del cerebro lesionadas.

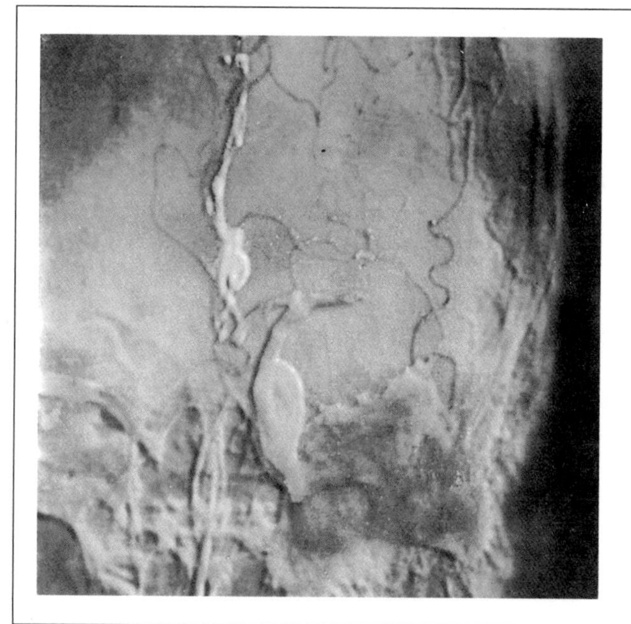

El accidente vasculocerebral (AVC) se diagnostica en base a la sintomatología que presenta el enfermo, si bien para precisar el área afectada puede recurrirse a diversas técnicas complementarias, como la tomografía axial computada, la resonancia magnética nuclear y la arteriografía cerebral. El estudio radiológico de contraste de las arterias cerebrales es de máxima utilidad para la localización del trastorno, aunque no puede llevarse a cabo cuando hay sospechas de hemorragia cerebral en curso. En cambio, se trata de una exploración muy eficaz para los casos de accidentes isquémicos transitorios, ya que permite adoptar las medidas oportunas en la prevención de un ictus completo. En la ilustración, arteriografía cerebral.

con signos neurológicos diversos, como paresias o parálisis transitorias, alteraciones de la sensibilidad, desmayos o vértigo. El cuadro suele durar de 5 a 30 minutos o algo más, pero en ningún caso supera las 24 horas, con recuperación completa. Alrededor del 30 al 50% de los pacientes que presentan una AIT sufren un AVC completo en los siguientes cinco años si no se lleva a cabo tratamiento preventivo.

Pruebas diagnósticas habituales

- Exploración neurológica.
- Tomografía axial computada (véase TE: Tomografía computada).
- Resonancia magnética nuclear (véase TE: Resonancia magnética nuclear).
- Arteriografía cerebral.
- Realización de una punción lumbar, en el diagnóstico de la hemorragia cerebral (véase TE: Punción lumbar).

Observaciones

- Las víctimas de un ictus que muestran una estabilización o mejoría durante las primeras 24 horas tienen buen pronóstico.
- El signo más visible de un ictus es la parálisis de un lado del cuerpo (hemiplejía), generalmente junto con una parálisis de los músculos de la cara del lado opuesto. Compruébese que el paciente puede tragar y que el ojo del lado afectado conserva el reflejo de parpadeo. Cuando una mejilla se hincha con cada espiración, ello es índice de que existe una parálisis de ese lado de la cara.
- Los pacientes que presentan una accidente cerebral oclusivo (trombosis o embolia), raras veces pierden la conciencia. Muestran típicamente signos neurológicos focales (véase EMQ: Neurología, hipertensión endocraneal).
- Cuando la causa de la AVC es una hemorragia, el paciente con frecuencia presentará pérdida de consciencia.
- La hemiplejía del lado derecho indica que existe una lesión del lado izquierdo del cerebro. Los síntomas de este tipo de lesión corresponden a problemas de la expresión y comprensión del lenguaje (afasia, disartria), empleo de palabras inadecuadas, incapacidad para mirar hacia la derecha y enlentecimiento y trastornos del movimiento (apraxia).
- La hemiplejía del lado izquierdo indica que existe una lesión del lado derecho del cerebro. Los síntomas de este tipo de lesión son dificultad de la percepción espacial que pueden causar problemas para conducir una silla de ruedas e incapacidad de mantenerse en la misma posición mientras el afectado lee o

come por sí mismo, movimientos anormales impulsivos e incapacidad para mirar hacia el extremo izquierdo.

- Estos síntomas pueden ser muy leves y desaparecer de una forma gradual o bien ser severos y perdurar, dependiendo de la localización y de la importancia del AVC.

Tratamiento

- Cateterismo EV para tener un acceso venoso (véase TE: Cateterismo venoso).
- Anticoagulantes (*p.e.*, heparina, warfarina) (véase EMQ: Sangre, tratamiento anticoagulante).
- Alimentación mediante sonda nasogástrica (véase TE: Sondaje digestivo, alimentación enteral).
- Sondaje urinario (véase TE: Sondaje vesical).
- Fisioterapia y rehabilitación.

Consideraciones de enfermería

- Colóquese el paciente, tanto en la cama como fuera de ella, de tal forma que el lado no afectado esté dirigido hacia la circulación de la habitación. Los hemipléjicos izquierdos a menudo tienen una supresión del campo visual izquierdo, lo que significa que tienen dificultad para mirar los objetos que están a la izquierda del centro del campo visual. En los hemipléjicos derechos suele ocurrir lo contrario.
- Un paciente al que es necesario alimentar no se debe dejar sin atención con una bandeja con comida caliente. Un movimiento incoordinado de las manos le puede ocasionar quemaduras.
- El paciente inconsciente o que está incapacitado en sus movimientos debe ser cambiado de posición al menos cada 2 horas, manteniéndolo en una posición de semipronación.
- Verifíquese si los pacientes inconscientes llevan lentes de contacto; en caso afirmativo, retírense (véase EMQ: Oftalmología).
- Cuando los párpados no cierran bien, se deben mantener cerrados con una cinta adhesiva. Procúrese que el médico paute gotas lubricantes.
- Una obstrucción de las vías aéreas producida por la caída de la lengua hacia atrás puede dar lugar a una atelectasia y neumonía. Este problema puede ser el resultado de dejar a un paciente desvalido echado sobre su espalda.
- En el manejo de un paciente afásico, recuérdese que el hecho de que no pueda hablar no significa que padezca una sordera o una pérdida de la comprensión. No se debe gritar para comunicarse. Para evaluar su situación, pídasele que realice una tarea simple, tal como guiñar un ojo, o bien hágasele una pregunta sin sentido (*p.e.*, «¿soy verde?») para ver su reacción.
- El logopeda (terapeuta del lenguaje) debe iniciar el tratamiento tan pronto como sea posible, y también puede ser capaz de ayudar cuando existan dificultades en la deglución. El personal de enfermería debe estar seguro de que existe un sistema de comunicación. Para el paciente que es incapaz de escribir resulta útil una tablilla de comunicación o bien tarjetas con el alfabeto. Compruébese que el paciente dispone de un sistema de llamada de enfermería capaz de emplear en su estado.
- En los pacientes con AVC a menudo se producen algunos cambios en la memoria y en la personalidad. Éstos se pueden manifestar por dificultad para recordar información reciente o bien de llevar a cabo un aprendizaje de una situación. Algunos pacientes pueden reír o llorar sin motivo. En el caso de que resulte de una labilidad emocional y no de una depresión y/o de una euforia, a veces es posible acabar con tal situación cambiando súbitamente de tema o bien haciendo un chasquido con los dedos. Debe advertirse a los familiares del paciente sobre estos posibles cambios de personalidad y de memoria.
- Es imprescindible mantener una adecuada higiene oral, comprobando después de cada comida si han quedado restos de alimentos en la boca.
- Es más fácil tragar alimentos blandos que líquidos. La leche y los productos lácteos espesan la saliva y las secreciones mucosas, por lo que son más difíciles de tragar.
- La oscuridad nocturna resulta molesta y a menudo se produce una confusión e imposibilidad de descansar. Conviene mantener las luces encendidas, así como la radio o la televisión.

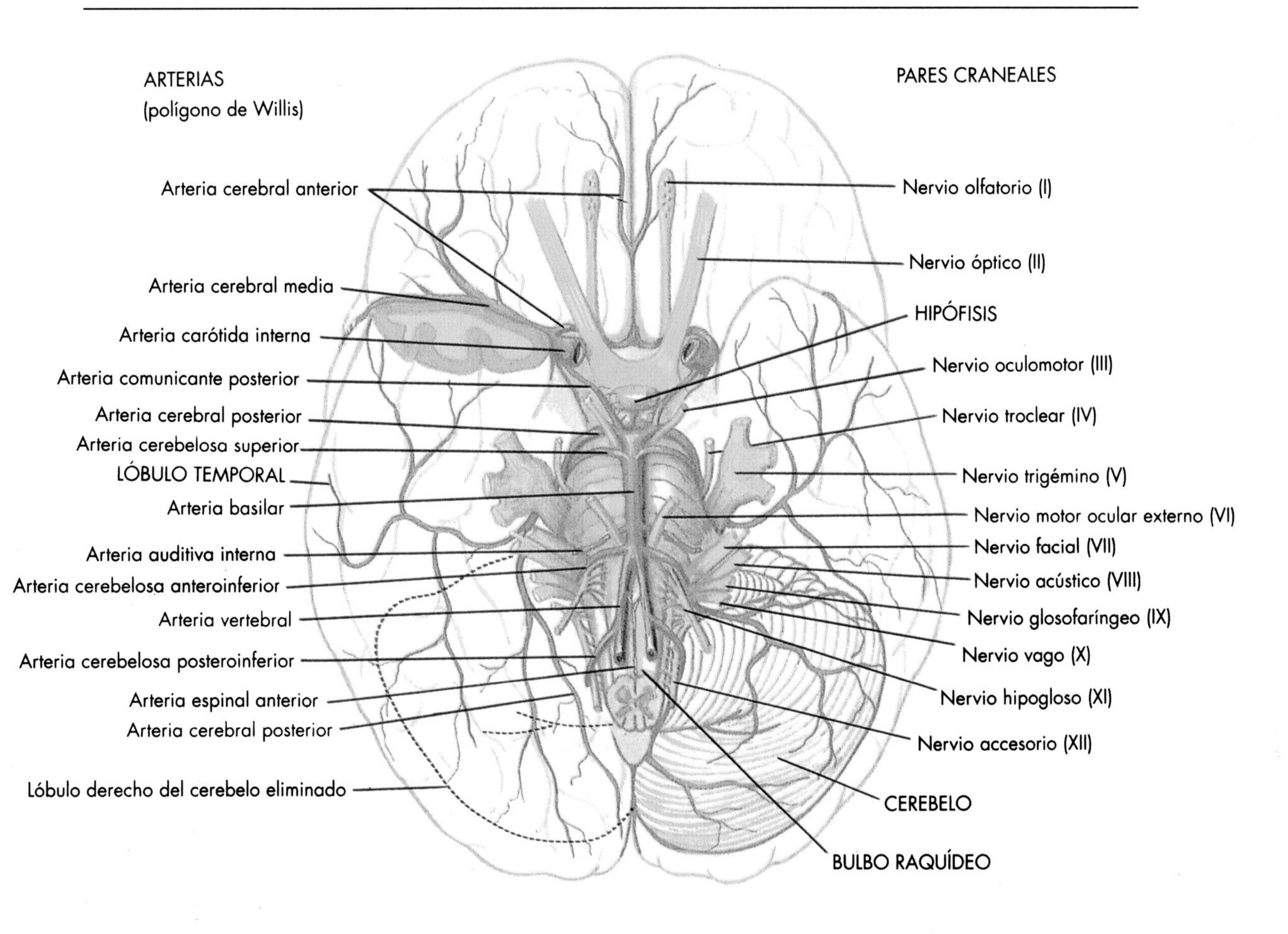

Encéfalo. *El dibujo muestra las principales estructuras encefálicas, su red arterial y los puntos de emergencia de los doce pares craneales.*

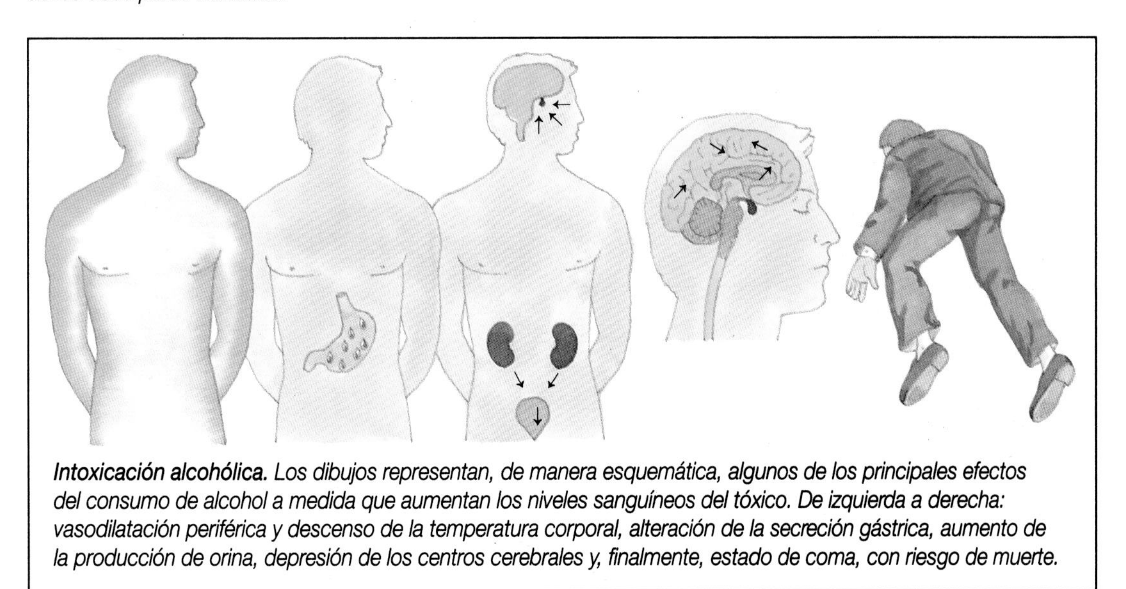

Intoxicación alcohólica. *Los dibujos representan, de manera esquemática, algunos de los principales efectos del consumo de alcohol a medida que aumentan los niveles sanguíneos del tóxico. De izquierda a derecha: vasodilatación periférica y descenso de la temperatura corporal, alteración de la secreción gástrica, aumento de la producción de orina, depresión de los centros cerebrales y, finalmente, estado de coma, con riesgo de muerte.*

Anatomía del cerebelo

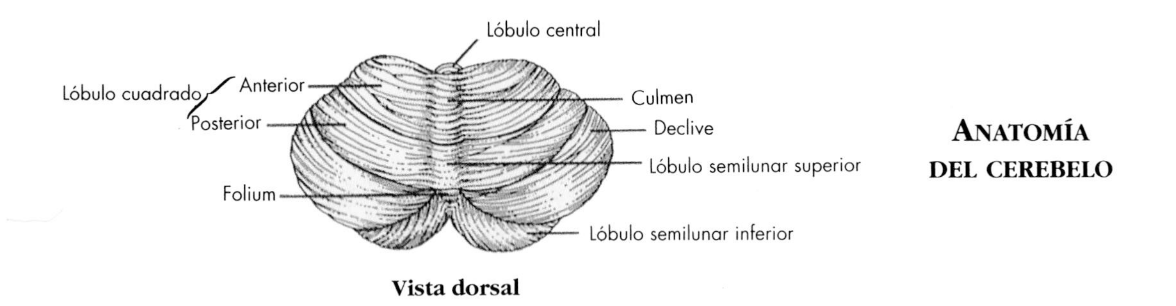

Vista dorsal

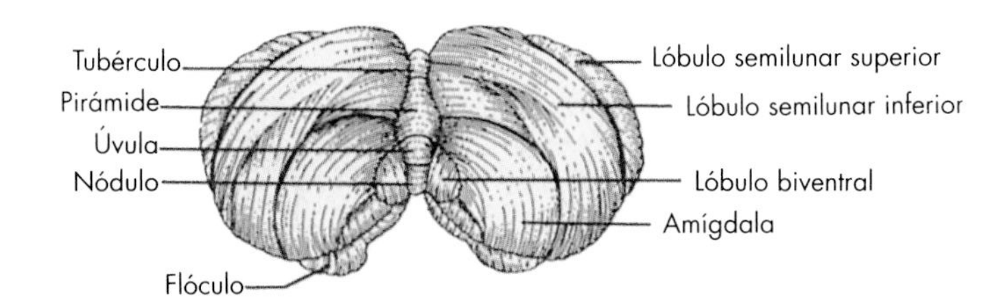

Vista ventral

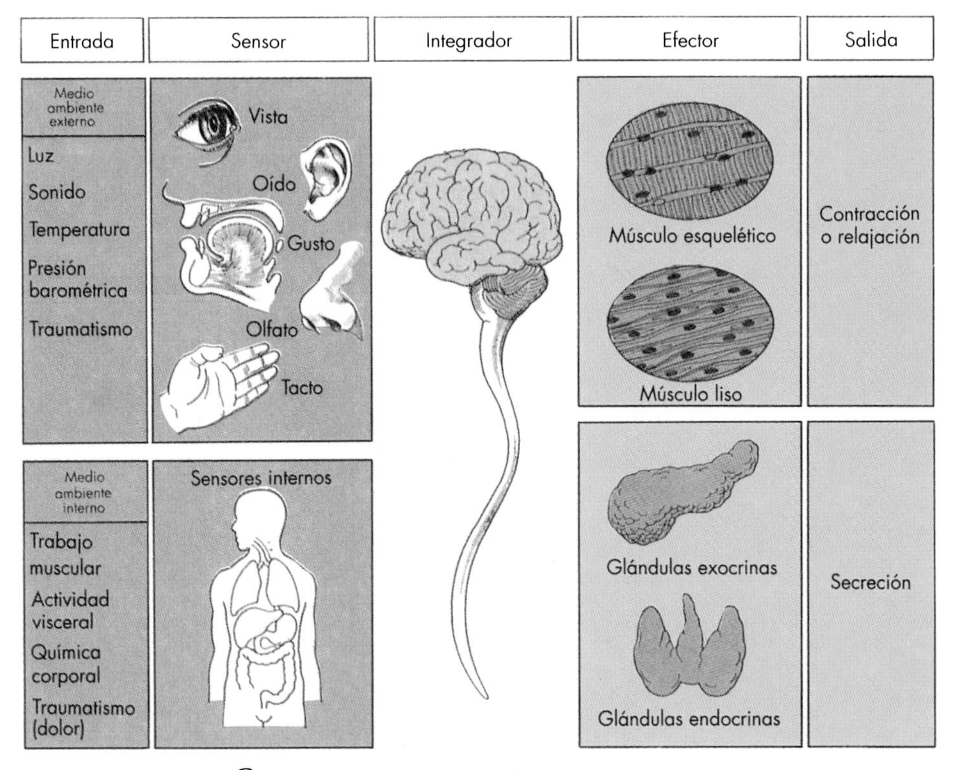

Componentes del sistema nervioso

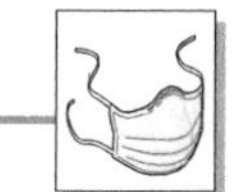

- Se debe iniciar la fisioterapia al lado de la cama, con ejercicios en toda la amplitud de movimientos, tan pronto como sea posible. El fisioterapeuta debe acudir a evaluar a un paciente en el curso de las primeras 24 horas tras un ictus completo. Recuérdese al médico de que lo ordene.
- El reflejo de micción disminuye cuando se emplea una sonda de Foley durante mucho tiempo. Además, ello aumenta la incidencia de infecciones en el tracto urinario. Durante la primera semana después de un ictus total se debe seguir una pauta de micción cada 2 o 3 horas para aprender a controlar la vejiga de nuevo.

Convulsiones - epilepsia

Descripción

Las convulsiones son el resultado de una alteración funcional del cerebro que provoca cambios en el nivel de conciencia y respuestas sensoriales y motoras involuntarias. El efecto puede variar desde una disfunción menor a una alteración funcional cerebral grave. Pueden provocar ataques convulsivos pasajeros, que desaparecen cuando se corrige la causa, diversas alteraciones metabólicas o tóxicas, como la hipoglucemia, la uremia, la anoxia cerebral, la sobredosis farmacológica o la abstinencia de alcohol. Las convulsiones generalizadas suelen ser debidas a una meningitis o a una alteración del equilibrio electrolítico.

Las *convulsiones febriles* pueden ser el síntoma inicial de una enfermedad febril aguda y se ven primordialmente en niños de 6 meses a 3 años. Se trata de convulsiones generalizadas que se producen ante un aumento rápido de la temperatura y por lo general duran menos de 20 minutos.

La *epilepsia* es una enfermedad crónica caracterizada por ataques o crisis de convulsiones que ceden espontáneamente y se repiten de manera periódica. Se diferencia la *epilepsia idiopática* o *esencial*, que no tiene una causa identificable, y las *epilepsias secundarias*, consecuentes a diversos trastornos que provocan lesiones cerebrales capaces de generar descargas de impulsos nerviosos anómalos (trastornos perinatales, traumatismo craneoencefálico, tumor intracraneal, infecciones meningoencefálicas). Las crisis epilépticas pueden adoptar distintas formas, distinguiéndose cuatro tipos comunes:

- *Crisis de gran mal* o *tónico-clónicas*. Se caracterizan por pérdida de consciencia con disfunción motora generalizada grave que afecta a todo el cuerpo.
- *Crisis jacksoniana*. Se trata inicialmente de una disfunción motora localizada y tiende a extenderse en progresión regular a las áreas cercanas. Pueden ocurrir cambios en el nivel de consciencia.

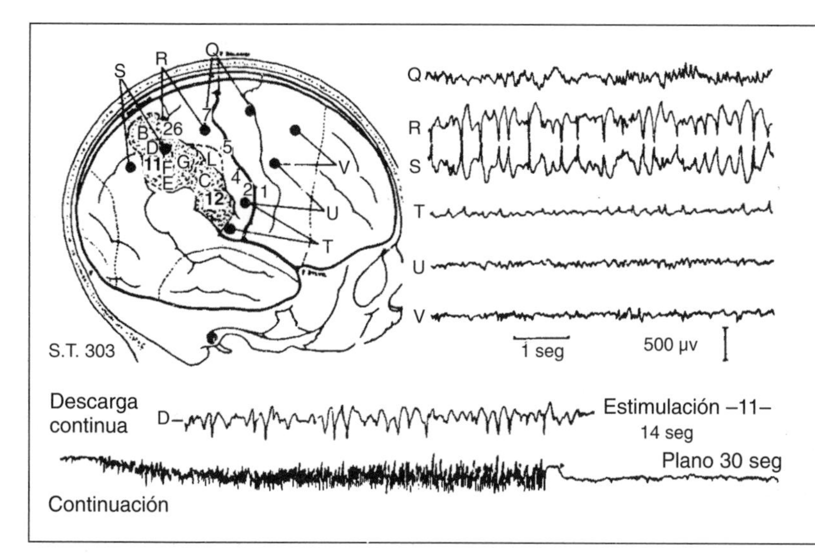

La epilepsia se caracteriza por crisis convulsivas y otras alteraciones de las funciones cerebrales causadas por descargas de impulsos nerviosos anómalos y que dependen de la localización de las lesiones, para cuya determinación puede recurrirse a un estudio electroencefalográfico. En la ilustración, esquema de un registro EEG en un paciente con crisis convulsivas focales.

- *Crisis de petit mal* o *ausencias*. Se trata de cambios momentáneos del nivel de consciencia. Rara vez se ven después de los veinte años de edad.
- *Crisis psicomotoras* (también llamadas del lóbulo temporal). Se trata de accesos de comportamiento extraño que el paciente es incapaz de controlar (*p.e.*, movimientos repetitivos de la mano, masticación o chupeteo). Se caracterizan por amnesia posterior.

El término *estado epiléptico* hace referencia al ataque de gran mal continuo en que se da un encadenamiento rápido de crisis convulsivas sin que el paciente recupere la conciencia entre ellas; requiere *atención médica inmediata.* Estos ataques frecuentemente son el resultado de una retirada brusca de medicación anticonvulsivante o interrupción súbita del consumo de alcohol.

La *epilepsia postraumática* aparece frecuentemente tras traumatismos craneoencefálicos graves y puede presentarse en los primeros días o varios meses después del traumatismo. El pronóstico de remisión es bueno en los casos en que se da en los primeros días o semanas tras el traumatismo.

Pruebas diagnósticas habituales (después que la crisis haya sido controlada)

- Examen neurológico.
- Estudio EEG.
- Tomografía axial computada (TAC) craneal.
- Resonancia magnética nuclear (RMN).
- Ecoencefalograma.
- Angiografía cerebral.
- Pruebas de laboratorio. Las alteraciones de la glucemia pueden ser la causa o el resultado de convulsiones.
- Gases en sangre arterial. La hipoxia puede ser causa o resultado de convulsiones.
- Determinación de electrólitos. Las anomalías electrolíticas pueden ser el resultado de convulsiones prolongadas.
- La punción lumbar está contraindicada cuando hay aumento de la presión intracraneal.

Observaciones

La observación y anotación de las características del ataque convulsivo son muy importantes, ya que puede que se sean el único testigo. Compruébese cualquier herida que el paciente se haga durante el ataque. Infórmese tan exactamente como sea posible, recopilando la siguiente información:

- Duración: anótese lo que dura el ataque y cualquier actividad o sensación que lo preceda.
- Nivel de consciencia: si el paciente presenta inconsciencia, anótese durante cuánto tiempo, así como el estado mental al recuperar la consciencia. Indíquese si el ataque va seguido de somnolencia y, si es así, cuánto tiempo.
- Actividad motora: descríbase si aparecen movimientos tónicos (contracción rígida y sostenida de los músculos) y movimientos clónicos (sucesión de contracciones y relajaciones de los músculos). Indíquese si la actividad anómala muscular comenzó en un área del cuerpo y después se extendió a otra, si fue unilateral o bilateral, si el paciente tenía los dientes apretados y si había espuma en la boca. Descríbase el tipo de respiración durante el ataque y si había cianosis. Indíquese si los ojos estaban cerrados o abiertos o en una posición inusual.

Tratamiento

- Manténgase la vía aérea libre y prevéngase de posibles aspiraciones de secreciones. Si los

Ataque epiléptico. *La introducción de un elemento blando en la boca del paciente previene las mordeduras de la lengua que pueden producirse durante la crisis.*

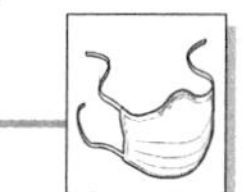

dientes no están apretados, introdúzcase en la boca algún elemento blando (apósito, cánula de Guedel) para evitar mordeduras de la lengua, asegurándose que no se obstruya la respiración. No debe forzarse nunca la introducción. Inténtese mantener al paciente de lado. Cuando acaba el ataque puede ser necesario hacer una succión de aspiraciones si el nivel de consciencia está deprimido.

- *Nunca* debe dejarse al paciente solo durante el ataque.
- Protéjase al paciente de autolesiones, pero sujéteselo lo mínimo necesario. Préstese especial atención a la prevención de lesiones en la cabeza, usando almohadas para evitar golpes contra superficies duras o acunando su cabeza en el regazo. Si el paciente se ha caído al suelo, no debe intentarse ponerlo de nuevo en la cama hasta que acabe el ataque.
- Si el cuadro se prolonga o se repite, colóquese una vía EV tan pronto como sea posible.
- Deben prescribirse anticonvulsivantes.

Consideraciones de enfermería

- Revísese la historia clínica del paciente y los resultados de laboratorio para estar alerta en caso de crisis convulsiva.
- Las convulsiones debidas a abstinencia alcohólica suelen aparecer en las 48 horas siguientes a la interrupción de la ingesta.
- Deben tomarse precauciones con aquellos pacientes con historia de convulsiones o en situación predisponente. Esto incluye la colocación de un depresor lingual almohadillado y una vía aérea blanda (cánula de Guedel) en la mesita o a la cabecera de la cama y un equipo de aspiración en las proximidades. Si está justificado por la frecuencia y la gravedad de las crisis, debe disponerse de barrotes acolchados alrededor de la cama. La temperatura debe tomarse en el recto, para evitar que el termómetro se pueda romper en la boca. Colóquese el paciente en una habitación que se vea desde el control de enfermería.
- La mayor incidencia de crisis se da por la noche y por la mañana temprano.
- Una vez que un paciente ha tenido una crisis, la probabilidad de padecer otra aumenta.
- La medicación anticonvulsivante se debe pautar según un horario concreto. Si el paciente debe permanecer en ayunas, por cualquier razón, el médico debe estar informado de ello para que la medicación pueda ser administrada por vía parenteral o por vía oral con un poco de agua.
- Cuando tiene lugar una crisis, el compañero de cuarto, si hay alguno, puede ser el único testigo. Pídase información al compañero sobre la crisis.
- Si es posible, trátese de conseguir intimidad para el paciente durante la crisis. El ataque puede ser una experiencia muy desagradable para otros enfermos.
- Los pacientes que padecen crisis epilépticas deberían llevar un brazalete que indique su predisposición.

Demencia

Descripción

El término demencia hace referencia a un grupo de cuadros de causa orgánica caracterizados por la aparición de manifestaciones relacionadas con la pérdida o el deterioro del funcionalismo mental. Entre los problemas comunes a todas las demencias se incluyen la confusión mental, la pérdida de memoria, la desorientación y el deterioro intelectual. Las demencias son procesos lentos, ininterrumpidos, progresivos e irreversibles.

En el pasado, se hacía referencia a los estados demenciales con la denominación común de síndrome cerebral orgánico crónico o senilidad. Cabe destacar que el delirio (también llamado síndrome cerebral orgánico agudo) se confunde fácilmente con los cuadros de demencia, debido a que pueden presentarse varios síntomas similares. Sin embargo, el delirio generalmente tiene un inicio brusco y la persona afectada presenta un nivel de consciencia fluctuante (momentos de adormecimiento y posterior agitación e inquietud). Es extremadamente importante distinguir el delirio de la demencia, debido a que el delirio es reversible. Las causas comunes de delirio son enfermedades (*p.e.*, la neumonía y la infección renal), la malnutrición y las reacciones medicamentosas.

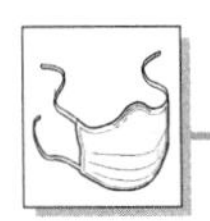

Las causas de demencia son variadas, aunque principalmente se deben a trastornos cerebrales degenerativos y vasculares. Se pueden distinguir cuatro tipos principales:

- Las demencias de origen degenerativo, que son las más frecuentes (más del 50% de los casos en que se realiza autopsia). En este grupo se incluyen la *demencia senil*, que se presenta a partir de los 80 años, y la *enfermedad de Alzheimer* o *demencia pre-senil*, que se presenta a partir de los 50 años. En estos tipos de demencia tiene lugar una atrofia cerebral y se pueden observar cambios cerebrales específicos en la autopsia (placas seniles y alteración en la disposición y ordenamiento de las neurofibrillas). En la actualidad se desconoce la etiología, pero se ha implicado a muchos factores en la enfermedad (*p.e.*, factores tóxicos, infecciones virales, síndrome de Down, factores familiares hereditarios, rotura de cromosomas y error en la transcripción). Cabe destacar que la mayoría de las alteraciones anatómicas y fisiológicas se corresponden con el proceso normal de envejecimiento, con la salvedad de que en el caso de la demencia senil se presentan con una intensidad superior a la normal, y en el caso de la enfermedad de Alzheimer, lo hacen más intensamente y mucho más precozmente.
- Las *demencias multiinfárticas* (DMI) son secundaria a accidentes vasculares cerebrales repetidos (trombosis, embolias) que dan lugar a la destrucción de pequeñas áreas del cerebro y que en ocasiones no tienen sintomatología aparente. Estas demencias (aproximadamente el 15% de los casos en las autopsias) suelen progresar con un mayor deterioro después de cada nuevo ataque, lo cual las diferencia de la declinación gradual y progresiva observada en la demencia senil y la enfermedad de Alzheimer.
- Las *demencias mixtas* corresponden a los casos en que se observan alteraciones propias de las demencias degenerativas y de las multiinfárticas (10-20% de los casos en las autopsias).
- Las denominadas *pseudodemencias* son cuadros secundarios a trastornos psiquiátricos graves, entre los que cabe destacar las depresiones severas y persistentes y la esquizofrenia. Su denominación hace referencia a la posibilidad de reversibilidad, que depende de la evolución del trastorno de base.

Pruebas diagnósticas habituales

- Tomografía axial computada (véase TE: Tomografía).

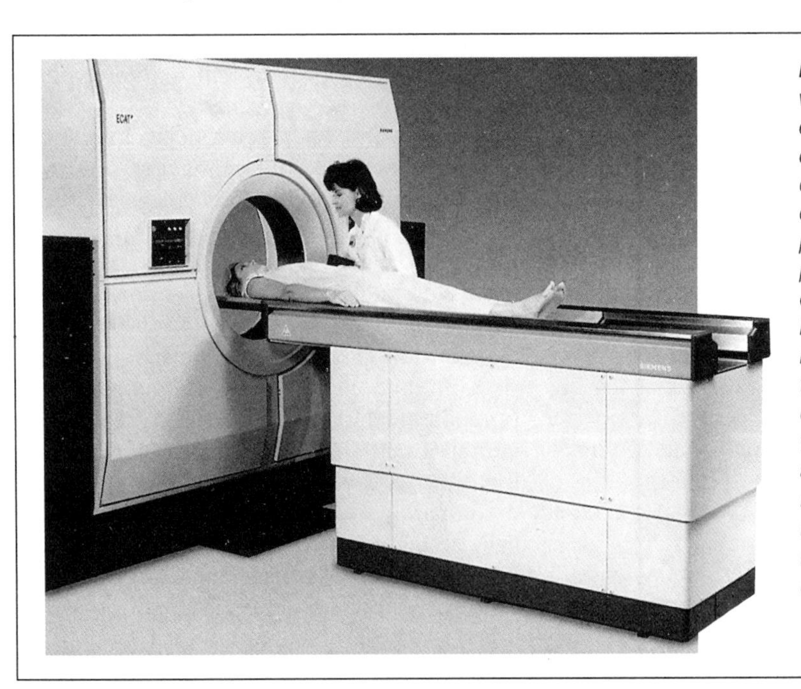

La demencia *tiene causas variadas, si bien siempre existen alteraciones degenerativas o vasculares que determinan el deterioro de las funciones mentales y para cuyo diagnóstico puede recurrirse a diversas exploraciones. La ilustración muestra la realización de una tomografía por emisión de positrones, moderna técnica que permite llevar a cabo un estudio de la bioquímica encefálica e informa sobre la actividad metabólica y el estado anatómico del cerebro.*

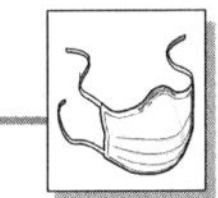

- Tomografía de emisión de positrones. Detecta las áreas en que está aumentado el metabolismo cerebral.
- Tests psicométricos.
- EEG.
- El diagnóstico diferencial es muy importante, ya que se deben descartar todas las etiologías posibles que pueden dar lugar a síntomas de demencia.

Observaciones

- Los síntomas a menudo se presentan de una forma progresiva:
  1. Deterioro mental, sobre todo de la memoria reciente.
  2. Ligeros cambios de la personalidad, tales como abandono y apatía.
  3. Deterioro intelectual, con déficit de la atención y dificultades para la concentración, la resolución de problemas o el aprendizaje.
  4. Desorientación.
  5. Trastornos del lenguaje, que comprometen tanto la elaboración como la comprensión del mismo.
  6. Deterioro de los hábitos sociales.
  7. Deterioro de la capacidad de razonamiento (pérdida del juicio).
  8. Deterioro físico, que acompaña al intelectual. Gradualmente se produce una incapacidad para comer, aparecen problemas motores (son habituales las caídas) y una imposibilidad para mantener una higiene corporal adecuada. En los estadios más avanzados, los trastornos neurológicos (alteraciones del tono muscular, pérdida del control de esfínteres) imposibilitan la autosuficiencia, y la persona afectada requiere ayuda para cubrir todas sus necesidades.

Tratamiento

- No existe ningún tratamiento curativo o que permita revertir las lesiones cerebrales. De todos modos, especialmente en la enfermedad de Alzheimer, pueden emplearse diversos medicamentos que intentan constituir un tratamiento paliativo (*p.e.*, fármacos vasoactivos, bloqueadores de los canales de calcio, neuroprotectores, etc.) y otros que intentan constituir un tratamiento sustitutivo (reposición de neurotransmisores deficitarios). En este último grupo se incluyen, entre otros, fármacos que estimulan las vías nerviosas dopaminérgicas y serotoninérgicas (*p.e.*, dihidroergotoxina mesilato) o potenciadores colinérgicos (*p.e.*, lecitina, fisostigmina). Recientemente (1993), la FDA (*Food and Drug Administration*) aprobó el uso en EE. UU. de un fármaco, la tacrina, para el tratamiento específico de la enfermedad de Alzheimer, concretamente para enlentecer su curso, sobre cuya eficacia general aún no existen resultados concluyentes. Se sigue profundizando en diversas líneas de investigación para obtener otros fármacos de posible utilidad.
- El tratamiento de los síntomas de agitación o psicóticos puede servir de ayuda en casos concretos. Así, para atenuar un cuadro de agitación puede resultar eficaz la administración de haloperidol a intervalos regulares (para mantener una concentración constante en sangre).
- Muchas DMI pueden detener su progresión al prevenir la aparición de nuevos ictus. Se emplean fármacos tales como el ácido acetilsalicílico y los antihipertensivos. En otras DMI, la progresión no se consigue detener.
- La terapia ocupacional puede ser útil para potenciar y prolongar la autosuficiencia del enfermo en los estados iniciales de demencia.

Consideraciones de enfermería

- En los estadios iniciales de una demencia, la persona puede ser consciente de los cambios que se están produciendo. Es frecuente que presente una depresión y, si se aplica un tratamiento, la situación puede mejorar.
- El individuo puede desarrollar una serie de mecanismos para esconder los síntomas, tales como mentir o intentar recurrir al humor. Es frecuente la negación del problema.
- También es posible que la familia brinde un apoyo a la persona afectada de tal forma que los síntomas no lleguen a hacerse obvios. En este caso, si la persona se ve privada de este apoyo ya no consigue comportarse correctamente. Es posible que en una situación aguda, en la que se requiera el ingreso hospitalario, parezca que los síntomas surjan de

forma brusca. La hospitalización frecuente precipita estas crisis.

- Con frecuencia, la ansiedad y la inquietud aumentan al atardecer y con la oscuridad; las limitaciones físicas también suelen empeorar la situación. Se puede requerir que un miembro de la familia o un amigo permanezcan con el paciente. También tiene un efecto tranquilizador el mantenimiento del paciente próximo a un área de enfermería.
- Los barbitúricos y los hipnóticos a menudo aumentan la confusión y la agitación.
- En las personas con demencia se producen reacciones agudas. El tratamiento del problema agudo puede mejorar la situación general.
- Los miembros de la familia necesitan ánimo y mucho apoyo. Debe tenerse en cuenta que con frecuencia la persona con demencia presenta unas pautas de sueño muy irregulares, con interrupciones, y las personas que le cuidan pueden estar exhaustas por la continua responsabilidad.
- En cada caso individual, la familia puede haber desarrollado una forma eficaz de tratar al sujeto con demencia, por lo que se debe solicitar la colaboración de los familiares cuando se planifiquen los cuidados.
- Al dar el alta hospitalaria, es imprescindible ayudar a planificar los cuidados del paciente en el hogar. La familia puede necesitar ayuda para determinar las necesidades de los cuidados en el domicilio y la forma de realizarlos.

Enfermedad de Parkinson

Descripción

La enfermedad de Parkinson es un trastorno crónico progresivo asociado a un proceso de déficit neuroquímico cerebral de dopamina. La dopamina actúa como neurotransmisor en diversas funciones neurológicas, y especialmente en los núcleos grises de la base del cerebro que controlan el sistema extrapiramidal que regula los movimientos voluntarios del cuerpo. La alteración provoca una afectación progresiva de la movilidad y estabilidad física de la persona; si no se aplica tratamiento, conforme empeora el trastorno el paciente puede quedar postrado en cama, e incluso puede ser incapaz de hablar, o de comer sin ayuda.

Pruebas diagnósticas habituales

- La enfermedad de Parkinson se identifica mediante la observación de la sintomatología clásica de temblores involuntarios (a menudo son el primer síntoma), rigidez muscular y lentitud de los movimientos.
- Puede practicarse una electromiografía (véase TE: Electromiograma).
- El análisis de líquido cefalorraquídeo obtenido por punción lumbar puede revelar una disminución del contenido de ácido homovalínico (derivado del metabolismo de la dopamina).

Observaciones

- Temblor de reposo que se reduce con el movimiento, se intensifica con el estrés y desaparece durante el sueño.
- Actitud corporal inmóvil.
- Lentitud y pobreza de movimientos voluntarios (bradicinesia) y dificultad para los movimientos pasivos, por rigidez muscular.
- Expresión facial fija, con parpadeo escaso.
- Habla dificultosa y monótona.
- Trastornos de la marcha.
- Los procesos mentales no suelen estar afectados. La depresión es común.

Tratamiento

- Levodopa, derivados de levodopa e inhibidores de la dopadecarboxilasa.
- Fármacos anticolinérgicos y dopaminérgicos.
- Fisioterapia.
- Aunque no es curativa, la levodopa es extremadamente eficaz para el control de los síntomas de la enfermedad de Parkinson. Tiene efectos colaterales diversos, que pueden ser importantes. Los efectos adversos más frecuentes son digestivos, como náuseas y vómitos, y pueden aparecer incluso varios meses después del inicio del tratamiento. Ante su aparición, debe prescribirse un fármaco antiemético para controlarlos. Es útil administrar la levodopa después de las comidas o junto con antiácidos.

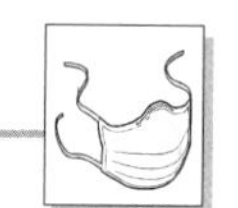

- En los primeros meses de tratamiento puede darse una hipotensión ortostática como efecto colateral. Hay que asegurarse de que el paciente lleve medias elásticas para prevenir este efecto y de que cambie de posición lentamente para evitar el mareo.
- Bajo ninguna circunstancia debe suspenderse súbitamente el tratamiento con fármacos anticolinérgicos, pues podrían provocarse temblores y rigidez.
- Se puede dar confusión mental como efecto colateral de la medicación utilizada para el control de la enfermedad de Parkinson.
- El estreñimiento es un problema frecuente. Debe recomendarse una dieta rica en fibras y líquidos.

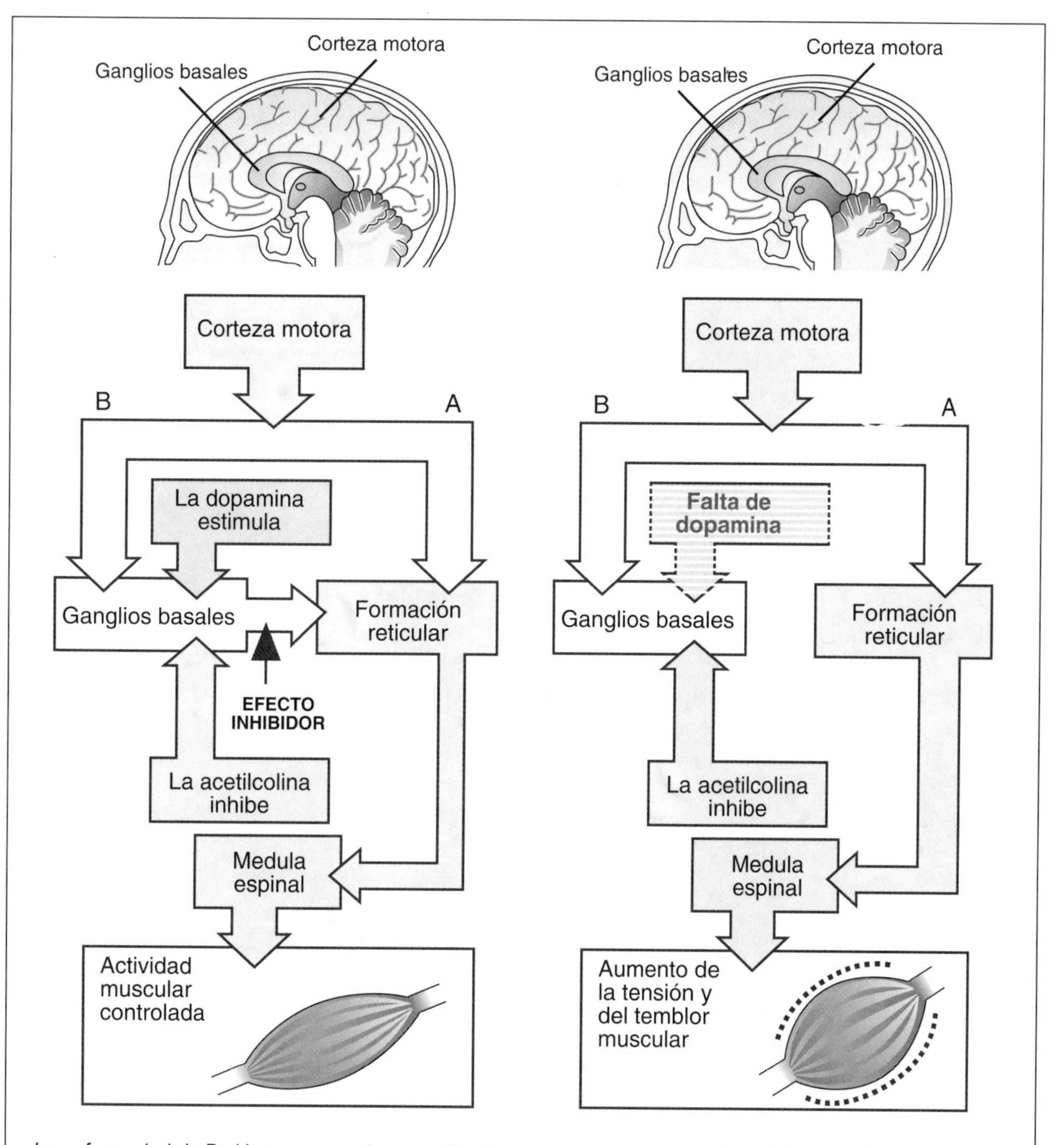

La enfermedad de Parkinson se asocia a un déficit de dopamina, neurotransmisor de los ganglios basales del cerebro que regulan los movimientos del cuerpo. En el dibujo se muestra un esquema del funcionalismo de las vías nerviosas que controlan la actividad muscular en estado de normalidad (izquierda) y en la enfermedad de Parkinson (derecha).

- Para prevenir la rigidez muscular es muy importante establecer un plan de ejercicios diarios. Es muy útil llevar a cabo un programa de fisioterapia, con ejercicios específicos que mejoren el equilibrio y la marcha.

Esclerosis múltiple

Descripción

La esclerosis múltiple o en placas es una enfermedad caracterizada por la destrucción de áreas delimitadas de la mielina que recubre los axones de las neuronas, con una distribución azarosa en el encéfalo, la medula espinal y los nervios craneales. Los síntomas varían dependiendo de la localización de las áreas afectadas. Se trata de una enfermedad crónica que presenta períodos de exacerbaciones y de remisiones impredecibles. La etiología se desconoce, pero se sospecha que puede ser causada por un agente vírico o por un trastorno autoinmune. En ocasiones los brotes son desencadenados por trastornos emocionales o por el padecimiento de enfermedades diversas.

Pruebas diagnósticas habituales

- El diagnóstico suele establecerse a partir de la sintomatología progresiva clásica.
- Punción lumbar (véase TE: Punción lumbar): a menudo se aprecia un aumento de las inmunoglobulinas en el LCR.
- Potenciales evocados (véase TE: Potenciales evocados).
- Resonancia magnética nuclear (véase TE: Resonancia magnética nuclear)
- Se realizan pruebas específicas para descartar otras posibles etiologías (*p.e.*, en busca de una anemia perniciosa o de un tumor cerebral).

Observaciones

- Fatiga inhabitual, debilidad y torpeza de movimientos en los brazos o las piernas, que a menudo produce trastornos de la marcha.
- Alteraciones de la sensibilidad.
- Pérdida de visión, visión doble y problemas oculares, por afectación del nervio óptico y otros pares craneales.
- Entumecimiento en la cara, sobre todo en un lado, en ocasiones acompañado de un dolor leve o intenso (neuralgia del trigémino).
- Alteración del control vesical; en los casos evolucionados puede haber una incontinencia total.
- Trastornos del habla.

Tratamiento

- No existe ningún tratamiento curativo específico, aunque se han ensayado numerosos procedimientos, como la administración de

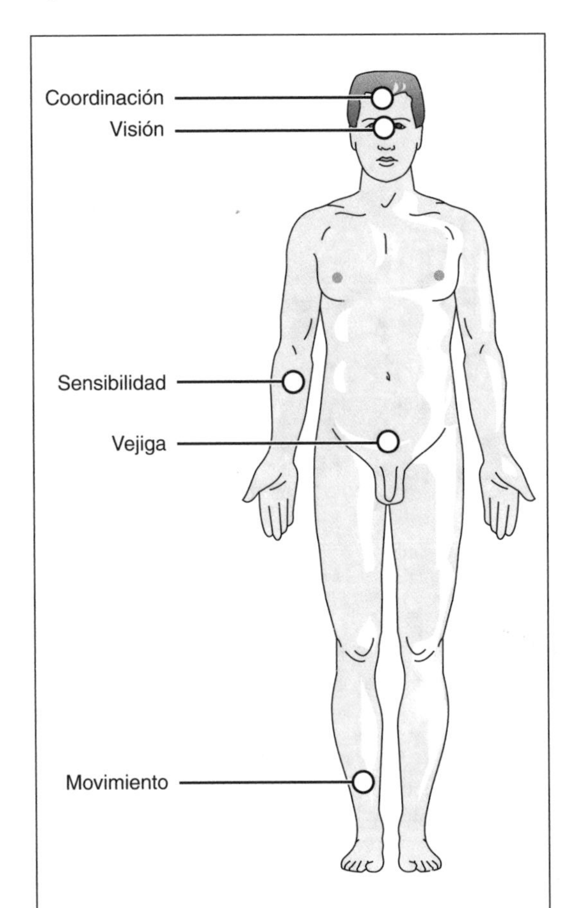

La esclerosis múltiple *tiene una sintomatología muy variada, cuyas características y evolución en cada caso dependen de las zonas afectadas por la destrucción de mielina en el encéfalo, la medula espinal y los nervios craneales.*

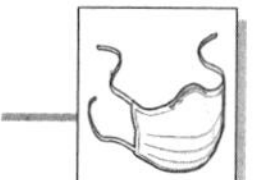

inmunosupresores, la plas
zación de cámara hiperbár
- En los brotes agudos se ac
des, para acortar la duraci
- Es beneficiosa la práctica
todo la natación, así com
ria para mejorar el tono r
- La fiebre o la exposició
acentuar los síntomas.

Consideraciones de enfer

- La evolución del trastor
cada caso. No hay dos
ten idénticos síntomas
mas se presentan en
mente en otra; sin emb
afecta más un lado de
- Los síntomas pueden
mente volver a apare
tensa.
- Los pacientes con es
san con mucha f
agudizaciones el so
suponer una exper
el reposo en cama
- Las infecciones ur
menudo son un p
quese que se reali
respétese la técn
sondaje vesical.
- Es muy import
soporte emocio
pacientes como
aconséjese la co
establecer cont
fermos de escle

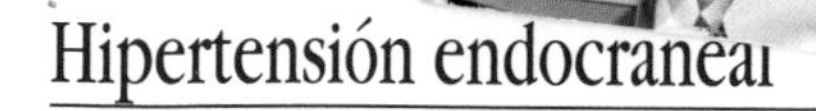

Hipertensión endocraneal

Descripción

La presión endocraneal corresponde a la que ejercen los diversos componentes del contenido del cráneo, tomándose como parámetro la presión del líquido cefalorraquídeo (LCR) en el espacio subaracnoideo y los ventrículos cerebrales, que normalmente es de 10-15 mm Hg. Se habla de hipertensión endocraneal

resión del LCR supera los 15-20
de la presión endocraneal puede
por el aumento de volumen de al-
s tres componentes del contenido
decir, el encéfalo, la sangre o el lí-
lorraquídeo, ya que el cráneo no es
xcepto en la primera infancia) y no
acomodar a ninguna expansión
on causa frecuente de hipertensión
eal las lesiones ocupantes de espa-
como tumores cerebrales, abscesos,
hematomas. También pueden pro-
los traumatismos, la cirugía cerebral,
rragia y todos los procesos que den
edema cerebral, así como las altera-
en la circulación de LCR (como la hi-
alia). Si el aumento de presión intracra-
o se trata, el paciente puede morir por
a cerebral, debido a la compresión de
erias y consecuente fallo de irrigación,
n por fallo cardiaco o respiratorio debi-
la presión sobre los centros vitales que
olan estas funciones.

ebas diagnósticas habituales

xploración neurológica, para identificar los
eterioros neurológicos que ayudan a locali-
ar el área cerebral afecta.
ondo de ojo, para detectar papiledema.
Radiografías de cráneo, sobre todo en traumatismos craneales.
Tomografía axial computada y resonancia magnética nuclear, técnicas de elección para diagnosticar los coágulos intracraneales, tumores, edema cerebral y aneurismas (véase TE: Tomografía computada; resonancia magnética nuclear).
- Angiografía, para detectar aneurismas y estudiar el aporte sanguíneo del cerebro y de los tumores.
- EEG, para reflejar la actividad de los ataques convulsivos (véase TE: Electroencefalograma).
- Punción lumbar, principalmente para obtener muestras de LCR (esta técnica está contraindicada cuando se sabe que hay una elevación de la presión intracraneal, porque puede producirse una herniación del tronco encefálico en el agujero occipital, con riesgo de muerte).
- La medición y monitorización de la presión

intracraneal pueden hacerse por diversos procedimientos: introducción de un catéter intraventricular, tornillo subaracnoideo y sensor epidural. La elección de uno u otro método se hará en función de las conveniencias de cada caso; se opta por el catéter endovenoso cuando se pretende efectuar un drenaje de LCR.

Observaciones

- Agitación, a menudo como primer signo, seguida de una disminución del nivel de consciencia.
- Cefalea, síntoma precoz que suele presentarse por la noche y la mañana; tiende a hacerse continua y progresivamente más intensa.
- Vómitos intensos y no precedidos por náuseas (vómitos en chorro).
- En los niños suele haber fontanelas abombadas, junto con un llanto de tono alto.
- En los niños pequeños se observa un aumento anómalo de la circunferencia de la cabeza, ya que su cráneo todavía es dilatable.
- Reacciones pupilares: todo cambio en las pupilas, en especial si es unilateral, resulta muy significativo. El primer nervio que se afecta por la hipertensión endocraneal es el motor ocular común (tercer par craneal). La aparición de una pupila dilatada (midriasis) unilateral corresponde a una situación de urgencia. Es muy útil valorar si el paciente tiene movimientos oculares coordinados y que las pupilas:
  1. Tienen el mismo tamaño.
  2. Se contraen al exponerse a la luz.
  3. Reaccionan por igual a la luz.
  4. Se dilatan después de tapar los ojos durante unos cuantos minutos.
- En la exploración de fondo de ojo puede observarse edema de la papila óptica (papiledema).
- Cambios en la frecuencia y en la profundidad de las respiraciones, que a menudo comienzan como ligeras irregularidades. Resulta importante la observación de las respiraciones por lo menos durante un minuto.
- Debe notificarse cualquier debilidad o parálisis o dificultad con las respuestas verbales.
- Puede haber convulsiones (véase EMQ: Neurológico, convulsiones).
- La rigidez de cuello se suele asociar a las hemorragias subaracnoideas y a la meningitis.
- Las neoplasias malignas de mama y pulmón a

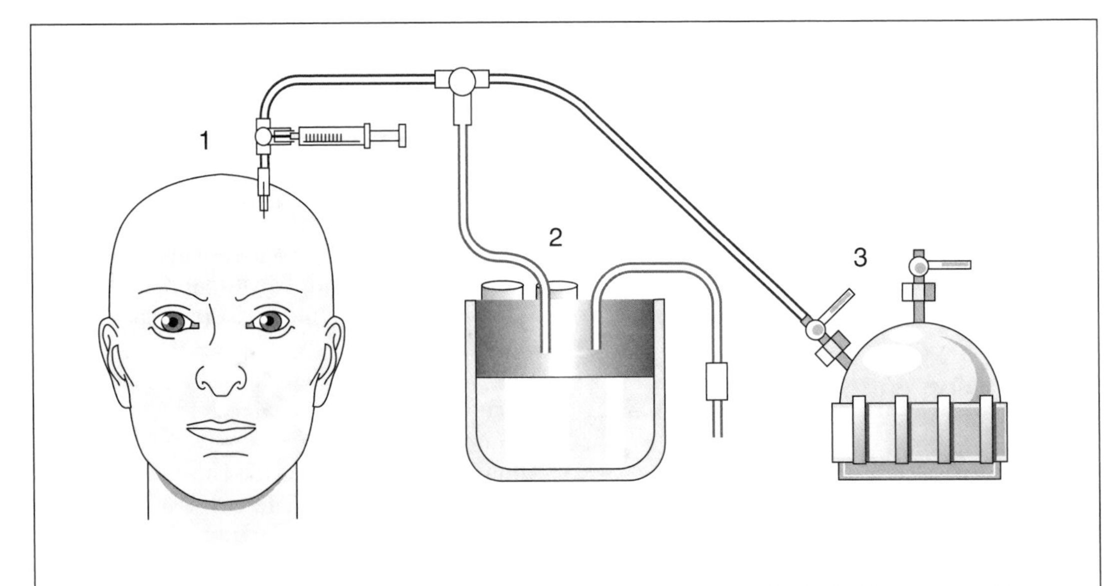

La hipertensión endocraneal *es un cuadro definido por el aumento de la presión del líquido cefalorraquídeo dentro del espacio subaracnoideo y los ventrículos cerebrales, que en condiciones normales corresponde a 10-15 mm Hg. El dibujo muestra el esquema de un método de monitorización de la presión endocraneal: 1, tornillo subaracnoideo; 2, recipiente para drenaje intermitente; 3, transductor externo.*

menudo metastatizan en el cerebro. Los tumores metastásicos comprenden el 50% de todos los tumores cerebrales.

Tratamiento

- Posturas que favorezcan el drenaje venoso intracraneal.
- Administración de corticoides y diuréticos osmóticos (*p.e.*, manitol) y de asa (*p.e.*, furosemida) para reducir el edema cerebral.
- Restricción de líquidos por vía oral y EV.
- Administración de barbitúricos (fenobarbital); no se administran narcóticos.
- Drenaje de LCR, mediante sistemas continuos o intermitentes.
- Tratamiento de la enfermedad de base: fibrinolíticos para prevenir una hemorragia en el caso de existir un aneurisma; anticonvulsivantes; hipotensores; cirugía en caso de tumores, coágulos y para corrección de aneurismas; quimioterapia y radiación de tumores, etcétera.

Consideraciones de enfermería

- Colóquese una vía EV para la terapéutica.
- Practíquese gasometría arterial, para valorar la eficacia de la respiración.
- Manténgase una vía aérea permeable. Colóquese el paciente inconsciente de lado o en una posición de semipronación, pero no en pronación total. Manténgase el equipo de aspiración a mano. La aspiración aumenta la presión intracraneal. Hiperventílese antes y después de aspirar: puede ser necesaria la traqueotomía o bien un tubo endotraqueal.
- La cabecera de la cama se debe situar en un ángulo de 30° a 45°, a menos que esté contraindicado por la presencia de fracturas vertebrales. Esto ayuda al retorno venoso desde la cabeza, lo que disminuye el volumen cerebral.
- Siempre debe explorarse a los pacientes inconscientes en busca de la posibilidad de que sean portadores de lentes de contacto (véase EMQ: Oftalmología).
- Se debe hacer una exploración neurológica, de la presión arterial, del pulso y de la respiración cada 15 minutos cuatro veces; después cuatro veces más, una cada 30 minutos, y posteriormente cada hora o bien con la frecuencia que sea necesaria dependiendo de la situación del paciente. (Véase EMQ: Aproximación general, valoración). Durante las 24 horas posteriores a un traumatismo craneal, aunque sea leve, debe despertarse al paciente cada hora o bien cada dos horas para realizar un examen neurológico. Para que esta exploración sea válida, es preciso que todo el mundo utilice el mismo criterio.
- Los pacientes que acuden inconscientes por lesiones en la cabeza tendrán posteriormente una mayor incidencia de dolores de cabeza, vértigo, irritabilidad, deterioro de la capacidad mental y convulsiones.
- Tómense precauciones frente a las convulsiones. Dispóngase un depresor lingual almohadillado enganchado con cinta adhesiva, o bien un tubo de vías aéreas blando, a la cabeza de la cama o junto a ella. Colóquense barandillas laterales almohadilladas a todo lo largo de la cama y téngase a mano el equipo de aspiración y el oxígeno.
- Cada 4 horas tómese la temperatura del paciente. Los cambios continuos de temperaturas significan que está afectado el centro termorregulador del cerebro. Las mantas de hipotermia son útiles para hacer descender la temperatura corporal, lo que reduce el edema cerebral (véase TE: Manta de hipotermia). Una temperatura de 40 °C puede aumentar el flujo sanguíneo de la cabeza en un 62%. La aplicación de hielo en ingle y axila producirá un descenso más rápido de la temperatura.
- Los pacientes deben permanecer en un ambiente tranquilo.
- Hay que evitar que el enfermo tosa, vomite o realice cualquier tipo de esfuerzo.
- Evítese el empleo de medios de sujeción que inmovilicen al paciente, si es posible, ya que aumentan la agitación.
- Monitorícese el tratamiento endovenoso detenidamente para evitar una sobrecarga de líquidos.
- Obsérvense con detenimiento y regístrense las entradas y salidas cada hora y el peso específico de la orina en cada turno de enfermería.
- Si se llevan a cabo mediciones de la presión intracraneal y/o drenajes de LCR, deben extremarse las medidas de asepsia para reducir el riesgo de complicaciones infecciosas.

Infecciones

Encefalitis

Descripción

Corresponde a una inflamación, edema y posible destrucción tisular de las estructuras encefálicas (cerebro, cerebelo y tronco encefálico), y a menudo de la médula espinal, generalmente a partir de una invasión vírica. Entre los virus causantes de encefalitis destacan algunos con afinidad especial por el tejido nervioso, como el de la poliomielitis, la rabia, el herpes (el neonato puede contagiarse el virus del herpes durante su paso a través del canal del parto a partir de una infección activa en el tracto genital de la madre), el virus Coxsakie y los arbovirus (vehiculizados por artrópodos, como mosquitos y garrapatas, y transmitidos por picaduras), pero también pueden causarla agentes víricos que dan lugar a procesos generales, como el de la gripe, el sarampión o la parotiditis. En la actualidad cabe destacar la incidencia de encefalitis por VIH, el virus causante del SIDA. También pueden provocar encefalitis algunas bacterias (como los agentes causantes de la tos ferina y de la escarlatina) y protozoos (como el causante de la toxoplasmosis).

Las encefalitis postinfecciosas son resultado de una reacción inmunitaria anómala a partir de una enfermedad vírica en cualquier localización del organismo (*p.e.*, sarampión, varicela o rubéola).

Pruebas diagnósticas habituales

- Punción lumbar para el análisis del LCR y la posible identificación del virus (véase TE: Punción lumbar).
- Análisis de sangre para cuantificar los títulos de anticuerpos.
- Tomografía axial computada y resonancia magnética nuclear para detectar las áreas de lesión cerebral.
- EEG.

Observaciones

- En la encefalitis, el hallazgo más significativo es una alteración del estado mental y cierto grado de postración.
- Los síntomas de la encefalitis a menudo simulan un caso grave de meningitis, con fiebre alta, convulsiones (tanto focales como generalizadas) y debilidad muscular. Los signos y

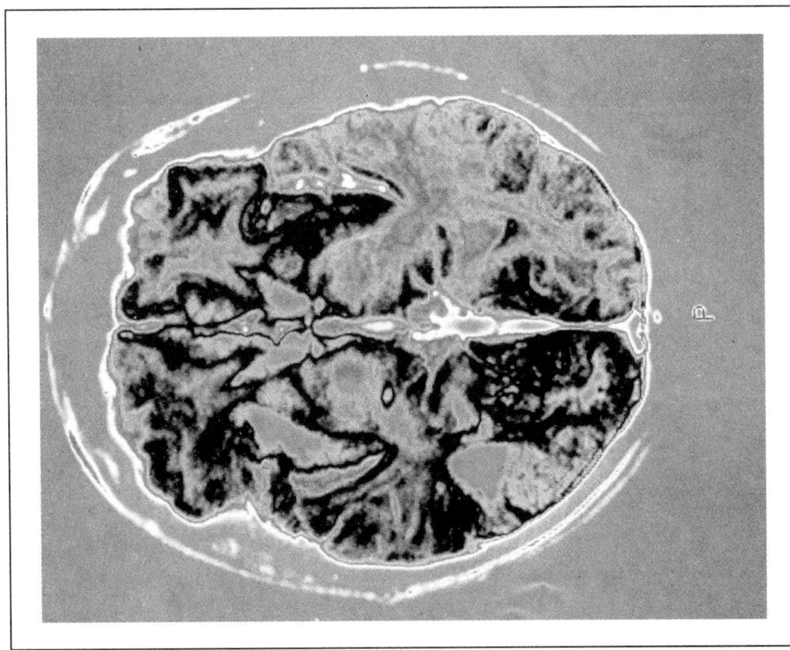

La encefalitis se define como un cuadro de inflamación de las estructuras encefálicas (cerebro, cerebelo y tronco encefálico) que cursa con una alteración de las funciones de los sectores afectados. La etiología del trastorno es variada, pero en la mayor parte de los casos se debe a una infección vírica. En la ilustración, RMN de un cerebro con encefalitis herpética localizada en dos focos del hemicráneo situados en la parte inferior de la imagen.

síntomas neurológicos dependen del área afectada del sistema nervioso central. Pueden presentarse trastornos neurológicos variados, desde alteraciones de la sensibilidad a parálisis o coma.
- La encefalitis herpética evoluciona de una forma rápida y tiene mal pronóstico.

Tratamiento

- Los cuidados a dispensar dependen de los síntomas. El tratamiento está dirigido a reducir la fiebre, proporcionando una nutrición adecuada y aumentando la hidratación.
- Los problemas respiratorios pueden requerir intubación endotraqueal o traqueotomía y ventilación mecánica.

Consideraciones de enfermería

- Monitorícese la temperatura y la respiración y efectúense exploraciones neurológicas con la frecuencia que indique la situación en que se encuentre el paciente.
- Una complicación grave de las encefalitis es el edema cerebral.
- Siempre existe la posibilidad de que aparezcan convulsiones debido a la inflamación del tejido cerebral, sobre todo en los niños.
- La desorientación puede provocar un comportamiento agresivo.
- Son útiles las mantas de hipotermia para controlar las subidas de la temperatura. Sin embargo, para disminuir la temperatura es más eficaz aplicar hielo sobre la ingle y la axila.
- La evolución de la encefalitis es extremadamente variable. En ocasiones se asiste a la recuperación total y sin ninguna secuela después de un cuadro muy grave, y en otros casos quedan como secuela lesiones cerebrales residuales que pueden dar lugar a retraso mental.

MENINGITIS

Descripción

La meningitis es una inflamación de las membranas meníngeas que recubren el cerebro y la medula espinal, generalmente de origen bacteriano y con menor frecuencia vírico o micótico. Sin tratamiento, puede producir la muerte o una lesión nerviosa permanente debido a una elevación de la presión intracraneal (véase EMQ: Neurológico, hipertensión endocraneal). Las infecciones bacterianas de cerebro y medula espinal pueden ser secundarias a una infección del oído, sinusitis, craneotomía o lesión abierta de la cabeza. La meningitis meningocócica es una forma contagiosa de meningitis bacteriana que puede producirse de forma epidémica, ya que se transmite por las gotas de saliva que eliminan por la nariz y por la boca los individuos afectados.

Pruebas diagnósticas habituales

- Punción lumbar para análisis y cultivo del líquido cefalorraquídeo.
- Hemocultivos para identificar las bacterias.
- Cultivos de muestras de material obtenido de la nariz y la garganta para identificar las bacterias causales.

Observaciones

- En los niños puede haber irritabilidad, pérdida del apetito o vómitos, un llanto de tono agudo y abombamiento de las fontanelas. Son frecuentes las convulsiones, la fiebre o la hipotermia.
- En los niños algo más mayorcitos y adultos puede observarse una cefalea severa, fiebre, vómitos no precedidos de náuseas (en chorro), fotofobia, somnolencia y rigidez del cuello que impide presionar el mentón sobre el tórax.
- Puede estar presente el signo de Kernig (dificultad para extender la rodilla cuando se flexiona el muslo contra el abdomen) y el signo de Brudzinski (flexión involuntaria de las piernas cuando se inclina el cuello hacia adelante).
- Obsérvense los cambios en el nivel de consciencia, que pueden evolucionar hacia el coma, lo cual ocurre más a menudo en los niños pequeños y en los ancianos.
- Puede haber deshidratación e hiponatremia.
- La aparición de petequias en piel y mucosas, así como los síntomas del shock, son característicos de complicación de las meningitis meningocócicas.

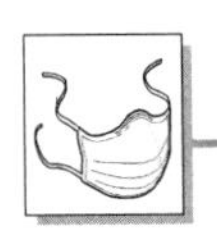

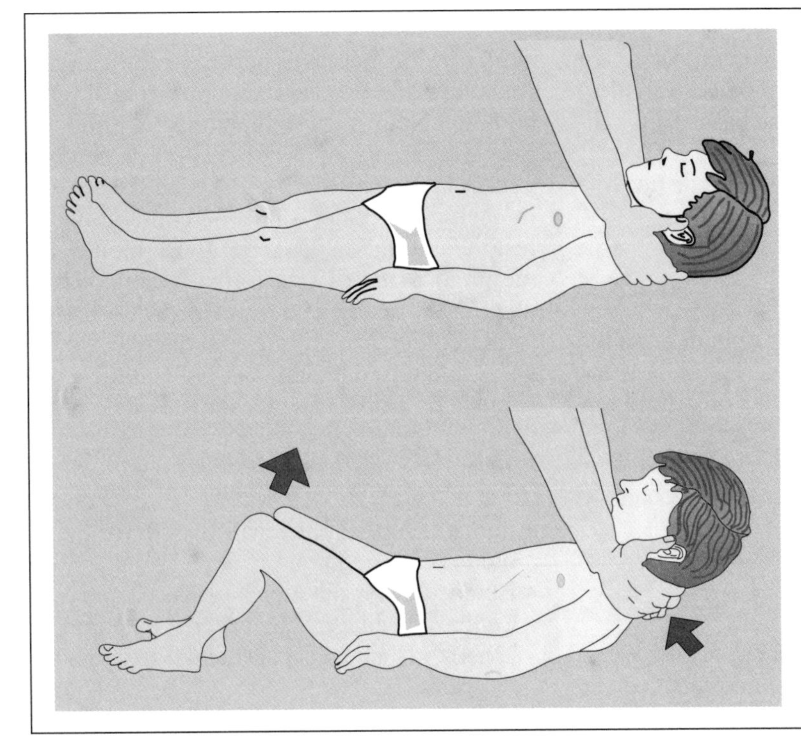

La meningitis consiste en la inflamación de las membranas que recubren el encéfalo y la medula espinal, caracterizada por un cuadro de cefalea intensa, rigidez de cuello, vómitos y fiebre alta. Para su diagnóstico, que debe establecerse precozmente a fin de poder aplicar el tratamiento oportuno y prevenir así las severas complicaciones que comporta la evolución natural de la enfermedad, puede recurrirse a diversas maniobras que ponen en evidencia la afectación meníngea. En la ilustración se muestra el signo de Brudzinski, característico de la meningitis: la flexión pasiva del cuello provoca una flexión involuntaria de las rodillas.

Tratamiento

- Antibióticos por vía EV contra los microorganismos causales (según resultado de cultivo y antibiograma).
- Anticonvulsivantes.
- Ingesta adecuada de líquidos, lo que requiere una monitorización cuidadosa de las entradas y salidas.
- Aislamiento de acuerdo con el protocolo de las enfermedades transmisibles (véase TE: Infecciones, aislamiento).

Consideraciones de enfermería

- Los problemas que pueden surgir en el curso de una meningitis incluyen el shock séptico, el edema cerebral agudo y las convulsiones.
- Proporciónese una habitación oscura y tranquila, ya que el paciente tiene una susceptibilidad aumentada a la luz y a los ruidos.
- Para controlar la temperatura corporal es útil la manta de hipotermia (véase TE: Manta de hipotermia). Sin embargo, para reducir de forma rápida la temperatura es más eficaz aplicar hielo sobre la ingle o la axila.
- Hay que desechar con cuidado todas las secreciones que procedan de la boca, la nariz y los oídos del paciente con meningitis.
- Se deben tener en cuenta las precauciones frente a las convulsiones, puesto que es posible que se presenten.
- Se deben controlar las entradas y salidas de líquidos, así como el peso a diario. Puede ser que exista una secreción inadecuada de hormona antidiurética, lo que puede dar lugar a una retención de líquidos y empeoramiento del edema cerebral.
- Deben tomarse las constantes vitales por lo menos una vez cada 2 horas durante la fase aguda.
- La mayor incidencia de meningitis se produce en los niños que tienen de 6 a 12 meses de edad; por consiguiente, cualquier bebé o niño que presente una infección de las vías respiratorias altas y una alteración del nivel de consciencia o del comportamiento debe ser explorado por el médico.
- La meningitis meningocócica evoluciona rápidamente al shock. Si no se trata, resulta fatal en el curso de horas.
- La meningitis meningocócica es una enfermedad de declaración obligatoria. Debe prescri-

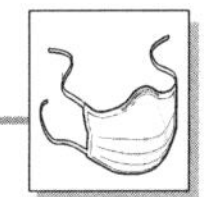

birse un tratamiento profiláctico a los contactos. También existe una vacuna eficaz frente a algunas cepas de meningococos.

- En los niños que se restablecen de una meningitis existe una alta incidencia de sordera.

Miastenia grave

Descripción

La miastenia grave (MG) es una enfermedad crónica, a menudo progresiva, consiguiente a una alteración en la transmisión del impulso nervioso a las fibras musculares que ocasiona una debilidad muscular de intensidad variable, que puede ser ligera o bien poner en peligro la vida por fallo de la musculatura respiratoria. Con frecuencia está afectada la musculatura oral y la facial, aunque puede afectarse cualquier músculo voluntario. Se desconoce la etiología, pero se considera una enfermedad autoinmune, porque hay una producción de anticuerpos anómalos que tienden a bloquear los receptores de acetilcolina de las fibras musculares. Así mismo, existe una asociación entre miastenia grave y tumores o un aumento del tamaño del timo, y la timectomía tiene en ocasiones unos resultados favorables.

- Los hijos de madres con MG pueden presentar al nacer signos de la enfermedad (miastenia neonatal) que, en general, desaparecen a las pocas semanas.
- La *crisis miasténica* corresponde a un aumento brusco de la severidad de los síntomas secundario al estrés, a una infección o a una medicación insuficiente con anticolinesterásicos o a la falta de respuesta a esta medicación.

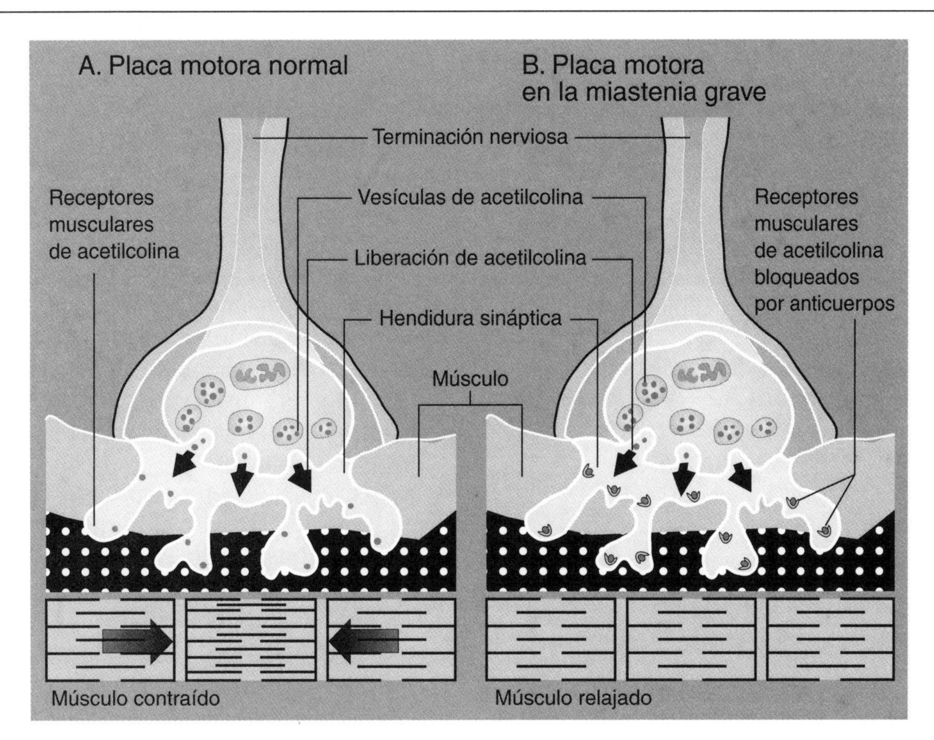

La miastenia grave se debe a una alteración en la transmisión del impulso nervioso a las fibras musculares a nivel de la placa motora. En condiciones normales (A), el impulso nervioso determina la liberación de acetilcolina, neurotransmisor que se une a los receptores de las fibras musculares y desencadena la contracción. En la miastenia grave (B), el organismo produce unos anticuerpos que bloquean los receptores de acetilcolina e impiden el estímulo para la contracción muscular.

- La *crisis colinérgica* corresponde también a un aumento de la severidad de los síntomas, pero esta vez ocasionada por un excesivo tratamiento con medicación anticolinesterásica.

Pruebas diagnósticas habituales

- Pruebas farmacológicas:
  1. La administración subcutánea o intramuscular de bromuro de neostigmina (prostigmina) da lugar en el paciente con MG a un aumento de la fuerza muscular durante 45 minutos, persistiendo este efecto varias horas.
  2. La administración de cloruro de edrofonio por vía intravenosa da lugar en el paciente con MG a una recuperación inmediata de la fuerza en los músculos afectados, con una persistencia del efecto durante sólo 5 o 10 minutos.
- La prueba del edrofonio IV se puede utilizar para distinguir entre una crisis miasténica y una crisis colinérgica. Los síntomas de la enfermedad mejorarán en una crisis miasténica y empeorarán en una crisis colinérgica. Para contrarrestar la reacción colinérgica se administra sulfato de atropina.
- La electromiografía permite detectar una disminución de respuesta muscular ante la estimulación repetida (véase TE: Electromiograma).
- Análisis de sangre, para detectar anticuerpos contra los receptores de acetilcolina.
- Si se diagnostica MG, se llevan a cabo estudios para detectar la existencia de un timoma (*p.e.*, tomografía computada).

Observaciones

- Puede haber ptosis (caída del párpado superior) o diplopía (visión doble). Esto se evidencia más al final del día.
- Puede apreciarse una debilidad de las extremidades y agotamiento de la fuerza de la musculatura voluntaria al practicar ejercicio normal. Tras un corto reposo, la debilidad desaparece.
- Se puede evidenciar dificultad en la masticación, la deglución y la respiración, así como debilidad de la voz.
- Tanto la crisis miasténica como la colinérgica dan lugar a un aumento de la severidad de la sintomatología de base, sobre todo una marcada incapacidad para deglutir o para respirar. Esto puede requerir de intubación y ventilación mecánica. Los pacientes deben ser mantenidos en una unidad de cuidados intensivos y no se les debe dejar sin atención durante una crisis.

Tratamiento

- Administración de fármacos anticolinesterásicos (*p. e.*, bromuro de piridostigmina, neostiognima), que inhiben la acción de las enzimas encargadas de degradar la acetilcolina. Estos medicamentos mejoran los síntomas temporalmente.
- Administración de corticoides e inmunosupresores para inhibir la formación de anticuerpos.
- Plasmaféresis, con extracción de sangre del enfermo, eliminación de los anticuerpos responsables del trastorno y posterior reinyección.
- Si se ha demostrado la participación del timo en la génesis de la enfermedad, se procede a la timectomía.

Consideraciones de enfermería

- Cuando un paciente con crisis aguda de MG es ingresado, siempre debe haber disponible un equipo de aspiración y otro de traqueotomía junto a la cama o en lugar próximo. Todo el personal responsable del enfermo debe conocer su ubicación.
- Los pacientes deben comprender totalmente el efecto de la medicación que toman y las consecuencias que tiene una dosificación inadecuada.
- Los fármacos anticolinesterásicos deben tomarse siguiendo una pauta individual para cada paciente. De este modo, un paciente hospitalizado que presente una MG debe mantener su propia pauta de medicación y, a ser posible, debe tenerla junto a la cama para así poder autoadministrársela.
- Cuando aparece un problema de disfagia (dificultad a la deglución), la medicación debe tomarse unos 30 minutos antes de la comida.

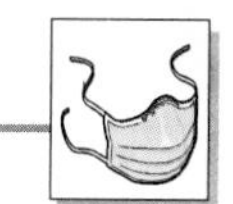

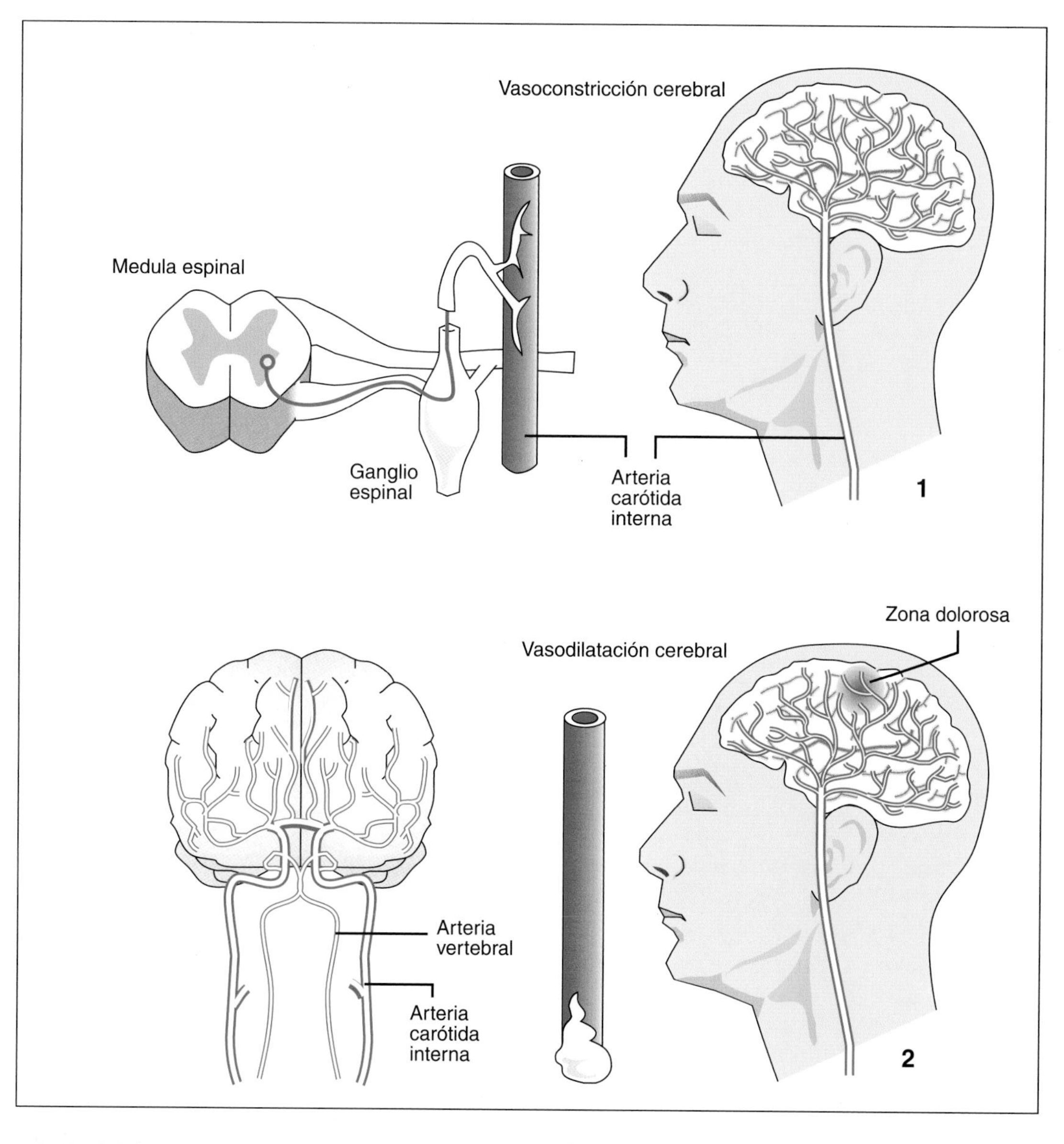

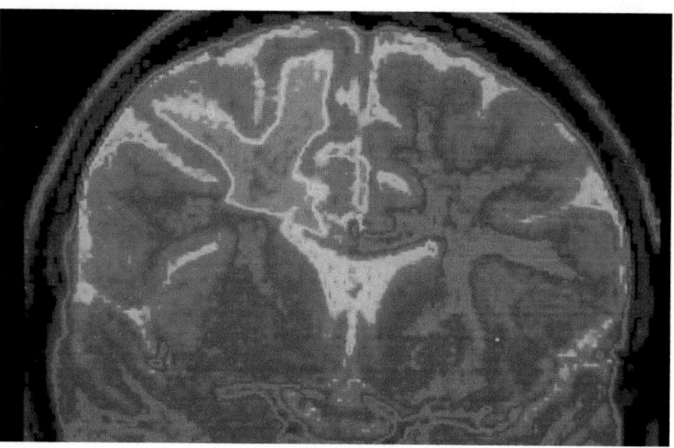

Las cefaleas pueden estar provocadas por alteraciones muy diversas y de distinta significación patológica. En ocasiones, puede tratarse de trastornos funcionales, como es el caso de la migraña, cuyo mecanismo fisiopatológico se ilustra en el dibujo superior. Otras veces se trata de alteraciones orgánicas, como es el caso de los tumores intracraneales primitivos o metastásicos. A la izquierda, TAC coloreada donde se observa un tumor cerebral (en rojo).

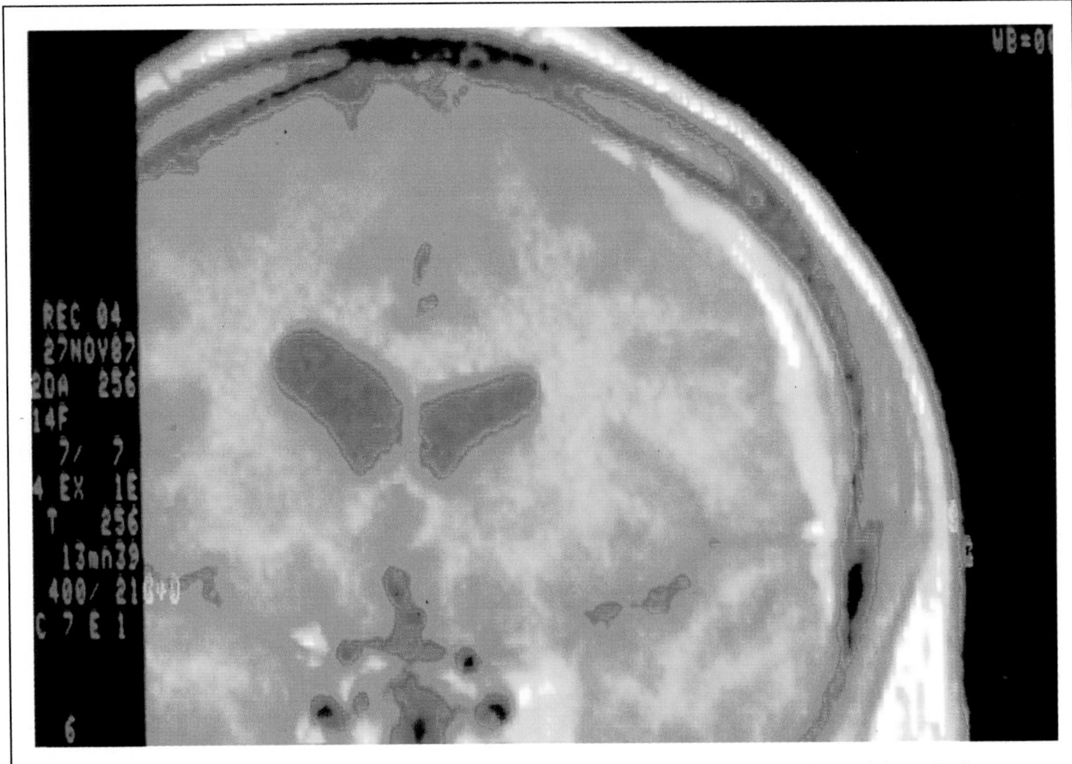

La meningitis consiste en la inflamación de las membranas que recubren el cerebro y la medula espinal. La ilustración corresponde a un escáner cerebral coloreado donde puede advertirse la inflamación de las meninges (en color amarillo).

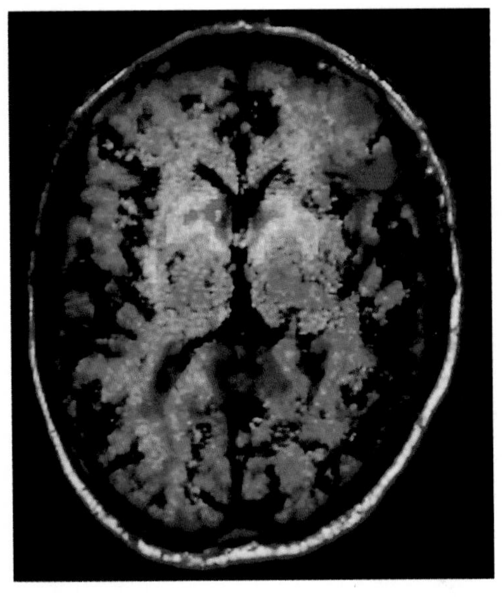

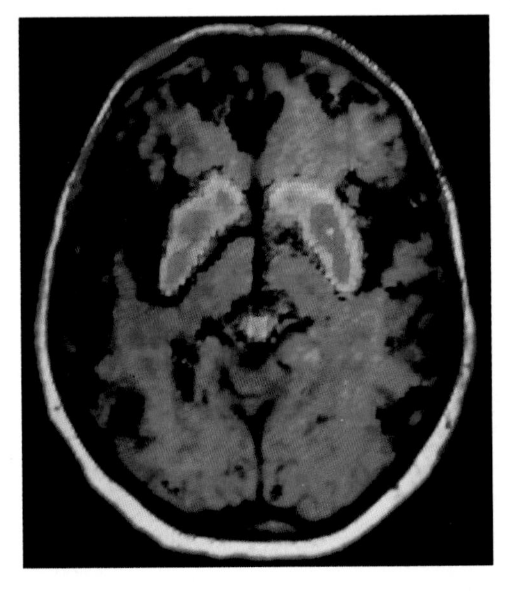

La enfermedad de Parkinson es un trastorno crónico asociado a un déficit neuroquímico en los núcleos grises de la base del cerebro. La ilustración de la izquierda muestra los núcleos caudado y putamen en estado normal (en rojo); la ilustración de la izquierda muestra los mismos núcleos grises afectados por la enfermedad de Parkinson.

- Todo individuo que presente debilidad muscular debe disponer de un dispositivo de llamada de fácil uso y estar alojado en una habitación próxima al puesto de enfermería.
- Adviértase al paciente que algunos fármacos precipitan las crisis y deben evitarse, entre ellos: neomicina, quinidina, pronestil, quinina, fenobarbital y fenotiacinas. Los pacientes deben consultar a su médico antes de tomar cualquier medicamento.
- Las infecciones respiratorias de las vías altas suponen un peligro para el paciente con MG, puesto que la debilidad muscular dificulta la capacidad de la tos para eliminar las secreciones de las vías aéreas.
- Se debe evitar la fatiga y el estrés psíquico o emocional, ya que agravan la sintomatología.
- Todo enfermo con MG debe llevar una pulsera de identificación que advierta su condición.

Síndrome de Guillain-Barré (síndrome de Landry-Guillain-Barré: polineuritis infecciosa)

Descripción

El síndrome de Guillain-Barré corresponde a un conjunto de síntomas producidos por cambios inflamatorios y degenerativos de las raíces nerviosas periféricas y craneales. La etiología exacta se desconoce. Sin embargo, el cuadro a menudo está precedido de una infección vírica con síntomas similares a la gripe o aparece tras inmunizaciones, lo que sugiere una reacción autoinmune. Normalmente comienza por una debilidad muscular en las piernas, que en pocos días o incluso en horas se puede extender a las cuatro extremidades y a otros músculos, para producir una parálisis parcial o total. Cuando están afectados los nervios craneales, a menudo se producen dificultades en la deglución y puede desarrollarse una insuficiencia respiratoria. El pronóstico depende de la gravedad de los síntomas. Puesto que los nervios periféricos tienen la capacidad de regenerarse, es posible su restablecimiento, pero pueden hacer falta varios meses antes de que desaparezca la parálisis, que suele ocurrir en orden inverso a su aparición.

Pruebas diagnósticas habituales

- Se realiza una punción lumbar para obtener líquido cefalorraquídeo (LCR). Suele haber incremento en la concentración de proteínas, pero con normalidad en el número de células y la concentración de glucosa.
- La velocidad de conducción nerviosa está lentificada de forma invariable en esta enfermedad.
- La electromiografía registrará anomalías en los músculos afectos durante el reposo y en la actividad (véase TE: Electromiograma).
- Se recomienda tomar de forma seriada las constantes vitales.

Observaciones

- El trastorno cursa con debilidad aguda, hormigueo y entumecimiento transitorios que al principio se suelen apreciar en los pies y en las piernas y posteriormente progresan hacia arriba.
- Si se produce cualquier alteración en la respiración, la deglución o el habla, se debe comunicar de inmediato al médico.
- A menudo hay una sudoración excesiva, enrojecimiento de la cara y fluctuaciones en la presión arterial debido a los efectos directos del sistema nervioso vegetativo.

Tratamiento

- No existe ningún tratamiento conocido para esta enfermedad.
- Se puede administrar tratamiento anticoagulante (heparina) para prevenir la trombosis que se produce como resultado de la inmovilización.
- Si se produce un fracaso de la musculatura respiratoria, será necesario practicar una traqueotomía o intubación y ventilación mecánica.
- Después de la fase aguda es útil la fisioterapia a largo plazo para facilitar la recuperación muscular.
- Para prevenir la atrofia muscular es útil la dieta con alto contenido proteico y calórico.

Consideraciones de enfermería

- Estos pacientes suelen estar muy preocupados debido a la rápida evolución de la parálisis. Tienen una necesidad real de que alguien permanezca con ellos.
- Hay que asegurarse de que el paciente dispone en todo momento de un sistema de llamada que pueda ser capaz de utilizar.
- Es imprescindible la observación cuidadosa, documentación e información, de forma que las enfermeras que entren en el turno siguiente tengan un conocimiento de la situación respiratoria y neurológica exacta del paciente. En el examen neurológico, regístrese la fuerza y la capacidad de mover los pies, las piernas, los brazos y las manos y los hombros. Es muy importante detectar las modificaciones, ya que pueden presentarse variaciones evolutivas muy rápidas.
- La complicación que requiere un tratamiento más urgente en esta enfermedad es la insuficiencia respiratoria.
- Debe hacerse un examen respiratorio y una medición de la capacidad vital junto con la exploración neurológica al menos cada 2 horas, o bien con mayor frecuencia si está indicado. Esta conducta debe seguirse hasta que la enfermedad haya alcanzado el punto más alto. La valoración respiratoria debe incluir la observación de los movimientos torácicos y, si es necesario, de los movimientos del diafragma al respirar. Auscúltense los ruidos respiratorios torácicos. Hágase que el paciente cuente hasta diez: si se advierte que le falta aire mientras cuenta, ello indica que existe dificultad en la respiración.
- Normalmente existe un aumento de las secreciones bronquiales y una disminución de la capacidad para eliminarlas. Téngase siempre un equipo de aspiración disponible.
- Cuando la deglución está afectada, son necesarias las sondas de alimentación nasogástricas.
- Puede haber incontinencia urinaria, retención urinaria y estreñimiento.
- Cuando los músculos orbiculares están afectados, los ojos no se lograrán cerrar adecuadamente. Es necesario proceder a una cuidadosa atención de los ojos para prevenir lesiones e infecciones; mientras el paciente duerme, manténganse los párpados cerrados con cinta adhesiva.
- Estos pacientes pueden estar inmovilizados durante varias semanas, lo que hace necesario pensar en complicaciones tales como las úlceras de decúbito, trombosis venosas profundas y embolismo pulmonar. Es absolutamente necesario efectuar cambios frecuentes de posición y ejercicios en toda la amplitud de movimientos.
- Esta enfermedad es muy incapacitante, con posibles complicaciones que amenazan la vida. La recuperación es lenta y requiere de la reeducación muscular para tareas tales como deambular y hablar. En el largo período de recuperación el paciente puede sucumbir a la depresión, el enojo y la frustración, requiriéndose un adecuado soporte psicológico y emocional.

Traumatismo craneoencefálico

Descripción

La denominación traumatismo craneoencefálico (TCE) abarca todas las alteraciones que se producen en el cráneo y el encéfalo como consecuencia de un impacto directo o indirecto que causa, ya sea inmediatamente o bien tras un breve período libre de manifestaciones, una pérdida de consciencia y otras alteraciones neurológicas transitorias o definitivas.

Pruebas diagnósticas habituales

- Exploración neurológica.
- Radiografías de cráneo.
- Tomografía computada (TAC).
- Resonancia magnética nuclear (RMN).
- Angiografía.
- Electroencefalograma (EEG).
- Punción lumbar; esta técnica está contraindicada si existe hipertensión endocraneal.

Observaciones

- La *conmoción cerebral* corresponde a un trastorno transitorio de la actividad cerebral sin

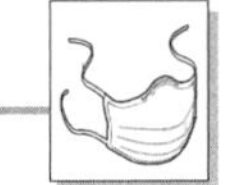

lesión de las estructuras nerviosas y de evolución favorable. Se produce una pérdida de consciencia de breve duración, tras la cual hay amnesia retrógrada, desorientación y somnolencia; en los días posteriores puede haber cefalea, mareos, irritabilidad y agitación.

- La *contusión cerebral* cursa con destrucción de tejido nervioso o pequeñas hemorragias como consecuencia del impacto del encéfalo contra el cráneo y cierto grado de edema cerebral. Se produce una pérdida de consciencia de duración variable, que a veces se prolonga varios días, y trastornos neurológicos que dependen del área cerebral afectada: paresias o parálisis, trastornos del lenguaje, convulsiones, alteraciones sensitivas o sensoriales, etc. Cuando el paciente recupera la consciencia puede presentar amnesia, agitación, delirios y afectación de la capacidad intelectual. Si la contusión es difusa, la inflamación cerebral puede propiciar un fallo cardiaco o respiratorio por afectación de los centros reguladores. La evolución depende de la gravedad de cada caso; puede haber una recuperación total o quedar secuelas definitivas.
- La *laceración cerebral* es el TCE más grave, ya que corresponde a la rotura y dislaceración de las meninges y el tejido encefálico por debajo del punto donde se ha producido una fractura craneal. Cursa con pérdida de consciencia y síntomas neurológicos muy variables, generalmente con secuelas definitivas.
- El hematoma epidural es una complicación de TCE que consiste en la acumulación de sangre entre la duramadre y el cráneo. Suele haber un período libre de síntomas de unas 3 o 4 horas, aunque a veces se prolonga varios días, tras el cual aparece una cefalea intensa, acompañada de náuseas y vómitos y seguida por pérdida gradual de consciencia, desde la somnolencia, la desorientación y la confusión hasta el coma. Hay hemiplejía en el lado opuesto de la lesión, desigualdad del tamaño de las pupilas y alteración de las contantes vitales (hipertensión, bradicardia, respiración profunda y lenta). Si el hematoma sigue creciendo, se produce afectación de los núcleos que controlan las funciones vitales y muerte por paro cardiaco o respiratorio.
- El *hematoma subdural* corresponde a la acumulación de sangre en el espacio comprendido entre la duramadre y la aracnoides. Las manifestaciones y la evolución dependen del vaso sanguíneo lesionado. Puede tratarse de un hematoma subdural agudo, que se manifiesta en las primeras 24-48 horas como un proceso expansivo que provoca hipertensión endocraneal (véase EMQ: Neurología, hipertensión endocraneal); sin tratamiento inmediato, provoca la muerte en un significativo porcentaje de casos. El hematoma subdural crónico puede dar manifestaciones tras un intervalo libre de varios días o incluso meses, con cefaleas, astenia, alteraciones de la memoria, visión borrosa y alteraciones neurológicas.

Tratamiento

- Administración de corticoides, diuréticos y barbitúricos para tratar el edema cerebral.
- Tratamiento de los problemas respiratorios (oxigenoterapia, intubación o traqueotomía, ventilación mecánica) y cardiocirculatorios.
- Tratamiento de las fracturas craneales.
- Cirugía de urgencia en el hematoma epidural y subdural.

Consideraciones de enfermería

- Manténgase en reposo y observación durante 24-48 horas a todo paciente que haya sufrido un traumatismo craneoencefálico. Inténtese que el paciente no duerma al menos durante las 3 a 4 horas siguientes al ingreso. Durante el tiempo de observación, debe despertarse al paciente cada hora o bien cada dos horas para realizar un examen neurológico.
- La cabecera de la cama se debe situar en un ángulo de 30° a 45°, a menos que esté contraindicado por la presencia de fracturas vertebrales. Esto ayuda el retorno venoso desde la cabeza y disminuye el volumen cerebral. Si existe fractura de la base del cráneo, manténgase el paciente en decúbito supino con la cabeza elevada unos 5-10°.
- Contrólese con regularidad el nivel de consciencia, las constantes vitales y la aparición de signos y síntomas de hipertensión endocraneal (véase EMQ: Neurología, hipertensión endocraneal). Explórese la respuesta a

estímulos dolorosos, el tamaño y reactividad de las pupilas, la existencia de parestesias o parálisis y de convulsiones.
- Manténgase una vía aérea permeable. Cuando sea preciso, se aplicará oxigenoterapia y se practicará intubación endotraqueal o traqueostomía y ventilación mecánica. Téngase dispuesto todo lo preciso para estas prácticas y llévese un control de gasometría arterial según indicación.
- Colóquese una vía venosa para la reposición de líquidos, administración de fármacos y obtención de muestras de sangre.
- Vigílese la aparición de LCR por la nariz o los oídos. Comuníquese de inmediato.
- Llévese un registro estricto de entradas y salidas de líquidos.

Traumatismo de medula espinal

Descripción

El traumatismo de la medula espinal puede ser causado por fractura de vértebras con lesión directa de la medula o por una compresión con lesión directa causada por un tumor o por la rotura de un disco intervertebral. Las fracturas vertebrales son la causa más común de lesión de la medula espinal. Como resultado de la compresión y la laceración del tejido medular se dan diferentes grados de parálisis. Inicialmente, la lesión medular se suele presentar con parálisis fláccida y arreflexia (pérdida de reflejos). Posteriormente puede haber una parálisis espástica y cierta recuperación de los reflejos. La lesión de la medula cervical afecta a la función respiratoria. La sección medular da lugar a una pérdida permanente de movimientos voluntarios e involuntarios y de las funciones sensitivas y autónomas, con diferentes características según el nivel de la lesión, como puede observarse en la tabla 1.

Pruebas diagnósticas habituales

- Examen neurológico.
- Radiografías de cráneo y columna.
- Tomografía axial computada.
- Resonancia magnética nuclear.
- Mielografía.

Observaciones

- El shock medular posterior al traumatismo se presenta como una pérdida inmediata de todas las funciones medulares por debajo del nivel de la lesión, como consecuencia de la lesión directa y el edema de la medula. Suele ser un cuadro pasajero, pero puede durar de semanas a meses. No hay evacuación voluntaria ni involuntaria de orina ni de heces. Esto supone un riesgo importante de retención urinaria y sobredistensión de la vejiga, que puede acabar rompiéndose. También son complicaciones del shock medular la hipotensión, la bradicardia y la falta de perfusión de tejidos, por la disminución de eliminación de orina. Los consecuencias del shock medular sobre el intestino son la obstrucción, la distensión y el íleo paralítico.
- Cuando la lesión está por encima de la C_5 tiene lugar un paro respiratorio. El paciente sólo podrá vivir con ayuda del respirador y precisará una traqueotomía. Además, existe una notable predisposición a padecer neumonía, una complicación importante de las lesiones de la medula espinal.
- La tromboflebitis y la embolia pulmonar son complicaciones frecuentes de la inmovilización prolongada (véase EMQ: Cardiovascular, tromboflebitis; Respiratorio, embolismo pulmonar). Por este motivo, se administra un tratamiento anticoagulante profiláctico (véase EMQ: Sangre, tratamiento anticoagulante).
- Las úlceras por estrés se asocian con frecuencia a lesión de medula espinal y requieren un tratamiento preventivo (véase EMQ: Digestivo, gastritis, gastritis aguda).
- La disfunción de la vejiga implica una alta incidencia de retención urinaria tras el traumatismo medular. Si la lesión medular está por debajo del centro de la micción (S_1-S_3), puede producirse una vejiga neurógena fláccida, con interrupción del arco reflejo, que da lugar a incontinencia por rebosamiento debido a la sobredistensión vesical y con alta incidencia de infección por el estancamiento de orina. Si la lesión se da por encima del centro de la micción, se produce una vejiga neu-

Tabla 1 Afectación funcional tras una lesión de medula espinal

Nivel de lesión	*Afectación funcional*
Sacro (S_2 a S_4)	Inicialmente sólo está alterada la función de la vejiga y del intestino Evacuación intestinal por tensión o manual; vaciado vesical por tensión Un problema posible es la incontinencia; se precisará cirugía del cuello de la vejiga Posiblemente se precise de sonda externa para los varones Deambulación normal
Lumbosacro (L_4 a S_1)	Intestino y vejiga igual que arriba. Independencia locomotriz posible con varas o muletas y frecuentemente con refuerzo ortopédico de las piernas (ortopedia pie-tobillo). Alterada la capacidad de estar de pie. Innecesaria la silla de ruedas
Lumbar (L_1 a L_3)	Evacuación intestinal mediante supositorios y estimulación rectal Evacuación vesical ayudada haciendo estimulación de los reflejos sacros si están presentes (mediante golpecitos o estimulación anal). Posiblemente requiera una esfinterotomía o utilización de sondaje intermitente durante un tiempo. Andar con ayuda de un refuerzo ortopédico de pierna (ortopedia rodilla-tobillo-pie) y con muletas para cortas distancias. Posible la independencia completa en silla de ruedas
Dorsal (D_1 a D_{12})	Intestino y vejiga controlados como en pacientes con lesión en L_1 a L_3 (casi siempre disfunción de la neurona motora superior). Posible independencia funcional completa. A pesar de que se deforman las extremidades inferiores, es posible la deambulación independiente con los refuerzos ortopédicos largos de pierna, pero es demasiado agotador para ser funcional. Completa independencia en silla de ruedas incluido el vestirse, conducir y sentarse o levantarse de la silla
Dorsal (D_2 a D_6)	Intestino y vejiga controlados como los pacientes con lesión en L_1 a L_3 Requieren la silla para trasladarse. Con fuerte entrenamiento es posible la completa independencia. La deambulación con la ortopedia no es funcional
Cervical (C_7 a D_1)	Intestino y vejiga controlados como los pacientes con lesión en L_1 a L_3 Reflejo de evacuación demasiado fuerte, de manera que resulta difícil al paciente mantenerse seco entre sondaje y sondaje. Si es así, se precisará de una sonda externa en el varón y una normal en la mujer con lesiones a este nivel o por encima. El autosondaje es difícil para pacientes con lesión en C_7, por disminución de la destreza manual. Silla de ruedas para trasladarse Completa independencia excepto en pacientes con deformidades, debilidad, obesidad u otros problemas médicos
Cervical (C_6)	El sondaje intermitente no suele ser práctico porque muchos pacientes padecen falta de destreza manual incluso con aparatos ortopédicos para manos. En varones, se requiere sonda externa y a veces cirugía de vejiga. La silla de ruedas manual con aros modificados para las manos la manejan con dificultad; requieren una silla de ruedas eléctrica para rampas y gradas Los cuidados personales se facilitan con ortopedia. Completa independencia en muy pocos pacientes. A veces es posible la conducción
Cervical (C_5)	Necesitan ayuda en todas sus actividades. No es práctico que vivan solos Es posible la deambulación independiente con silla de ruedas eléctrica
Cervical (por encima de C_5)	Paciente totalmente dependiente. Ventilación comprometida. En caso de lesión en C_4 necesitará equipo respiratorio especial. Para algunos pacientes es posible la deambulación en silla eléctrica preparada para poderse dirigir con la mejilla o la boca

rógena espástica o refleja, debido a lo cual se pierde el control y la vejiga se vacía espontáneamente.

- La hiperreflexia autonómica, por lesión de los nervios del sistema simpático, corresponde a un brusco y severo aumento de la presión sanguínea acompañado de dolor de cabeza y sudor profuso. Se ve con mayor frecuencia en pacientes con lesión a nivel de D_6 o más alto. Suele ser consecuencia de una vejiga distendida o de recto obstruido y constituye una urgencia médica. Notifíquese al médico inmediatamente. Si es posible, incorpórese al paciente después de solucionar la distensión o la obstrucción.
- Las úlceras de decúbito son difíciles de curar y retardan la rehabilitación, pero pueden ser fácilmente prevenidas (véase EMQ: Dermatología, úlceras de decúbito).
- Los espasmos musculares son contracciones involuntarias de los músculos que se desarrollan tras el shock medular y van disminuyendo progresivamente. Ocurren más frecuentemente tras una lesión medular alta y suelen ser graves.
- Las funciones neurológicas y las constantes vitales deben ser vigiladas y anotadas cuidadosamente. Todo cambio significativo debe comunicarse al médico inmediatamente.

Tratamiento

- Ventilación mecánica en caso de paro respiratorio.
- Corticoides para disminuir el edema de la medula.
- Analgésicos para combatir el dolor que frecuentemente aparece en el lugar de la lesión o enfermedad.
- Fijaciones para las fracturas cervicales o tracción cervical (véase TE: Tracción)
- Laminectomía de descompresión, especialmente en caso de aumento del déficit neurológico, o extracción de hueso o de fragmentos de disco intervertebral (véase EMQ: Musculoesquelético, laminectomía, fusión raquídea y exéresis discal).
- Estabilización quirúrgica de la columna vertebral.
- Sonda nasogástrica hasta que se recupere el peristaltismo (véase TE: Sondaje nasogástrico).

Consideraciones de enfermería

- En lesiones cervicales, deben prevenirse las posibles aspiraciones consecuentes a la disminución de la habilidad para toser. Siempre debe tenerse preparado un equipo de succión para su utilización inmediata, así como disponer cerca de la cama de un equipo de traqueotomía.
- La gravedad de los signos y síntomas que se dan inmediatamente después de la lesión no siempre es un indicador fiable de la extensión de la lesión permanente. El shock medular puede aumentar inicialmente la gravedad de los síntomas.
- Una recuperación a los pocos días después de la pérdida inicial de todas las funciones indica que el paciente presentaba un shock medular. También puede haber recuperación de los movimientos involuntarios. Si éstos no se recuperan después de varios meses, implica lesión permanente.
- Es necesario cambiar de posición al paciente cada dos horas, haciéndolo rodar en bloque con una sábana de arrastre. Para efectuar la movilización se necesita la participación de tres personas. Se debe evitar todo movimiento o flexión de la columna, así como los movimientos de la cabeza.
- El paciente con lesión medular necesita cuidados de la piel inmediatos, vigilancia de la posición del cuerpo y ejercicios de movilización desde el nivel de la lesión. Debe mantenerse una correcta alineación corporal, colocando las articulaciones en una posición funcional para evitar contracturas y deformaciones. Los talones no deberían nunca descansar directamente sobre la sábana. Debe tenerse presente que la circulación está disminuida y, como no hay sensibilidad, se pueden producir úlceras de decúbito. Es tan importante cuidar los puntos de apoyo cuando el paciente está sentado como cuando está tumbado en la cama. Enséñese al paciente a levantarse de la silla durante 20 segundos cada 15 minutos. Si los brazos del paciente no tienen fuerza para hacerlo, necesitará ayuda.
- Suele haber dolor en el lugar de la lesión. Ocasionalmente los pacientes tienen dolor agudo en las zonas paralizadas, aunque

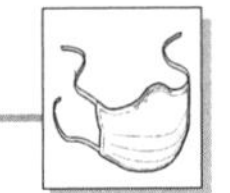

fisiológicamente no es posible que lo sientan (dolor fantasma).

- Compruébese que el paciente dispone de un sistema de llamada de fácil utilización (como un silbato para aquellos que no son capaces de utilizar sus manos). Todo el personal de enfermería debe conocer esa señal. Cuanto menos atención reciba el paciente, más miedo tendrá a quedarse desprotegido.
- Es muy importante controlar los ingresos y las pérdidas de líquidos.
- En caso de vejiga neurógena fláccida, falta el estímulo para el vaciado vesical y la vejiga continúa llenándose. Nunca deben extraerse más de 300 ml de orina de una vejiga distendida. Espérese 15 minutos y extráigase el resto, en cantidades de 300 ml, con intervalos de 15 minutos. La descompresión brusca de una vejiga distendida puede provocar una hipotensión grave. Suele ser necesario un sondaje permanente o la realización de una comunicación ileal quirúrgica.
- En caso de vejiga neurógena refleja hay una pérdida de la sensación de llenado vesical. La vejiga se vaciará de forma refleja, sin que el paciente sea capaz de controlar la micción conscientemente. Se debe sondar cada 4-6 horas (véase TE: Sondaje vesical). El aporte de líquidos debe monitorizarse cuidadosamente. Puede disminuirse la ingesta de líquido por la tarde. La entrada de líquidos total diaria no debe pasar de 2 litros.
- Si el paciente está capacitado, debe ser instruido para colocarse la sonda por sí mismo. Se espera que cada paciente aprenda a reconocer síntomas secundarios de llenado vesical, como dolor de cabeza o sudor, y en ese momento, haciendo presión o dándose golpecitos sobre el abdomen, puede provocar la salida de la orina. Se debe hacer un sondaje de la orina residual después de cada vaciado reflejo, hasta que quede un patrón normal de menos de 100 ml. Cuando se llevan a cabo sondajes de la orina residual, la técnica sólo se efectúa 1 o 2 veces por semana.
- La infección del tracto urinario debe tratarse inmediatamente. El fallo renal es la causa más común de muerte en los pacientes con alteración de la función vesical. Debe determinarse diariamente la gravedad específica de la orina. La orina debe mantenerse ácida, para disminuir la posibilidad de infección. Los cultivos de orina se hacen semanalmente, tratándose los recuentos superiores a 50 000 colonias. El paciente debe conocer los síntomas de una infección urinaria (micción muy olorosa, síntomas gripales, temperatura elevada).
- Los largos períodos de inmovilización provocan una desmineralización de los huesos y ello favorece la formación de piedras en el riñón. Para prevenirlo, se debe mantener una ingesta de líquidos entre 1 800 y 2 000 ml.
- La reeducación intestinal de los pacientes con intestino neurógeno y fallo de control de esfínteres empieza con una dieta rica en fibra y administración diaria de reblandecedores de las heces. Se selecciona un horario regular y se estimula el movimiento intestinal con ligera evacuación de la ampolla rectal. Los supositorios y enemas sólo deberían utilizarse si son absolutamente necesarios.
- Tanto en la reeducación de la vejiga como en la del intestino se necesita un plan de cuidados de enfermería; debe mantenerse una rutina inflexible y un horario concreto para las actuaciones.

Cambios producidos por la edad en el sistema nervioso

- Cada día mueren células nerviosas que no podrán ser reemplazadas. La pérdida de células varía en cada sector del sistema nervioso, pero es especialmente marcada en ciertas partes del córtex cerebral.
- Tiene lugar una pérdida definitiva de masa cerebral. Se aprecia una pérdida de peso pequeña pero constante desde la época de madurez hasta la edad avanzada, en parte debido a una disminución del contenido del agua.
- Se producen alteraciones estructurales características en las células nerviosas.
  1. Hinchazón o reducción de las células, dependiendo de su localización.
  2. El núcleo de las células se vuelve atípico y puede ser desplazado del centro por acumulación de lipofuscina (compuesto inerte, insoluble, de lípidos, carbohidratos y proteínas).

3. Placas seniles y entramados de neurofibrillas. Estos cambios se ven en casos de demencia, pero en menor proporción también están presentes en casos individuales que no presentaron ni signos ni síntomas de demencia.

- El córtex cerebral aparece marrón-amarillento, debido a los depósitos de lipofuscina.
- Tienen lugar pérdidas importantes del número de fibras nerviosas (normalmente, axones) fuera del sistema nervioso central, pero los axones y las dendritas continúan formándose hasta la vejez.
- La velocidad de la conducción nerviosa puede disminuir.
- El aporte de sangre al cerebro desciende, por lo que disminuye la cantidad de oxígeno que llega a este nivel.
- Aumenta la resistencia vasculocerebral.
- Los reflejos simples pueden estar disminuidos o ausentes.
- Se produce un descenso de la capacidad metabólica y del metabolismo de las catecolaminas (necesarias para la conducción nerviosa).
- Los niveles de monoaminooxidasa y serotonina aumentan, mientras que disminuyen los de norepinefrina (precursor de la epinefrina) y dopamina.

Implicaciones

- El sistema nervioso tiene reducida la capacidad para realizar su función reguladora normal en momentos de estrés.
- Los individuos ancianos pueden tener más dificultad para mantener la temperatura del cuerpo adecuada en casos de variación externa.
- La disminución de la sensibilidad táctil puede facilitar la producción de cortes, quemaduras e infecciones inadvertidas y, por lo tanto, no tratadas. Las mantas térmicas pueden ser peligrosas.
- La disminución de la transmisión de mensajes desde los barorreceptores puede provocar dificultad en la regulación de la presión sanguínea (*p.e.*, hipotensión ortostática).
- Suele haber cambios en el patrón de sueño y en los gráficos obtenidos durante el sueño.
  1. Los niveles 3 y 4 (sueño profundo) se hacen menos importantes, por lo que los ancianos se despiertan con mayor frecuencia durante períodos cortos.
  2. El tiempo de sueño total está sólo ligeramente reducido.
  3. Los sedantes pueden mejorar la situación durante cierto tiempo, pero después se vuelven ineficaces, a la par que producen efectos colaterales.
  4. Explíquese al anciano que el hecho de que se despierte con cierta frecuencia es normal y que ello no altera la eficacia del período total de sueño.
- La disminución de la inteligencia es variable y está significativamente relacionada con el estilo de vida, educación y antecedentes culturales de la persona.
- En los individuos sanos, la disminución de la capacidad está más relacionada con los cambios físicos que con los intelectuales. Las reacciones son más lentas, por lo que los individuos mayores necesitan más tiempo para actividades tales como bañarse, vestirse y comer. De todos modos, la adopción de patrones de actividad y la realización repetida de una función ayuda al individuo anciano a adaptarse a los cambios de su habilidad. Su función puede estar alterada pero seguir siendo satisfactoria.
- Puede darse pérdida de la memoria reciente.
- La confusión y la desorientación no son parte del proceso de envejecimiento. De todos modos, las personas mayores recién ingresadas en el hospital pueden presentar períodos de confusión, sobre todo por la noche. Contribuyen a ello el hecho de estar en un ambiente desconocido, los cambios sensoriales, el temor y los efectos de la medicación. La sedación y el control colaboran en la solución del problema. Resulta conveniente mantener una luz encendida por la noche y brindar información frecuente. Puede estar indicado que una persona acompañe al anciano hasta que se familiarice con el nuevo entorno.

12

Ginecología

Diagnósticos de enfermería asociados a enfermedades ginecológicas

Véase capítulo Diagnóstico de enfermería:

- Incontinencia urinaria por tensión relacionada con cambios degenerativos en los músculos de la pelvis y las estructuras de sostén de las estructuras genitales internas.
- Incontinencia urinaria por urgencia relacionada con infecciones genitales.
- Retención urinaria relacionada con prolapsos uterinos.
- Alteración de la función sexual.
- Alteración del patrón sexual.
- Trastorno de la imagen corporal relacionado con cirugía genital o mamaria.

Dilatación y curetaje (D y C)

Descripción

Esta técnica consiste en ensanchar el conducto cervical con un dilatador y raspar el revestimiento uterino endometrial con una cureta. Su finalidad es variada, ya que se puede practicar con fines diagnósticos y también terapéuticos, a veces de ambos tipos y efectuados en el mismo acto. Entre sus posibles utilidades, se puede efectuar para obtener muestras de tejido endocervical y endometrial a fin de efectuar un estudio citológico, para establecer el origen y controlar una hemorragia uterina anormal, para extirpar pólipos o tumores endometriales benignos o bien para extirpar tejido residual tras un aborto incompleto. También se lleva a cabo como método de interrupción del embarazo (véase Enfermería obstétrica: Planificación familiar, interrupción voluntaria del embarazo).

La técnica se puede realizar ya sea bajo anestesia general o bien con anestesia local (bloqueo regional paracervical).

Consideraciones de enfermería

- La paciente debe comprender la técnica, que generalmente explica el médico, debiéndose aclarar todas sus dudas.
- En ocasiones se prescribe un enema antes de la intervención (véase TE: Enema).
- Previamente a la práctica, la paciente debe vaciar la vejiga urinaria.
- Tras la intervención:
  1. Puede dejarse vendaje durante 24 horas.
  2. Se efectúa una higiene perineal ya en el postoperatorio inmediato; suele repetirse durante 5 a 7 días.
  3. Se debe examinar con frecuencia la compresa perineal a fin de ver si existe hemorragia.

4. Si existe una hemorragia abundante, debe comunicarse al médico.
5. Debe recomendarse reposo en cama durante el resto del día; la paciente puede levantarse para ir al baño.
6. Se pueden prescribir analgésicos suaves para aliviar las molestias.

Endometriosis

Descripción

La endometriosis consiste en la proliferación de células procedentes del endometrio en localizaciones que no le corresponden, ya sea en la región de la pelvis (pared uterina, trompas uterinas, ovarios) y a veces en lugares más distantes y fuera de los órganos correspondientes al sistema reproductor (intestinos, vejiga urinaria, ombligo).
Estas células, estimuladas por las hormonas del ovario, se activan siguiendo el ciclo menstrual normal. Así, periódicamente se descaman y producen sangrado hacia las zonas de la vecindad, dando lugar a inflamación, adherencias y, cuando quedan encerradas, masas tumorales tipo quistes. Las masas quísticas se aprecian más a menudo en los ovarios, donde son delimitadas y se conocen como *quistes de chocolate*, ya que la sangre vieja es oscura y densa, parecida al chocolate. Cuando las células no tienen el estímulo hormonal de los ovarios, la lesión disminuye de tamaño; pero si vuelve a haber estímulo estrogénico, la lesión aumenta de dimensiones nuevamente.
La endometriosis se presenta más a menudo en las mujeres que han pospuesto la maternidad hasta después de los 25 años. Las mujeres que presentan este trastorno suelen tener también fibromas. La endometriosis es una causa importante de esterilidad (véase Enfermería obstétrica: Fecundidad y esterilidad).

Pruebas diagnósticas habituales

- Examen ginecológico.
- Laparoscopia.
- Histerosalpingografía cuando se sospecha afectación de las trompas de Falopio.

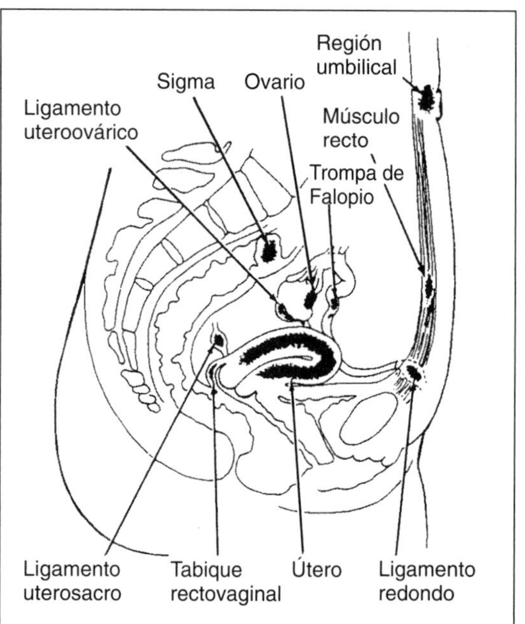

Endometriosis. El dibujo muestra algunas de las localizaciones más frecuentes de la proliferación de tejido endometrial en puntos del organismo que no le corresponden.

- Radiografías con medio de contraste cuando haya afectación del colon.

Tratamiento

Tratamiento sintomático

1. Analgésicos para aliviar el dolor.
2. Si existe anemia, se puede prescribir una dieta con alto contenido en hierro o bien suplementos de hierro.

Hormonoterapia

- Supresión del funcionamiento ovárico y la ovulación, para inhibir las menstruaciones y la actividad del tejido endometrial anómalo.
  1. El embarazo tiene efectos beneficiosos, pero no es curativo.
  2. Administración de progestágenos de forma aislada, o bien combinados con estrógenos. Generalmente el tratamiento se suspende al cabo de unos meses, tras lo cual probablemente el tejido anómalo se mantenga inactivo a pesar de que se reanuden las menstruaciones.

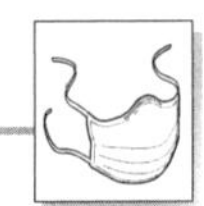

Cirugía

- La cirugía conservadora incluye la lisis de las adherencias y la resección de tantos focos como sea posible, conservando al mismo tiempo la capacidad genésica.
- Los únicos tratamientos definitivos son: la ooforectomía bilateral (extirpación de los ovarios) y la salpingectomía (extirpación de las trompas de Falopio), incluyendo normalmente la histerectomía (extirpación del útero).

Radioterapia

- El tratamiento con radiaciones ionizantes se aplica ante el fracaso de los otros tratamientos, irradiando los ovarios hasta inhibir su función.

Observaciones

- La sintomatología es variable y a veces no existe.
- Dismenorrea (menstruación dolorosa) progresiva: dolor abdominal bajo, calambres abdominales, dolor sordo, con frecuencia acompañado de dolor en la parte baja de la espalda.
- Hemorragia menstrual anómala, excesiva, prolongada, frecuente e irregular.
- Sensación de plenitud en el abdomen inferior.
- Dispareunia (acto sexual doloroso).
- Historial de esterilidad.
- Debilidad y fatiga, dada la anemia ocasionada por la pérdida de sangre.

Consideraciones de enfermería

- Debe administrase la medicación según prescripción del médico, instruyendo a la paciente en lo que respecta a posibles efectos secundarios y a la importancia de que dé su conformidad a la terapéutica hormonal.
- El dolor abdominal se puede aliviar colocando una compresa caliente sobre el abdomen.
- Al aconsejar a una paciente con dispareunia:
  1. Pregúntesele cuándo aparece el dolor.
  2. Sugiérase que tome medicación para el dolor antes de iniciar la relación sexual.
  3. Es necesario que exista una comunicación clara entre los compañeros sexuales para favorecer la máxima comodidad.
- Infórmese a la paciente sobre la laparoscopia si se va a llevar a cabo esta técnica, explicando en qué consiste y los puntos principales de la actuación (véase TE: Endoscopia; Enfermería obstétrica, técnicas diagnósticas y procedimientos médicos empleados en obstetricia, laparoscopia).
  1. Se hacen dos pequeñas incisiones, una en el ombligo y otra en la línea media de la parte baja del abdomen, que se cubrirán con apósitos al finalizar el proceso.
  2. Puede ser que la paciente se sienta hinchada o que eructe posteriormente, debido a que se introduce CO_2 en la cavidad peritoneal durante el procedimiento.
  3. Después de la laparoscopia es normal que haya una pequeña hemorragia vaginal.
- Si se hace una intervención quirúrgica, véase EMQ: Aproximación general, preoperatorio; postoperatorio; Ginecología, histerectomía (si es conveniente).

Enfermedad inflamatoria pélvica

Descripción

La enfermedad inflamatoria pélvica (EIP) consiste en una infección de los órganos reproductores internos femeninos que puede cursar de forma aguda, subaguda, recidivante o bien crónica. En ocasiones no se detecta una causa aparente, mientras que en otros casos se desarrolla a partir de una infección en algún punto concreto, con mayor frecuencia en las trompas de Falopio (salpingitis), y, en menos casos, de una inflamación del cérvix (cervicitis), el útero (endometritis), los ovarios (ooforitis) y el tejido conectivo que se encuentra entre los ligamentos anchos (parametritis). Es imprescindible el tratamiento precoz para prevenir la esterilidad y posibles complicaciones agudas graves, como la septicemia, el embolismo pulmonar y el shock.
El agente causal más frecuente de la EIP es la *Neisseria gonorrhoeae*, el microorganismo que produce la gonorrea, pero el trastorno también puede deberse a otros agentes patógenos, como *Chlamydia trachomatis*, *Ureaplas-*

ma urealyticum y otros microorganismos que llegan a través de una infección ascendente por la vagina y el conducto cervical (*p.e.*, por contacto sexual, a partir de un aborto infectado, inserción de un dispositivo intrauterino, biopsia, insuflación de las trompas, infección postparto, histerosalpingografía, etc.), como consecuencia de la cirugía pélvica o a través de la circulación sanguínea.

Pruebas diagnósticas habituales

- Frotis y cultivo del flujo vaginal.
- Exploración ginecológica.
- Análisis de sangre:
  1. El hemograma completo muestra un aumento del número de leucocitos.
  2. La velocidad de sedimentación globular está elevada.
- Ecografía para identificar masas en el útero o en los órganos adyacentes.
- Las radiografías pueden mostrar una obstrucción tubárica o un íleo paralítico (posible complicación durante la fase aguda).
- Laparoscopia.

Observaciones

En la fase aguda:
- Dolor importante a modo de calambres en la parte baja de abdomen (generalmente bilateral), que no irradia.
- Fiebre y escalofríos.
- Trastornos menstruales.
- Leucorrea (flujo blanco o amarillento procedente del conducto cervical o de la vagina).

En la fase crónica:
- Dismenorrea (menstruación dolorosa).
- Dispareunia (dolor en el acto sexual).
- Esterilidad.
- Fiebre alta recidivante.
- Flujo vaginal purulento.
- Masas pélvicas sensibles.

Tratamiento

Médico

En la fase aguda:
- Reposo absoluto en cama.
- Restricción de la alimentación oral.
- Administración de líquidos por vía EV (véase Farmacología: Tratamiento endovenoso).
- Se puede requerir aspiración nasogástrica para tratar el íleo paralítico (véase TE: Sondaje digestivo).
- Inicio inmediato de la administración de antibióticos y ajuste en el momento de disponer de los resultados del cultivo.
  1. Se suele empezar administrando penicilina G por vía EV y kanamicina por vía IM (a menos que la paciente sea alérgica a la penicilina). Se puede sustituir por cefalotina, metronidazol, eritromicina o cefoxitina.
  2. Para completar el tratamiento se dan antibióticos por vía oral: ampicilina o tetraciclinas.
- Analgésicos para controlar el dolor.
- Se retrasa o evita la ovulación y la menstruación durante 2 a 3 meses mediante un tratamiento anticonceptivo hormonal oral.

En la fase crónica:
- Penicilina G por vía IM, con probenecid administrado por vía oral, seguido de ampicilina durante 10 días.
- De forma alternativa, en el caso de alergia medicamentosa, se pueden dar tetraciclinas durante 10 días.
- Reposo, analgésicos y dieta blanda.

Quirúrgico

Las medidas quirúrgicas deben posponerse hasta que haya pasado la fase aguda.
- Drenaje de los abscesos pélvicos, en caso de que se forme alguno.
- Si persiste la enfermedad inflamatoria pélvica y no hay respuesta al tratamiento conservador, puede ser necesaria una histerectomía con salpingo-ooforectomía bilateral.

Consideraciones de enfermería

- Prevéngase la propagación de la infección lavándose escrupulosamente las manos y mediante una técnica de aislamiento en el caso de que haya reflujo maloliente o cultivo positivo.
- La posición de semi-Fowler puede favorecer el drenaje.
- Se puede aplicar calor sobre el abdomen para aliviar las molestias.

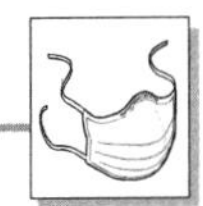

- Se pueden prescribir duchas calientes para mejorar la circulación.
- Si hay flujo vaginal, realícense medidas de higiene perineal.
- Adminístrense antibióticos y analgésicos según prescripción, tras asegurarse de que no hay alergia a estos fármacos.
- Señálese la necesidad de tratamiento del (de los) compañero(s) sexual(es) de la paciente.
- Después de un tratamiento ginecológico de poca importancia, los consejos bien dados a la paciente pueden evitar que aparezcan infecciones importantes. La paciente debe comunicar cualquier fiebre, aumento del flujo vaginal o dolor (signos de inflamación).
- Se deben evitar las relaciones sexuales al menos durante 7 días.
- La paciente debe comprender la importancia de la EIP, de cumplir el tratamiento y de evitar la reinfección.

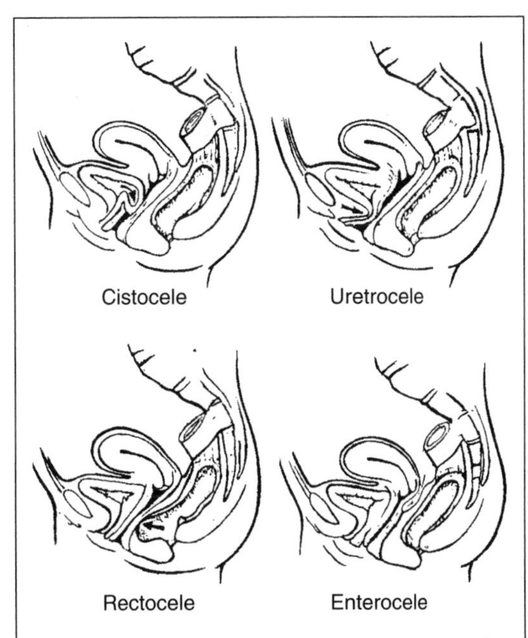

Las hernias vaginales corresponden a la protrusión en la vagina de alguno de los órganos contenidos en la pelvis como resultado de una relajación de la musculatura pelviana, ya sea debido a una debilidad constitucional o, por lo general, consecuente a laceraciones mal reparadas o lesiones producidas en esfuerzos inadecuados durante el parto.

Hernias vaginales - Cistocele y rectocele

Descripción

Las hernias vaginales, denominadas genéricamente *colpoceles* o *vaginoceles*, consisten en la protrusión en la vagina de alguno de los órganos contenidos en la pelvis. El origen corresponde a una debilidad de la musculatura de la pelvis, que suele ser resultado de una laceración que no se ha reparado o bien de una inadecuada conducción de los esfuerzos durante el parto. Los embarazos repetidos y próximos en el tiempo predisponen al debilitamiento de la musculatura perineal, que suele evidenciarse posteriormente. En algunos casos existe una aparente debilidad congénita de estos músculos, que predispone a la formación de hernias vaginales.
Con la relajación de la musculatura pélvica, pueden producirse diversos tipos de hernias vaginales:

- *Cistocele* o *colpocele anterior*: consiste en un descenso de la pared anterior de la vagina junto con un descenso de la vejiga urinaria, que hace protrusión en el canal vaginal.
- *Rectocele* o *colpocele posterior*: consiste en un descenso de la pared posterior de la vagina junto con un descenso del recto, que hace protrusión en el canal vaginal.
- *Enterocele*: consiste en un descenso del fondo de saco posterior (fondo de saco de Douglas) junto con un descenso de una porción de intestino, que hace protrusión en la vagina.

Pruebas diagnósticas habituales

- Tacto vaginal y tacto rectal (véase TE: Tacto rectal.
- En el cistocele:
  1. Sondaje vesical: queda orina residual en la vejiga después de efectuar una micción.
  2. Cistografía: demuestra la herniación de la vejiga.
- En el rectocele y el enterocele:
  1. Enema opaco (radiografía tras un enema de bario): se aprecia el rectocele y el enterocele.

Tratamiento

- En el cistocele:
  1. Tratamiento quirúrgico para tensar la pared vaginal: colporrafia anterior, perineorrafia, colpoperineoplastia posterior o colpoplastia anterior.
  2. En casos especiales se puede elegir la intervención por vía transabdominal para corregir el cistocele, o una intervención oclusiva de la vagina (intervención de LeFort o colpectomía).
  3. Puede usarse un pesario como medio de sostén para la paciente que no quiere someterse a una intervención quirúrgica o que no está en condiciones.
  4. En mujeres postmenopáusicas, la terapéutica con estrógenos y los ejercicios de Kegel pueden mejorar el control de la orina (véase TE: Kegel, ejercicios de).
  5. En la infección del tracto urinario se prescriben antibióticos (véase EMQ: Genitourinario, infecciones del tracto urinario).
- Para el rectocele y el enterocele:
  Tratamiento quirúrgico: colporrafia posterior o colpoperineorrafía.
- Se puede efectuar al mismo tiempo un tratamiento quirúrgico del rectocele, el cistocele, el enterocele y el prolapso uterino (véase EMQ: Ginecología, prolapso uterino) A menudo se practica una histerectomía.

Consideraciones de enfermería

- Para los cuidados preoperatorios generales, véase EMQ: Aproximación general, preoperatorio.
- Además, en la cirugía vaginal se suele prescribir una ducha de limpieza la mañana del día de la intervención.

Los cuidados postoperatorios tras la cirugía vaginal incluyen:

- Cuidado postquirúrgico general (véase EMQ: Aproximación general, postoperatorio).
- Higiene del perineo al menos dos veces al día y después de cada micción o defecación.
  1. Con la paciente colocada sobre una cuña, viértase una solución sobre el perineo. Se puede emplear suero salino normal o bien una solución antiséptica (según sean los protocolos del hospital o lo que prescriba el médico).
  2. La limpieza se realizará desde la vagina hacia el recto.
- Tras la higiene perineal se puede utilizar una lámpara calorífica sobre el perineo durante 15 o 20 minutos, dos o tres veces al día, para favorecer la curación.
- La aplicación de una bolsa de hielo puede proporcionar una mejoría local y reducir la inflamación.
- No se debe aplicar presión sobre las suturas. Déjese que la paciente descanse en cama.
- Después de retirar los puntos de sutura se suelen prescribir baños de asiento.
- En el postoperatorio inmediato se pueden prescribir duchas vaginales utilizando suero salino normal estéril o una solución de povidona yodada (a la dilución prescrita), secando con material estéril; a veces se comienza este tratamiento de 5 a 10 días después de la intervención. La boquilla de la ducha se debe introducir suavemente y ser girada con cuidado.
- La higiene de la vejiga incluye:
  1. Mantener la vejiga sin distensiones, sobre todo tras reparar el cistocele. No debe permitirse que se remansen más de 150 ml de orina.
  2. Se suele dejar una sonda permanente, al menos durante las primeras 24 a 48 horas.
  3. Deben realizarse periódicamente los oportunos cuidados de la sonda (véase TE: Sondaje vesical).
- Anímese a la paciente a realizar los ejercicios de Kegel (véase TE: Kegel, ejercicios de).
- La paciente no debe realizar actividades extenuantes ni levantar pesos al menos durante seis semanas. Su máximo esfuerzo se debe limitar a subir escaleras.
- Tras la colporrafia anterior se puede prescribir un laxante cada noche para evitar la tensión de los puntos de sutura.
- Después de realizar la colporrafia posterior muchos cirujanos prefieren que los intestinos se mantengan vacíos para evitar la defecación y prevenir las tensiones de la zona de incisión hasta que tenga lugar la cicatrización.
  1. Antes de la intervención se suelen prescribir catárticos y enemas.
  2. Se administran líquidos que no sean densos (no dar leche).
  3. Tintura de opio (paregórico).
  4. Después de 5 a 7 días se administra por la noche aceite mineral, seguido por un pequeño

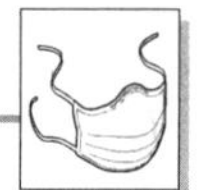

enema de retención de aceite a la mañana siguiente (de 90 a 120 ml), administrado con un tubo rectal blando (véase TE: Enema).

5. A partir de entonces se prescriben ablandadores de las heces cada noche durante el período de convalecencia para evitar los esfuerzos al defecar.

- En la visita de control, el médico aconsejará el momento en que deben dejarse las duchas y los laxantes y cuándo resulta seguro reanudar las relaciones sexuales.

Histerectomía

Descripción

La histerectomía o extirpación del útero ha pasado a ser una de las técnicas quirúrgicas de importancia que se lleva a cabo con mayor frecuencia en la práctica ginecológica.

Según sean los tejidos extirpados, se diferencian distintos tipos de histerectomía:

- *Histerectomía subtotal, supracervical* o *parcial*: se reseca solamente el cuerpo del útero, es decir, todo el útero exceptuando el cérvix.
- *Histerectomía total* o *panhisterectomía*: se extrae todo el útero, incluido el cérvix.
- *Histerectomía total con salpingo-ooforectomía bilateral:* se extirpa todo el útero junto con las trompas de falopio y los ovarios.
- La intervención se puede realizar por vía abdominal (*histerectomía abdominal*) o bien por vía vaginal (*histerectomía vaginal*). Las observaciones y consideraciones de enfermería varían muy poco en ambos tipos de intervenciones (véase la Tabla 1 para comparar las dos técnicas).

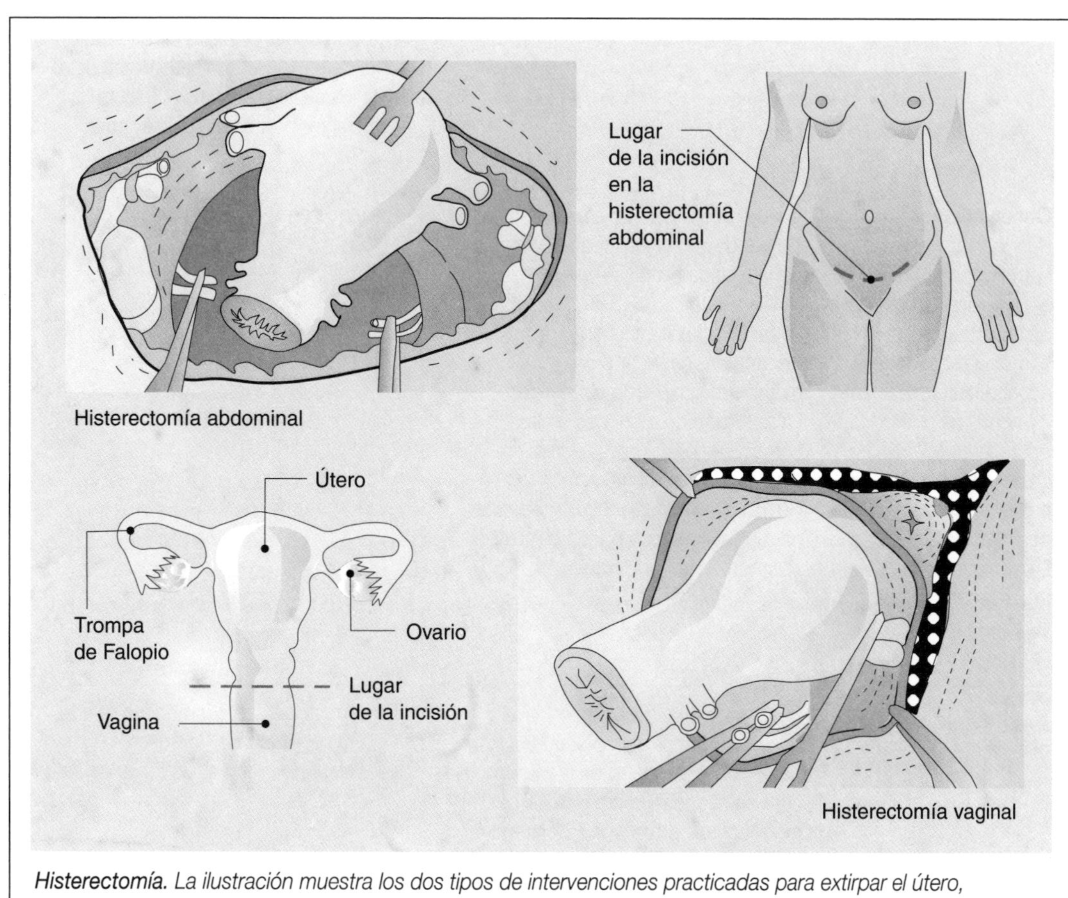

Histerectomía. *La ilustración muestra los dos tipos de intervenciones practicadas para extirpar el útero, señalando el lugar de la incisión: por vía abdominal (arriba) y por vía vaginal (abajo).*

Tabla 1 Histerectomía abdominal y vaginal: comparación

Descripción	*Histerectomía abdominal*	*Histerectomía vaginal*
Indicaciones	Exéresis de grandes tumoraciones de las trompas de Falopio y ovarios; se suele emplear también cuando existe enfermedad inflamatoria pélvica crónica, radioterapia, endometriosis, adherencias importantes o cuando está indicada una exploración más amplia o la ooforectomía	Para el tratamiento del cáncer de cérvix en estadio 0 *in situ* cuando el tejido adyacente no está afectado. Cuando existe relajación pélvica y la histerectomía se combina con la cirugía plástica. Cuando la paciente es obesa y no está indicado el abordaje abdominal
Descripción	Incisión abdominal en la línea media. Incisión de Pfannesteil (línea del bikini) incisión lateral justo encima de la sínfisis	Mediante abordaje vaginal se practica una incisión por encima y alrededor del cérvix. Pueden extraerse los ovarios y las trompas de Falopio
Ventajas		Dado que no se realiza una incisión abdominal las pacientes presentan menos tendencia a complicaciones que en la cirugía abdominal (*p.e.*, íleo paralítico, complicaciones pulmonares, tromboflebitis, dehiscencia de la herida) aunque es más frecuente la aparición de fiebre. La estancia hospitalaria es más corta
Observaciones Puede aparecer hemorragia ya que el elevado aporte vascular de los órganos pélvicos aumenta el riesgo, en especial en las primeras 24 horas del postoperatorio Debe valorarse su presencia cada 2-4 horas durante este período La hemorragia también puede aparecer durante las tres primeras semanas del postoperatorio	Puede presentarse una pequeña cantidad de drenaje rosado, amarillo o marronáceo vaginal, variable de un día a otro La presencia de una hemorragia discreta, no superior a una menstruación, puede ser normal La aparición de manchas en las compresas o vendajes perineales debe notificarse al médico Guárdense las compresas y vendajes para que el médico pueda calcular el volumen de la hemorragia	Igual que en la histerectomía abdominal Igual que en la histerectomía abdominal
	Explórese la incisión abdominal en busca de hemorragia o supuración. Señálese el perímetro de la mancha y la hora en el apósito para que así pueda reconocerse la presencia de hemorragia activa Consúltense las órdenes médicas para saber si existe un tubo de drenaje	En el postoperatorio inmediato puede existir un drenaje de Penrose y/o un vendaje. El cirujano suele retirarlos a las 24-48 horas

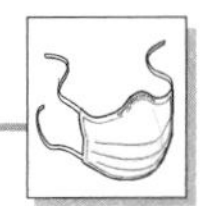

Tabla 1 Histerectomía abdominal y vaginal: comparación *(continuación)*

Descripción	*Histerectomía abdominal*	*Histerectomía vaginal*
Signos de complicaciones urológicas 1. Distensión vesical 2. Debe investigarse la aparición de oliguria importante en busca de lesión intraoperatoria de los uréteres Compruébese la permeabilidad de la sonda y la diuresis 3. Polaquiuria, tenesmo, dolor y quemazón al orinar, síntomas de ITU	Compruébese la permeabilidad de la sonda que suele dejarse durante las 24 horas del postoperatorio. Puede emplearse un catéter suprapúbico (véase TE: Sondaje vesical)	Igual que en la histerectomía abdominal Si se ha realizado una colporrafia anterior (corrección de un cistocele) la sonda puede dejarse durante 3 días 1. La presencia de pequeños coágulos y orina teñida de color rojo puede ser normal, pero debe comunicarse la aparición de orina francamente hemática
Infección vaginal: Más frecuente en la histerectomía vaginal La aparición de presión abdominal puede ser debida a la misma cirugía o a complicaciones (*p.e.*: distensión vesical, ITU, lesión vesical intraoperatoria) Signos y síntomas de otras complicaciones postoperatorias (véase EMQ: Aproximación general, postoperatorio; postoperatorio, complicaciones)		Puede aparecer mal olor, secreción purulenta, fiebre persistente o leucocitosis

Indicaciones

Las indicaciones para realizar la histerectomía incluyen:

- Resección de tumores uterinos, neoplásicos y no neoplásicos, del cérvix o de órganos adyacentes.
- Infecciones pélvicas graves, generalmente relacionadas con partos, abortos o dispositivos intrauterinos.
- Control de la hemorragia uterina grave.
- Problemas en relación con la relajación del suelo de la pelvis, como prolapsos uterinos (véase EMQ: Ginecología, prolapso uterino).
- Endometriosis que no responde a otros tratamientos (véase EMQ: Ginecología, endometriosis).
- Esterilización y profilaxis cuando existen antecedentes importantes de enfermedad.

Los aspectos a tener en cuenta antes de tomar la decisión para practicar la histerectomía incluyen la edad de la paciente, su deseo de procrear, su deseo de seguir teniendo útero, la probable eficacia de otros tratamientos alternativos, el grado de la disfunción y la voluntad de la paciente para soportarla.

Consideraciones de enfermería

- Prepárese a la paciente antes de la intervención. Además de las enseñanzas preoperatorias habituales (véase EMQ: Aproximación general, preoperatorio), probablemente necesitará un adiestramiento en lo que se refiere a los cambios que puede esperar que tengan lugar en su cuerpo.
- Puede indicarse una ducha vaginal como parte de la preparación preoperatoria.
- Préstese soporte emocional y consígase un entorno en el que la paciente pueda explicar sus sentimientos.
- Cuidados postoperatorios (véase EMQ: Aproximación general, postoperatorio; en la histerectomía vaginal: Ginecología, hernias vaginales, cistocele y rectocele, consideraciones de enfermería).
- Tras la histerectomía vaginal, la incisión puede cubrirse con una gasa fina o con un vendaje con bastante presión. Este último se puede indicar cuando durante la intervención quirúrgica la hemorragia supuso un problema, o cuando se deja colocado un drenaje.
  Obsérvese la incisión por si hay hemorragia, drenaje o signos de infección.
- Estimúlese a la paciente a que cambie de posición y deambule en una fase precoz, de acuerdo con las órdenes del médico. No deben levantarse los pies de la cama ni doblar las rodillas, pues se puede ocasionar un remanso de sangre en la pelvis.
- Para prevenir las infecciones de la herida vaginal, los cuidados deben incluir una higiene perineal meticulosa tras cada micción y defecación. La paciente debe limpiarse el periné de delante hacia atrás. Con frecuencia se prescribe un antibiótico (*p.e.*, cefalosporina) en el preoperatorio y el postoperatorio.
- Las instrucciones al dar de alta hospitalaria incluyen los siguientes puntos:
  1. No levantar pesos.
  2. Evitar las actividades extenuantes y la fatiga.
  3. Evitar las relaciones sexuales hasta que el cirujano considere que se pueden reanudar.
  4. También se puede restringir la subida de escaleras y la conducción de vehículos.
  5. Se considera que la natación resulta beneficiosa, pero debe confirmarlo el médico.

Mama, cáncer de

Descripción

El cáncer de mama es la neoplasia más frecuente en la mujer, con una especial incidencia entre los 40 y 50 años (el 85% se presenta en mujeres cuya edad es superior a los 40 años). Hay diversos tipos de cáncer de mama, si bien el más común es el adenocarcinoma, originado en las células que constituyen las glándulas y los conductos de la mama, del cual se presentan distintas variedades. Otro tipo de cáncer de mama menos frecuente es el de Paget (enfermedad de Paget de la mama), siendo mucho más raro el sarcoma.

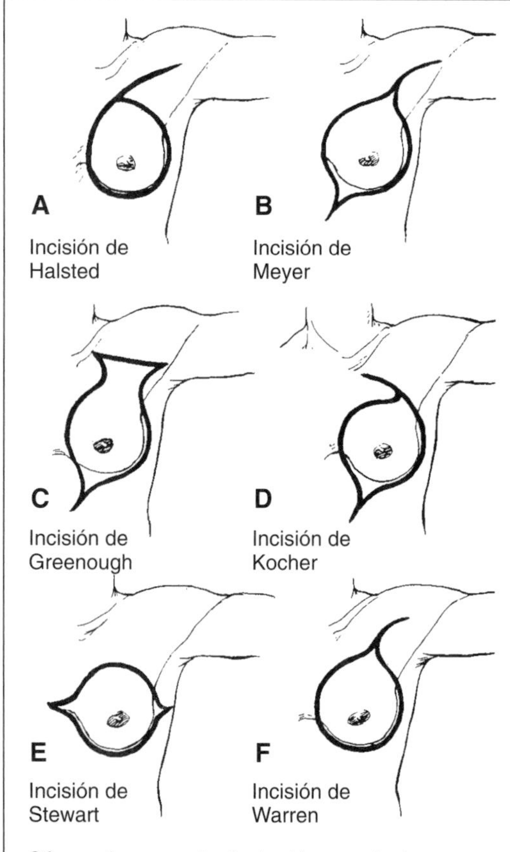

Cáncer de mama. *La ilustración muestra los distintos tipos de incisiones que pueden realizarse para practicar una mastectomía radical, cuya elección, a criterio del cirujano, depende de la situación del tumor en el interior de la mama.*

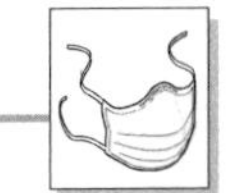

El cáncer de mama se suele detectar por la exploración manual de la mama (muchas veces lo descubre la mujer como un bulto en el pecho durante la autoexploración) y en ocasiones durante una mamografía de control, pero sólo se puede efectuar un diagnóstico de confirmación mediante biopsia de los tejidos. Puede metastatizar primeramente en los ganglios linfáticos axilares o medianísticos, pulmón y huesos; posteriormente puede originar metástasis en el hígado y el cerebro.

Pruebas diagnósticas habituales

- Exploración de la mama: del 85 al 90% de los bultos de la mama los descubre la paciente.
- Mamografías: son radiografías de mama especiales capaces de detectar algunos cánceres de mama de 1 a 2 años antes de que alcancen el tamaño palpable de 1 cm. En la actualidad se recomienda una mamografía como exploración básica en las mujeres cuya edad oscila entre los 35 y los 40 años; todas las mujeres cuya edad es superior a los 50 años deberían hacerse una mamografía anual. Sin tener relación con la edad, las mujeres que tienen antecedentes de cáncer de mama en su madre o en alguna hermana también se deberían hacer una mamografía anual.
- Termografía: mediante esta técnica se detectan los tumores malignos como zonas con temperatura más elevada, debido a la gran actividad de las células cancerosas.
- Ecografía: resulta útil para identificar las masas quísticas (véase TE: Ecografía).
- El estudio histológico es el único método que resulta adecuado para determinar la naturaleza de la lesión. Las biopsias se pueden hacer mediante aspiración con aguja (punción citológica), o bien pueden ser incisionales o excisionales; también puede hacerse una biopsia peroperatoria.

Observaciones

- Se puede palpar una masa sólida, indolora y fija, que con mayor frecuencia se localiza en el cuadrante superexterno de la mama. Esta masa se puede acompañar de una secreción procedente del pezón y de retracción, o también de elevación del mismo.
- Con frecuencia se forman hoyuelos en la piel conforme evoluciona la enfermedad, simulando una piel de naranja.

Tratamiento

Quirúrgico

El tratamiento fundamental del cáncer de mama corresponde a la cirugía, con la extirpación del tumor y de todos los tejidos que puedan haber sido infiltrados por las células cancerosas. Las principales técnicas son:

- *Tumorectomía*: es la resección de tan sólo la masa tumoral, a veces complementada con la extirpación de los ganglios axilares. Sólo se emplea esta técnica cuando el tumor ha sido localizado en un estadio temprano y está bien localizado.
- *Mastectomía parcial* o *segmentaria*: es la resección de toda la masa tumoral y de una pequeña cantidad del tejido mamario sano de alrededor (no menos de 2,5 cm).
- *Mastectomía simple* o *total*: es la resección de toda la mama, sin disección de los ganglios linfáticos.
- *Mastectomía radical*: consiste en la resección de toda la mama y de los ganglios linfáticos de la axila, así como de los vasos linfáticos que drenan el brazo del lado afecto, los músculos pectorales y todos los tejidos adyacentes.
- *Mastectomía radical modificada*: consiste en la extirpación de toda la mama y de la mayor parte de los ganglios linfáticos axilares; el músculo pectoral mayor se deja en su sitio, mientras que el músculo pectoral menor puede extirparse, o no.
- Las técnicas quirúrgicas menos radicales que se llevan a cabo en la actualidad hacen más factible la mamoplastia reconstructiva. Es posible colocar prótesis de gel de silicona o de otro tipo, además de la reconstrucción del pezón y de la areola. La cirugía reparadora a menudo incluye las dos mamas, con el objeto de que ambas sean iguales en tamaño y forma.

Quimioterápico

- Suele administrarse quimioterapia coadyuvante en el postoperatorio, especialmente si se detecta que el cáncer invadía los ganglios linfáticos.

Hormonal

- Los tumores que son hormonodependientes pueden tratarse mediante diversas técnicas que modifiquen los niveles hormonales, ya sea con la administración de hormonas que inhiban la proliferación de las células mamarias o con procedimientos quirúrgicos (extirpación de los ovarios).

Radioterápico

- Implante radiactivo (véase EMQ: Aproximación general, enfermería oncológica).
- La radioterapia externa puede combinarse con la cirugía. También se puede utilizar para disminuir el tamaño de la masa tumoral antes de la cirugía. En ocasiones es útil para aliviar el dolor en las metástasis muy extendidas.

Consideraciones de enfermería

- La mamografía es una técnica muy útil para la detección del cáncer de mama, pero no es un método sustitutivo de la palpación mamaria. Es imprescindible que las mujeres se practiquen la autoexploración periódica de mama y un reconocimiento médico periódico. Véase página 707 del tomo cuatro.
- En relación con épocas anteriores, las mastectomías radicales ya no se realizan tan a menudo, pues con esta técnica quirúrgica, en la que se extraen los vasos y los ganglios linfáticos del lado afecto, existe la posibilidad de que se infecte el brazo. Deben evitarse las inyecciones o las punciones venosas en este brazo. No debe tomarse la tensión arterial en él para evitar traumatizar los tejidos. La paciente debe llevar una pulsera en el brazo que indique este trastorno. Cualquier dolor, morado o inflamación en dicho brazo se debe comunicar de inmediato al médico.
- Después de las mastectomías se suelen dejar drenajes en la axila. Compruébese que el drenaje es correcto, que se vacía en cada turno de enfermería y que, si lo prescribe el médico, se purga en caso necesario.
- Por lo común se coloca un vendaje compresivo en el quirófano.
- Explórese la mano para valorar posibles trastornos circulatorios.
- Manténgase el brazo elevado sobre una almohada.
- En el postoperatorio inmediato se debe prescribir un plan progresivo de ejercicios del brazo. Suele iniciarse con flexiones y extensiones de los dedos durante las primeras horas, y posteriormente según la prescripción del médico.
- Véase EMQ: Aproximación general, enfermería oncológica.

Prolapso uterino

Descripción

El prolapso uterino corresponde al descenso del útero, que penetra en menor o mayor grado por la vagina y, en los casos más acentuados, llega a sobresalir al exterior.

En condiciones normales, gracias a un sistema de sostén y de suspensión formado por diversos músculos y ligamentos, el útero se encuentra situado en la pelvis menor, con el fondo más cerca de la parte alta del pubis que de la primera vértebra sacra, y la porción inferior (cuello o cérvix) está suspendida en la parte superior del canal vaginal, a una distancia media entre la parte baja del pubis y el hueso cóccix. El órgano suele estar dirigido hacia adelante, de tal forma que su eje longitudinal forma un ángulo casi recto con el eje de la vagina, y el cuerpo forma una pequeña angulación hacia adelante con respecto al cuello.

El prolapso de útero puede ser de diversa intensidad, diferenciándose tres grados del trastorno según sea el nivel de descenso.

- *Prolapso de primer grado*: el útero desciende por el canal vaginal, pero el cérvix no llega a sobresalir por el introito (orificio de entrada de la vagina).
- *Prolapso de segundo grado*: el útero ocupa todo el interior de la vagina, y el cérvix protruye a través del introito, sobresaliendo por fuera de la vulva.
- *Prolapso de tercer grado* o *procidencia total*: el útero protruye en su totalidad, exteriori-

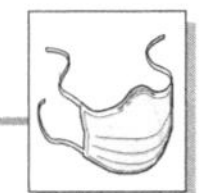

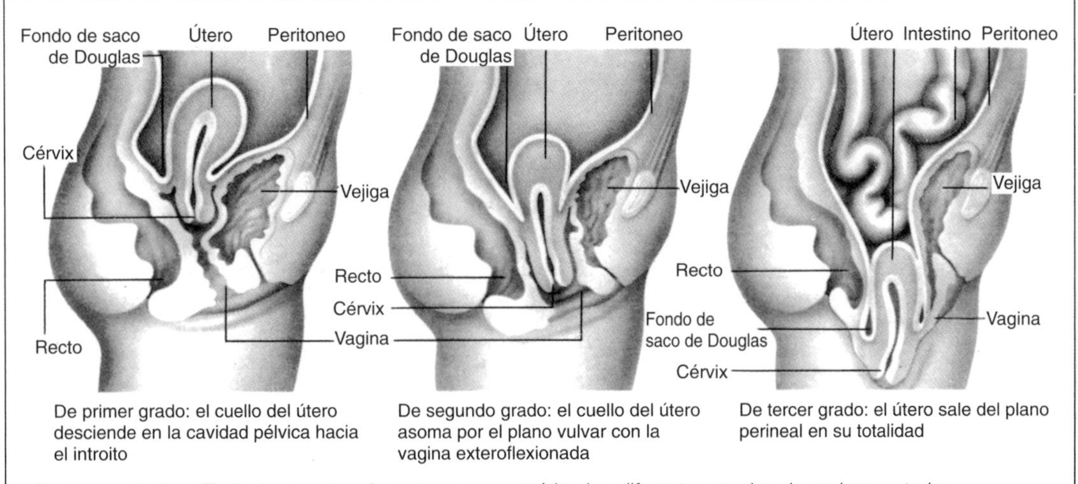

Prolapso uterino. *El dibujo muestra de manera esquemática los diferentes grados de prolapso uterino, determinados en función del nivel de descenso del útero por la vagina en dirección al introito y su posible exteriorización.*

zándose fuera de la vagina (incluso el fondo del útero queda por fuera de la vulva).

Observaciones

- Los principales síntomas son: dolor de espalda crónico, sensación de presión pélvica, fácil fatigabilidad, leucorrea y dismenorrea (menstruación dolorosa).
- Se puede hallar una masa consistente en la parte baja de la vagina. Incluso es posible que el cérvix o el útero en su totalidad protruya a través del introito vaginal.
- Puede producirse incontinencia o retención de orina, dado el desplazamiento de la vejiga.

Tratamiento

- El tratamiento depende del grado del trastorno, la edad de la paciente y su deseo de seguir teniendo la menstruación, embarazos y vida sexual activa.
- El único tratamiento efectivo corresponde a la cirugía. La solución definitiva consiste en la extirpación del útero (histerectomía). También pueden efectuarse diversas técnicas quirúrgicas con la intención de proporcionar una fijación al órgano, si bien estas intervenciones fracasan en una elevada proporción de casos.
- Como tratamiento paliativo puede emplearse un pesario vaginal bien ajustado, de forma adecuada para sostener el útero en su posición normal. Anteriormente el uso de pesarios estaba muy extendido, pero en la actualidad su empleo es escaso, debido a la mayor eficacia de las intervenciones quirúrgicas y porque ocasionan molestias y pueden predisponer al padecimiento de infecciones. En general, hoy en día sólo se recurre al uso de pesarios de modo provisional, cuando no es posible efectuar la intervención por un embarazo en curso o por alteraciones generales que contraindiquen la cirugía.
- Los suplementos de estrógenos pueden mejorar el tono muscular en las pacientes postmenopáusicas. Debe proporcionarse a la paciente toda la información pertinente sobre el empleo de estos productos antes de iniciar el tratamiento hormonal.
- Ejercicios de Kegel (véase TE: Kegel, ejercicios de).

Consideraciones de enfermería

- Se recomiendan ejercicios que hacen uso de las leyes de la gravedad.

  Ejercicios pecho-rodilla: la mujer adopta una posición con el pecho y las rodillas juntos, y con los labios vaginales separados para permitir que entre aire en la vagina. Esta posición se debe mantener durante 5 minutos dos o tres veces al día.

- Ejercicio del «trote del mono»: la mujer anda sobre sus manos y pies, manteniendo las rodillas estiradas. Debe realizarse dos o tres veces al día.
- Si se ha colocado un pesario, debe fijarse un cordel al mismo, colocando el otro extremo bajo la ropa interior de la paciente, de tal forma que, si se mueve, no resulte molesto.
- Durante el preoperatorio, la paciente puede permanecer encamada dos o tres días con el pesario para aliviar la tensión sobre los ligamentos, con lo que se facilita el trabajo del cirujano.
- Según el tipo de cirugía que se realice, véase EMQ: Aproximación general, preoperatorio; postoperatorio; Ginecología, histerectomía.

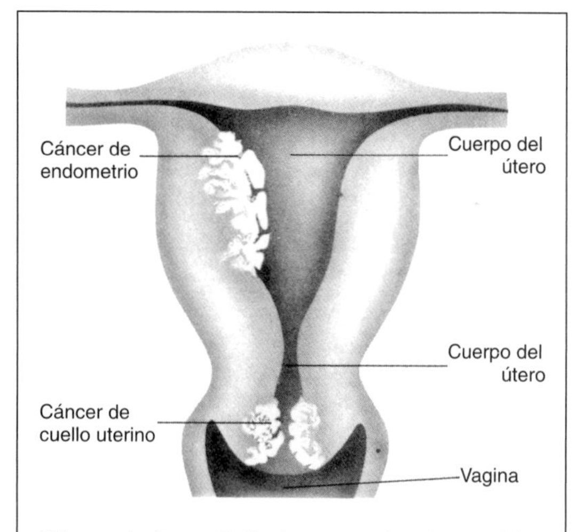

Cáncer de útero. El dibujo muestra las dos posibles localizaciones de los tumores malignos en este órgano: en el cuello uterino (cérvix) o en el cuerpo del útero.

Útero, cáncer de

Descripción

El cáncer de útero incluye el 75 % del total de neoplasias malignas del aparato genital femenino. Los tumores malignos pueden localizarse en la parte baja del útero o cérvix (*cáncer cervical*) o bien en la parte superior (*cáncer de cuerpo uterino*).

Cáncer cervical

El cáncer cervical es el más frecuente, con una mayor incidencia entre los 35 y 55 años de edad. Existen diferentes tipos histológicos de cáncer cervical: los más comunes son los carcinomas escamosos o epidermoides (85 % del total), siendo menos frecuentes los adenocarninomas y los cánceres indiferenciados. Con independencia del tipo de tumor, en el cáncer cervical se distinguen diversas fases evolutivas, cuya diferenciación es importante a la hora de evaluar las modalidades terapéuticas más oportunas:

- La neoplasia cervical intraepitelial (CIN) se caracteriza por la aparición, en la mucosa del cérvix, de células atípicas que no sobrepasan los límites del epitelio. A su vez, se diferencian distintos grados de neoplasia cervical intraepitelial:
  1. La displasia cervical leve (CIN I): es una lesión precancerosa, con escasas células atípicas y conservación de la estructura general del epitelio.
  2. La displasia cervical grave (CIN II): las células atípicas son más numerosas y la arquitectura general del epitelio se encuentra alterada, perdiéndose la diferenciación en capas.
  3. El carcinoma *in situ* (CIN III) corresponde al mayor grado de atipicidad de la neoplasia cervical: las células atípicas ocupan todas las capas del epitelio cervical, con pérdida total de su arquitectura, pero se mantienen localizadas en el mismo y no invaden los tejidos vecinos.
- El carcinoma invasor es el cáncer completamente desarrollado y se caracteriza por la formación de una masa de células atípicas que sobrepasa el nivel del epitelio de la mucosa y se extiende en mayor o menor grado a los tejidos vecinos. Este cáncer suele diseminarse por vía linfática, originando metástasis en diversos puntos del organismo (hígado, pulmón, huesos, intestino, cerebro, piel).

Cáncer de cuerpo uterino

El cáncer de cuerpo uterino es menos frecuente y suele aparecer entre los 50 y 60 años de edad. Suele iniciarse en el epitelio del revestimiento (endometrio), constituyendo un

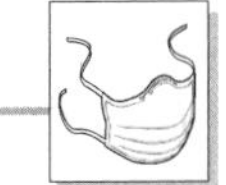

adenocarcinoma o cáncer de endometrio. Este cáncer tiende a propagarse por vía hemática.

Pruebas diagnósticas habituales

Para el cáncer cervical

- Frotis de Papanicolau (PAP): es una prueba que se utiliza para detectar la presencia de células neoplásicas en el cérvix. Consiste en un examen citológico de las células obtenidas del cuello uterino tras una tinción específica (véase Enfermería obstétrica: Técnicas diagnósticas y procedimientos médicos empleados en obstetricia, Papanicolau, frotis de).
- Los resultados del frotis de Papanicolau se dan por clases: I, normal; II, inflamación; III, IV y V, células anómalas. La clase II y las de categoría superior indican o una displasia que va aumentando, o la presencia de células neoplásicas. Si el informe no es normal, se pueden hacer las pruebas siguientes.
- Colposcopia: consiste en la visualización de la vagina y del cérvix, así como del canal endocervical, a través de un microscopio binocular especial o colposcopio. Si se aprecia una anomalía, se toman muestras del tejido de las áreas que parecen sospechosas (véase Enfermería obstétrica: Técnicas diagnósticas y procedimientos médicos empleados en obstetricia, colposcopia).
- Conización (biopsia en cono o en cuña): es la resección quirúrgica de un trozo de tejido con forma de cuña, procedente del cérvix o del canal cervical, para su estudio histológico (véase Enfermería obstétrica: Técnicas diagnósticas y procedimientos médicos empleados en obstetricia, biopsias, conización).

Para el cáncer de cuerpo uterino

- Curetaje y aspiración del útero: se obtienen muestras de tejido mediante aspiración uterina.
- Dilatación y curetaje (D y C): es el método quirúrgico estándar clásico para obtener muestras de tejido endometrial (véase EMQ: Ginecología, dilatación y curetaje).
- Prueba de Gravelee (o lavado a chorro): en esta técnica se inyecta un líquido en el útero y, cuando sale se examina para buscar células neoplásicas.
- Ecografía.
- Histeroscopia y biopsia.

Observaciones

- El cáncer cervical sólo da lugar a manifestaciones en estadio de cáncer invasor, entre las que destacan las hemorragias vaginales o un flujo sanguinolento fuera de los períodos menstruales.
- El cáncer de cuerpo uterino se manifiesta por flujo vaginal sanguinolento o, en las mujeres premenopáusicas, hemorragia vaginal anormal (fuera del período menstrual).
- En etapas avanzadas, puede aparecer dolor, y signos de compresión de la vejiga urinaria, los uréteres o el recto.

Tratamiento

El tratamiento viene determinado por la localización y el estadio de la enfermedad.

- Para resecar lesiones localizadas en el cérvix, cuando el cáncer se encuentra en estadío de neoplasia cervical intraepitelial, puede efectuarse la destrucción de la zona afectada mediante crioterapia, electrocoagulación, diatermia o aplicación de láser.
- Otra posibilidad es efectuar una conización, que sirve como diagnóstico y tratamiento.
- Para tratar el cáncer invasivo del cérvix o del de cuerpo uterino se recurre a la cirugía, con la extirpación del útero (histerectomía) y los tejidos infiltrados de la zona. La modalidad de la intervención se decidirá en base al tipo, localización y extensión del tumor (véase EMQ: Ginecología, histerectomía).
- La radioterapia, interna o externa, suele emplearse como complemento de la cirugía o bien cuando la enfermedad está muy avanzada y ya no puede procederse al tratamiento quirúrgico (véase Aproximación general: Enfermería oncológica, radioterapia).
- La quimioterapia puede aplicarse de forma combinada con los dos métodos anteriores, sobre todo para mejorar la comodidad de la paciente en la enfermedad ya evolucionada (véase Aproximación general: Enfermería oncológica, quimioterapia).
- También puede procederse a la hormonoterapia.

Consideraciones de enfermería

- Véase EMQ: Ginecología, histerectomía.
- Consúltese con el radioterapeuta sobre lo que respecta a las precauciones necesarias en el cuidado de los implantes radiactivos o administración de sustancias radiactivas por vía EV.
- Véase EMQ: Aproximación general, enfermería oncológica.

Vaginitis atrófica

Descripción

La vaginitis atrófica senil o postmenopáusica es un trastorno que aparece después de la menopausia. Debido a la depleción de estrógenos, la mucosa vaginal se atrofia y, por consiguiente, tiene una mayor susceptibilidad a la infección.

Observaciones

- Dispareunia (dolor al efectuar el acto sexual), escozor y quemazón.
- Flujo vaginal en caso de existir infección.

Tratamiento

- Supositorios vaginales de estrógenos o cremas vaginales.
- Estrógenos orales, según prescripción.

Consideraciones de enfermería

- Deben notificarse a las pacientes los posibles efectos secundarios antes de tomar los productos estrogénicos.
- Aconséjese el uso de lubricantes vaginales para realizar el coito.

Cambios producidos por la edad en el sistema reproductor femenino

- En la mujer, el número de oocitos (óvulos inmaduros) disminuye con la edad. A la par, con la edad aumenta el número de óvulos que presentan anormalidades cromosómicas.
- Después de la menopausia se atrofian las trompas de Falopio y la pared uterina. También se produce disminución del tamaño y tono del útero.
- El canal cervical se estrecha y el cérvix se fibrosa.
- La vagina de la mujer postmenopáusica se acorta y estrecha. Los cambios se producen en las fibras elásticas de la pared, reduciéndose su elasticidad. El descenso de los niveles de estrógenos da lugar a que el epitelio palidezca, adelgace y se seque. Las rugosidades se aplanan y las secreciones disminuyen y se tornan alcalinas.
- Las glándulas de Bartholin se hacen menos numerosas y menos eficaces.
- El tamaño del clítoris presenta una moderada reducción.
- En la vulva, tanto el vello púbico como la grasa subcutánea desaparecen. La piel se adelgaza, se hace brillante y pálida; los pliegues labiales se aplanan.
- El tejido glandular mamario se sustituye por grasa, por lo que las mamas pueden volverse colgantes y menos firmes.
- Aparece la menopausia y el climaterio, que se caracteriza por menstruaciones irregulares, agotamiento folicular, desaparición de la producción de óvulos y desaparición total de menstruaciones y producción de estrógenos.
- Los cambios sobre la vagina y la vulva aumentan la predisposición a la inflamación e infección de estas zonas. Son frecuentes la vulvitis y vaginitis atrófica («senil»). El tratamiento con cremas u óvulos con estrógenos puede aliviar las molestias.
- La pérdida del tono de los músculos y ligamentos que sostienen la vejiga y el útero aumentan el riesgo de prolapso uterino, cistocele y rectocele.
- La actividad sexual femenina no se ve limitada por la edad. La mujer puede experimentar las cuatro fases de la respuesta sexual (excitación, meseta, orgasmo y resolución) a pesar del envejecimiento. Las limitaciones suelen ser atribuibles al mal estado de salud general, así como a la falta de un compañero sexual eficaz.
- En ocasiones las mujeres de edad pueden presentar molestias durante el coito debido a la falta de lubricación vaginal. Las cremas lubricantes vaginales pueden aliviar las molestias.

13

Genitourinario

Descripción

El sistema urinario está formado por los riñones y las vías urinarias: los uréteres, la vejiga urinaria y la uretra. En los riñones se filtra la sangre y se forma la orina, que es abocada a las pelvis renales e impulsada por las ondas peristálticas por los uréteres hasta la vejiga urinaria, que la almacena de forma temporal (la capacidad de la vejiga urinaria en el adulto normal es de 350 a 500 ml). Posteriormente, la orina se elimina a través de la uretra durante la micción.

- Todo reflujo o flujo hacia atrás de la orina en cualquier fase de su excreción es una circunstancia anómala y puede originar complicaciones infecciosas o de diverso tipo. Cualquier obstrucción también favorece el desarrollo de infecciones y puede deteriorar la función renal.
- Los trastornos más frecuentes del sistema urinario suelen darse a consecuencia de una obstrucción, de neoplasias, cálculos o infección, o bien por una interrelación entre dichos factores.
- En la glomerulonefritis, el proceso inflamatorio en los glomérulos tiene una base autoinmune.
- Pueden lesionar los riñones la absorción de sustancias nefrotóxicas (*p.e.*, gentamicina o sulfamidas) y los cambios vasculares como los que tienen lugar en la hipertensión arterial y en algunas enfermedades sistémicas (*p.e.*, diabetes mellitus o lupus eritematoso sistémico).
- Toda reducción del flujo sanguíneo en los riñones puede producir insuficiencia renal.
- La lesión de los riñones y de la vejiga urinaria también puede ser resultado de traumatismos.
- La diálisis, tanto la peritoneal como la hemodiálisis, y el trasplante renal han revolucionado en los últimos años el tratamiento de la enfermedad renal en fase terminal (véase TE: Diálisis).

Consideraciones de enfermería

El comportamiento de enfermería ante el paciente que presenta trastornos en el tracto urinario incluye los siguientes puntos:

- Evaluación minuciosa.
- Recogida de muestras de orina precisa y algunos exámenes de orina (véase TE: Orina, toma y análisis de muestras).
- Cuidados preoperatorios y postoperatorios específicos para el paciente que sea candidato a cirugía genitourinaria.
- Prestar una atención especial a los líquidos, tanto a las salidas (sobre todo a la excreción de orina) como a las entradas, cuando existan alteraciones de la función renal.
- Amplios cuidados de enfermería al paciente que padezca una insuficiencia renal y estar sobreaviso, ya que existe la posibilidad de una intoxicación por fármacos debida a la insuficiencia de la función renal.

Diagnósticos de enfermería asociados a enfermedades del sistema genitourinario

Véase capítulo Diagnóstico de enfermería:
- Alto riesgo de infecciones relacionado con insuficiencia renal crónica.
- Alteración de la eliminación urinaria.
- Incontinencia urinaria por tensión.
- Incontinencia urinaria refleja.
- Incontinencia urinaria por urgencia.
- Incontinencia urinaria funcional.
- Incontinencia urinaria total.
- Retención urinaria.
- Exceso de volumen de líquidos corporales.
- Déficit de volumen de líquidos corporales.
- Alto riesgo de déficit de volumen de líquidos corporales relacionado con aumento de la diuresis.
- Deterioro de la integridad de los tejidos relacionado con insuficiencia renal crónica.
- Alteración de la función sexual.

Cirugía del riñón y las vías urinarias

INFARTO PREOPERATORIO DE LOS TUMORES RENALES

Descripción

El infarto prequirúrgico de los tumores renales se consigue mediante una cateterización y oclusión de la arteria renal que perfunde la región del tumor. Se considera que esta técnica estimula el desarrollo de la propia respuesta inmune del paciente y limita la diseminación de células tumorales en el momento de la nefrectomía, que suele programarse para unos cuantos días más tarde.

Observaciones

- Después de aplicar este tratamiento, el paciente se suele encontrar bastante mal.
- Entre los síntomas que presenta el paciente se encuentran: dolor importante, fuertes subidas de la temperatura, náuseas y vómitos.

Consideraciones de enfermería

- En el análisis de sangre suele detectarse un aumento del número de leucocitos.
- Los cuidados de enfermería corresponden a las oportunas medidas de apoyo.

POSTOPERATORIO DE LA CIRUGÍA RENAL Y DE LOS URÉTERES

Consideraciones de enfermería

Además de las consideraciones generales en cuanto a cuidados postoperatorios (véase EMQ: Aproximación general, postoperatorio), a continuación se exponen unas consideraciones especiales en la actitud a adoptar ante los pacientes que hayan sido sometidos a cirugía renal o de los uréteres para la extracción de cálculos urinarios o corrección de otros trastornos.
- Después de la cirugía renal, el mayor peligro es la hemorragia. Contrólense minuciosamente las constantes vitales en el postoperatorio inmediato. Obsérvense los apósitos, las sondas y los catéteres, así como por debajo del paciente, para averiguar si existen signos de hemorragia.
- En la cirugía renal, la gran incisión que se realiza en el abdomen (en ocasiones con entrada en la cavidad torácica) aumenta el peligro de que aparezcan complicaciones pulmonares. Evítense estimulando al paciente a que realice respiraciones profundas y tosa mientras coloca la mano sobre la herida, a modo de entablillado, programando la administración de un analgésico 15 minutos antes para evitar las molestias dolorosas (véase TE: Fisioterapia respiratoria).
- El paciente puede llevar sondas torácicas, que requieren cuidados específicos (véase TE: Drenaje torácico).
- Otra complicación que se presenta con frecuencia es el íleo paralítico (véase EMQ: Aproximación general, postoperatorio, complicaciones, íleo paralítico).
- Alíviese el dolor con la administración de analgésicos y disminúyanse las molestias ocasionadas por la posición durante la cirugía renal aplicando calor húmedo y masajes.

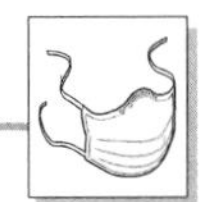

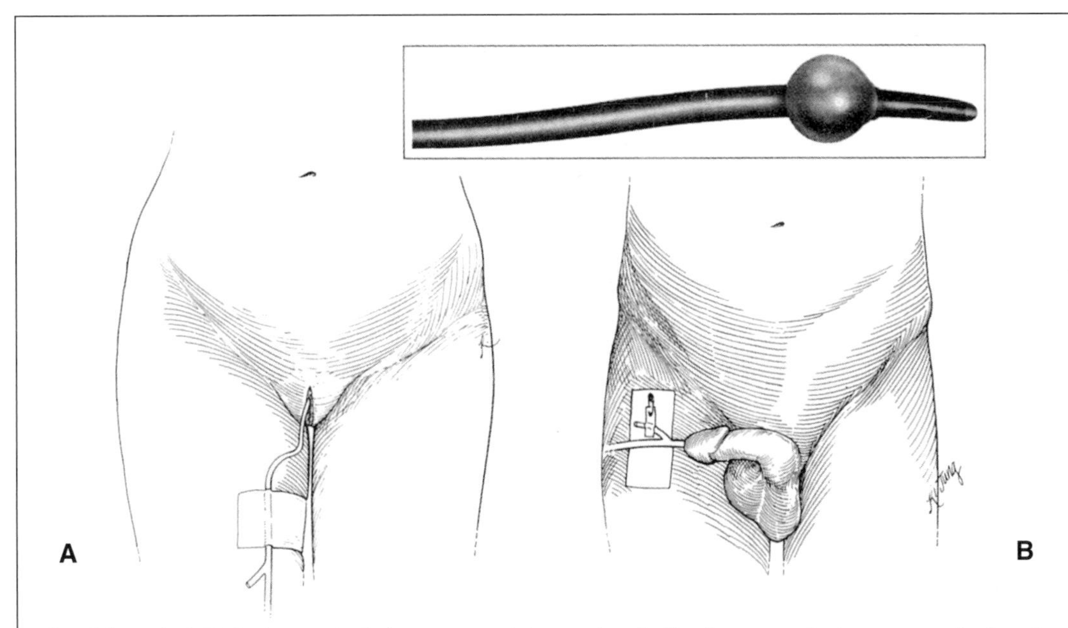

Sondaje vesical. El dibujo muestra la forma aconsejada para la sujeción de una sonda de permanencia: A, en la mujer, sobre la cara interna del muslo; B, en el hombre, lateralmente (también puede fijarse sobre el abdomen). En la parte superior se muestra la punta de una sonda de Foley, con el globo que permite su mantenimiento en la vejiga.

- Es imprescindible realizar una medición adecuada de las entradas y salidas de líquidos.

  Se puede requerir la medición de las salidas por separado. Se deben anotar aparte el volumen de la micción y el del drenaje procedente de la herida.
- En casos de obstrucción aguda de las vías urinarias, el cirujano puede colocar sondas temporales sobre la obstrucción con el fin de asegurar un drenaje urinario adecuado hasta que se pueda realizar la cirugía correctora, (*p.e.*, una sonda de nefrostomía que parta del interior del riñón o bien un sonda de pielostomía que parta del interior de la pelvis renal). Estas sondas siempre deben acoplarse a un drenaje cerrado por gravedad.
- Consideraciones sobre las sondas (véase también TE: Sondaje vesical).
  1. Las sondas deben acoplarse a sistemas cerrados de drenaje.
  2. Verifíquese la posición de la sonda en el postoperatorio inmediato cada hora mediante la observación de la orina de la sonda y de la cantidad que se recoge en la bolsa de drenaje. Señálese la hora en la bolsa mediante cinta adhesiva o con un rotulador indeleble, de modo que pueda realizarse una comparación precisa. Utilícese un urómetro para obtener mediciones más exactas. Si se recogen menos de 50 ml de orina en una hora, comuníquese al cirujano.
  3. Obsérvese y anótese el color del drenaje de la orina. Tras la cirugía renal, durante los primeros días el drenaje suele ser sanguinolento, excepto después de la nefrectomía, intervención tras la cual no debería haber sangre. Las bolsas de drenaje de orina deben vaciarse al acabar cada turno, y se debe anotar la cantidad recogida.
  4. No se debe pinzar ninguna sonda de drenaje de orina a menos que se tenga una orden específica para realizarlo.
  5. La sonda de nefrostomía (colocada quirúrgica o percutáneamente) se debe mantener permeable y, en general, se puede desobstruir presionándola de forma mecánica periódicamente, girándola entre los dedos. *Precaución*: no se debe pinzar nunca una sonda de nefrostomía.
     a. La sonda se debe manipular con el mayor cuidado posible, para que no se mueva de su lugar.

b. Se debe colocar un vendaje oclusivo estéril alrededor de la sonda. Utilícese una pomada antiséptica (*p.e.*, pomada de betadina).
c. No debe irrigarse nunca sin orden médica. En caso de haberse ordenado, aspírese siempre antes de irrigar y no introducir nunca más de 5 a 8 ml de suero salino estéril (la capacidad que tiene la pelvis renal).
d. Debe movilizarse o cambiarse de posición el paciente con el máximo cuidado de que no se enrolle la sonda ni se obstruya.

6. Los catéteres uretrales suelen salir de la uretra mediante una sonda de Foley. Se deben manipular con sumo cuidado. Se deben señalar los catéteres de cada riñón de una manera adecuada (derecho o izquierdo) con una cinta adhesiva o mediante una identificación con código de colores. Quizá se requiera recoger el drenaje por separado con un urómetro. Para confirmar la permeabilización es imprescindible realizar una monitorización minuciosa del volumen de drenaje. Si se ha indicado, el urólogo irrigará el catéter.

- Consideraciones sobre el drenaje:
  1. Los volúmenes importantes de drenaje procedentes de los catéteres colocados en el área intervenida (al principio de color rosado, que posteriormente se va haciendo seroso), requieren en el postoperatorio inmediato de un dispositivo de ostomía sobre el área del drenaje o bien de cintas de Montgomery, así como de cambios frecuentes estériles del apósito. Investíguese debajo del paciente para comprobar si existe supuración. Se debe informar a los pacientes que es posible que tenga lugar este volumen de drenaje.
  2. Siempre que se aborde mediante cirugía el tracto urinario, particularmente los uréteres, la incisión nunca será hermética. Si se ejerce demasiada tensión puede producirse una estenosis. Además, siempre se libera una determinada cantidad de orina procedente del drenaje de Penrose, que resulta irritante para la piel.
  3. En caso de que el drenaje sea particularmente denso, una bolsa de colostomía, de un solo uso, colocada sobre la sonda, recogerá todo el volumen y protegerá la piel. Recuérdese que los anillos de karaya no son prácticos, ya que la orina los disuelve, aunque puede utilizarse polvo de karaya sobre la piel irritada (véase TE: Ostomías, fístulas y heridas con drenaje).
  4. El cirujano retirará la sonda de forma gradual. Tras una ureterolitotomía o pielolitotomía, el drenaje puede durar varios días; se deberá dar de alta al paciente con una bolsa de ostomía.
  5. Para el cuidado de la urostomía y del conducto ileal, véase TE: Ostomías, fístulas y heridas con drenaje.
- Durante los primeros días después de la intervención, el aporte de líquidos, en general por vía intravenosa, será lo suficientemente alto como para asegurar el funcionamiento adecuado de los riñones. A continuación, en la mayor parte de los casos se estimula el aporte de líquidos por vía oral, excepto en el caso de reparación de la pelvis renal, en cuyo caso se restringirá.

Enfermedades de transmisión sexual

Descripción

Las enfermedades de transmisión sexual (ETS) son las dolencias que suelen, o pueden, transmitirse a través de una actividad sexual íntima, ya sea heterosexual u homosexual.
El sumario de enfermedades de transmisión sexual cataloga diversas de ellas, entre las cuales constan algunas que no solían incluirse en la antigua clasificación como enfermedades venéreas. Dicho sumario incluye, básicamente, los siguientes trastornos:
- Gonorrea (infección por gonococo).
- Uretritis no gonocócica.
- Enfermedad inflamatoria pélvica.
- Sífilis.
- Infecciones por citomegalovirus (CMG).
- Hepatitis vírica tipo B, C y D.
- Herpes genital.
- Chancro blando (infección por *Haemophillus ducreyi*)
- Granuloma inguinal (donovanosis).

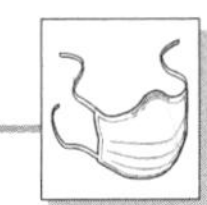

Tabla 1 Enfermedades de transmisión sexual más frecuentes

Enfermedad y agente etiológico	*Síntomas*	*Pruebas diagnósticas habituales*	*Tratamiento*
Gonorrea *Neisseria gonorrhoeae,* diplococo gram-negativo	Cuando produce síntomas, el varón presenta disuria, polaquiuria y secreción uretral purulenta. En la mujer, cuando da lugar a síntomas, secreción vaginal, trastornos menstruales y disuria Son frecuentes las infecciones anorrectales y faríngeas	Identificación microscópica del gonococo en frotis de la secreción uretral (varón) o de material endocervical Cultivo en medios especiales	Se instaurará alguno de los diversos protocolos antibióticos. Algunos de éstos son: tetraciclina clorhidrato, doxicilina hiclato, ampicilina, penicilina, procaína acuosa con probenecid y espectinomicina
Herpes genital *Herpes simple virus (HSV) tipos 1 y 2.* Virus DNA que no son distinguibles clínicamente entre sí	Se observan una o varias vesículas en los genitales. Las vesículas se rompen dando lugar a ulceraciones superficiales que pueden ser muy dolorosas. La infección inicial puede durar 12 días. Posteriormente las infecciones siguientes duran 4 o 5 días (entre los episodios clínicos se produce liberación de los virus)	Identificación selectiva de las células típicas Microscopía electrónica Detección mediante métodos isotópicos o enzimáticos de los antígenos del HSV Pruebas serológicas; se recomienda la realización de frotis Papanicolau (Pap) de forma anual	No existe tratamiento curativo. El tratamiento con aciclovir y los baños de asiento sobre las lesiones producen alivio, especialmente si se inician precozmente. Las áreas afectadas deben mantenerse limpias y secas. Se recomienda una dieta rica en proteínas y con líquidos abundantes Es de vital importancia que el obstetra tenga presente la existencia de herpes en la embarazada Puede ser necesario el parto con cesárea para evitar el contagio del neonato durante el parto vaginal
Citomegalovirus (CMV) Virus DNA del grupo de los herpes virus	Suele ser asintomático pero puede presentarse como una enfermedad febril inespecífica, hepatitis, neumonitis, mononucleosis o combinación de ellas	La identificación del germen, ya que muchos individuos sanos presentan CMV en sus secreciones	Sugestivo, inespecífico y sintomático. La transmisión transplacentaria puede tener efectos devastadores sobre el desarrollo fetal; la detección de CMV es vital en la valoración prenatal

Tabla 1 Enfermedades de transmisión sexual más frecuentes ***(continuación)***

Enfermedad y agente etiológico	*Síntomas*	*Pruebas diagnósticas habituales*	*Tratamiento*
Sífilis *Treponema pallidum* Una espiroqueta	Primaria: un chancro indurado indoloro en la zona de contagio Secundaria: muy variable; prurito cutáneo, máculas cutáneas, condiloma lata (lesiones verrugosas amplias, planas, que suelen aparecer en los genitales), linfadenopatía u otros signos Latente: el paciente permanece asintomático Tardía: neurosífilis (parálisis general, dorsal y signos neurológicos focales), sífilis cardiovascular y formación de gomas localizados	Serología sifilítica, *p.e.,* VDRL (Venereal Disease Research Laboratory test) o RPR (Rapid Plasma Reagin Card test), FTA-ABS (Fluorescent treponemal antibody absorption test). Deben hacerse nuevas serologías a los 3, 6, 12 y 24 meses después del tratamiento	Antibióticos: penicilina, benzatina; en los alérgicos a la penicilina: tetraciclina; en pacientes embarazadas alérgicas a la penicilina y con intolerancia a la tetraciclina: eritromicina
Vulvovaginitis *Candida albicans,* un hongo dimórfico	Los síntomas varían entre ausencia total de los mismos a eritema, edema, prurito de los genitales externos, y abundante secreción	Identificación microscópica de las formas levaduriformes Cultivos positivos para *C. albicans* en mujeres sintomáticas	En la candidiasis, óvulos vaginales de nistatina, micononitrato al 2% en crema vaginal, óvulos vaginales de clotrimazol
Gardnerella vaginalis (antes *Haemophilus vaginalis* o *Corynebacterium vaginalis*), un pequeño cocobacilo gram-negativo feomórfico	Véase apartado anterior	Cultivo vaginal positivo frente a *G. vaginalis* en mujeres sintomáticas	Tratamiento con metronidazol o ampicilina según pauta
Trichonomas vaginalis La vulvovaginitis también puede deberse a otros gérmenes así como a agentes químicos, alérgicos o físicos	Véase apartado anterior	Cultivo vaginal positivo para *T. vaginalis* o identificación microscópica del germen	Tratamiento con metronidazol, según pauta prescrita

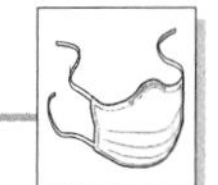

- Linfogranuloma venéreo (LVG).
- Condiloma acuminado (verrugas genitales).
- Molusco contagioso.
- Pediculosis púbica.
- Sarna.
- Síndrome de inmunodeficiencia adquirida (SIDA).

En la tabla adjunta se ofrece una relación de las enfermedades de transmisión sexual más frecuentes, para tener así una referencia rápida y manejable. Puesto que las pacientes con enfermedad inflamatoria pélvica pueden necesitar hospitalización y abundantes cuidados de enfermería, dicha enfermedad se trata por separado (véase EMQ: Ginecología, enfermedad inflamatoria pélvica). En lo que respecta a la hepatitis vírica, véase EMQ: Digestivo, hígado, trastornos del. Para conocer las precauciones que deben tomarse al cuidar a un paciente con SIDA, véase TE: Infección, aislamiento (técnicas y precauciones).

Consideraciones de enfermería

- Siempre que se vaya a atender a un paciente que presente lesiones genitales deben usarse guantes antes de establecer cualquier contacto directo con las mismas. Es indispensable lavarse las manos antes y después de la atención.
- Enseñanza general del paciente:
  1. El paciente debe comprender las pautas de medicación, tanto en lo que se refiere al método de administración como a las dosis, la frecuencia de las tomas y el período completo de tratamiento. Insístase en que deben respetarse estrictamente dichas pautas, aun cuando las molestias cedan o desaparezcan antes de terminar el plan terapéutico, ya que sólo así se podrán evitar recidivas o recurrencias.
  2. Comuníquese al paciente que debe remitir a su(s) compañero(s) sexual(es) para exploración y tratamiento.
  3. Insístase en que debe volver de nuevo para un control según aconseje el médico.
  4. Infórmese que debe evitar tener relaciones sexuales hasta que él y su(s) compañero(s) se haya(n) restablecido.
  5. Para prevenir futuras infecciones de gonorrea, sífilis y vulvovaginitis, y en general para prevenir el contagio de la mayor parte de las enfermedades de transmisión sexual, incluido el SIDA, la medida más importante es el uso de preservativos. Enséñense las normas correctas de utilización de los condones.
- La información que se requiere en algunas situaciones especiales es la que sigue:
  1. Herpes genital:
     a. Los pacientes deben abstenerse de tener relaciones sexuales mientras estén sintomáticos. Se supone que durante los

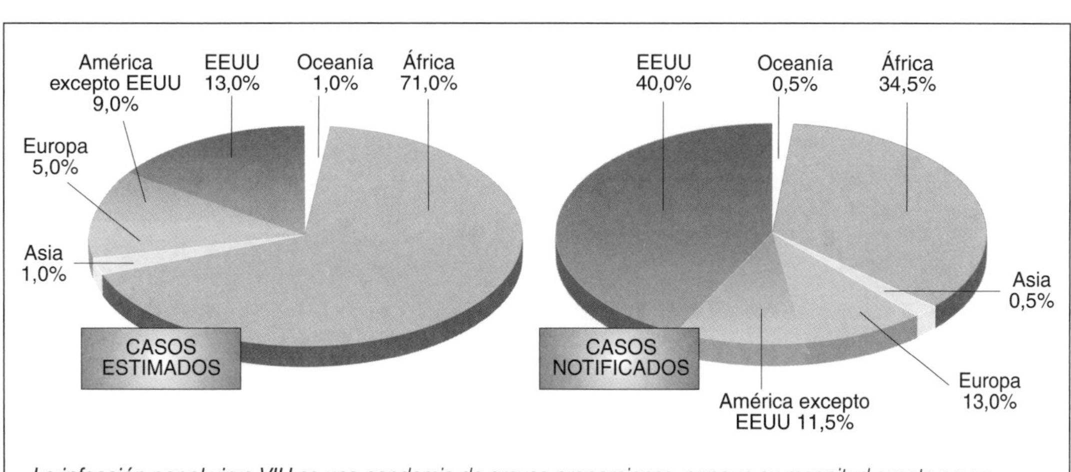

La infección por el virus VIH es una pandemia de graves proporciones, aunque su magnitud exacta no se conoce con precisión, debido a la existencia de muchos casos ocultos no diagnosticados. Como puede verse en las gráficas, existe una gran desproporción entre los casos de SIDA notificados y los estimados.

períodos asintomáticos existe un riesgo de transmisión muy bajo.
   b. La mujer embarazada debe informar a su obstetra de sus antecedentes de haber padecido herpes.
2. Candidiasis:
   a. Las pacientes deben llevar compresas sanitarias para proteger la ropa.
   b. Los óvulos vaginales deben guardarse en el frigorífico.
   c. La paciente debe seguir tomando la medicación incluso durante la fase menstrual.
3. Tricomoniasis o vaginitis por *Gardnerella*: La paciente, y eventualmente su compañero, deben evitar la ingesta de alcohol hasta tres días después de finalizar el tratamiento con metronidazol.

Incontinencia urinaria

Descripción

La orina elaborada en los riñones es transportada por los uréteres hasta la vejiga urinaria, que normalmente tiene una capacidad de 350-500 ml, donde es almacenada hasta el momento de la micción. La micción depende de un reflejo automático y de la voluntad, que controla la acción del esfínter externo de la

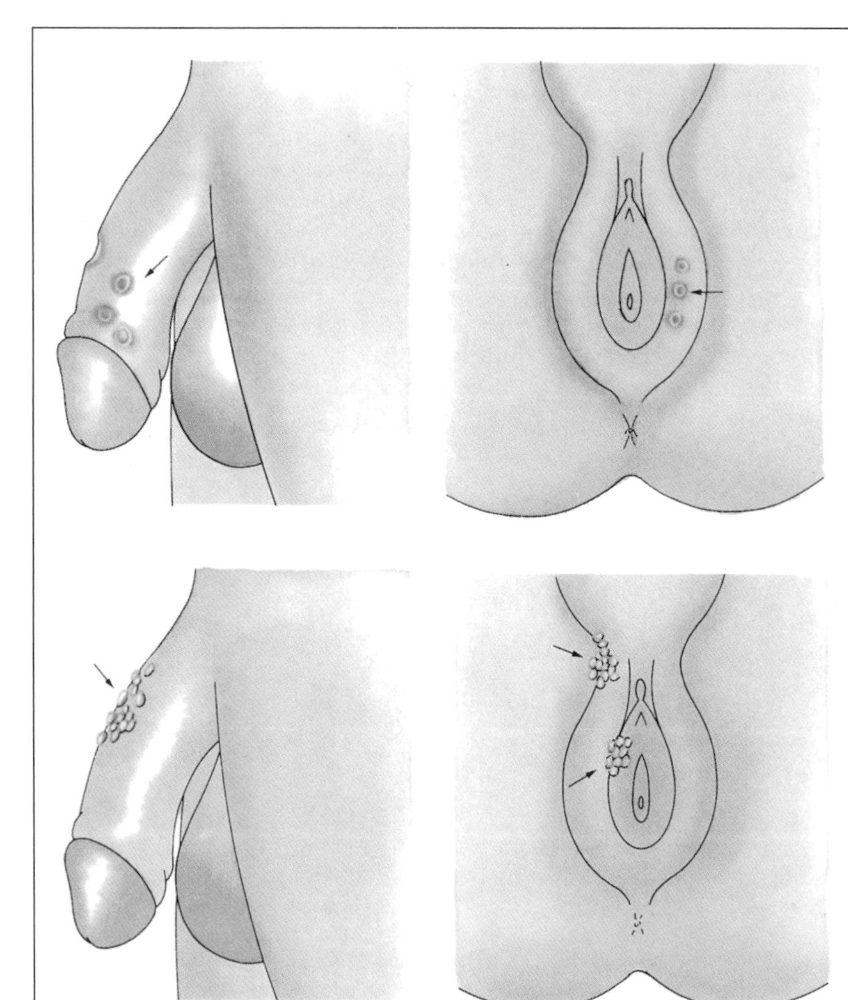

Chancro blando. *La lesión suele presentarse al cabo de dos a cinco días del contagio y puede asentar en diversas partes del pene o la vulva. Inicialmente aparecen unas pequeñas pápulas que pronto se rompen, constituyendo unas úlceras muy dolorosas de bordes blandos y blanquecinos, cubiertas por secreciones en la superficie.*

Herpes genital. *Las lesiones típicas son unas pequeñas vesículas agrupadas en forma de racimo. En el hombre se localizan en el prepucio, en el glande o en el cuerpo del pene, mientras que en la mujer pueden presentarse en los labios mayores o menores de la vulva, en el clítoris o en el introito vaginal, si bien a veces aparecen en las paredes de la vagina o el cuello del útero.*

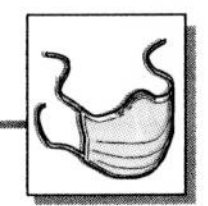

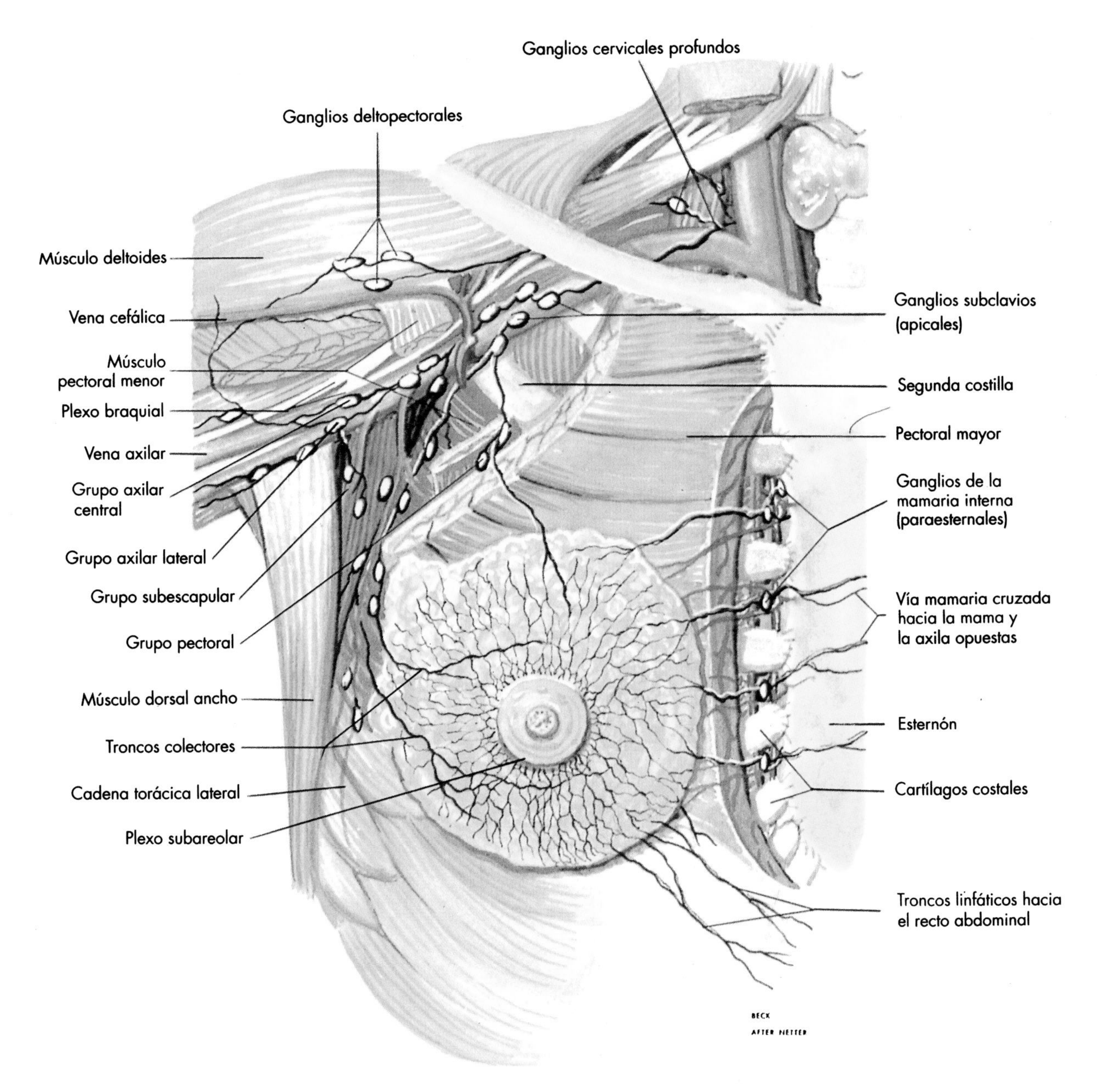

SISTEMA LINFÁTICO Y RETICULOENDOTELIAL DE LA MAMA

El cáncer de mama, la neoplasia más frecuente en la mujer, tiende a infiltrarse por los tejidos adyacentes y a diseminarse precozmente, a través del drenaje linfático, a los ganglios de la región. El dibujo muestra el sistema linfático de la mama, con las vías que determinan la diseminación de las células cancerosas.

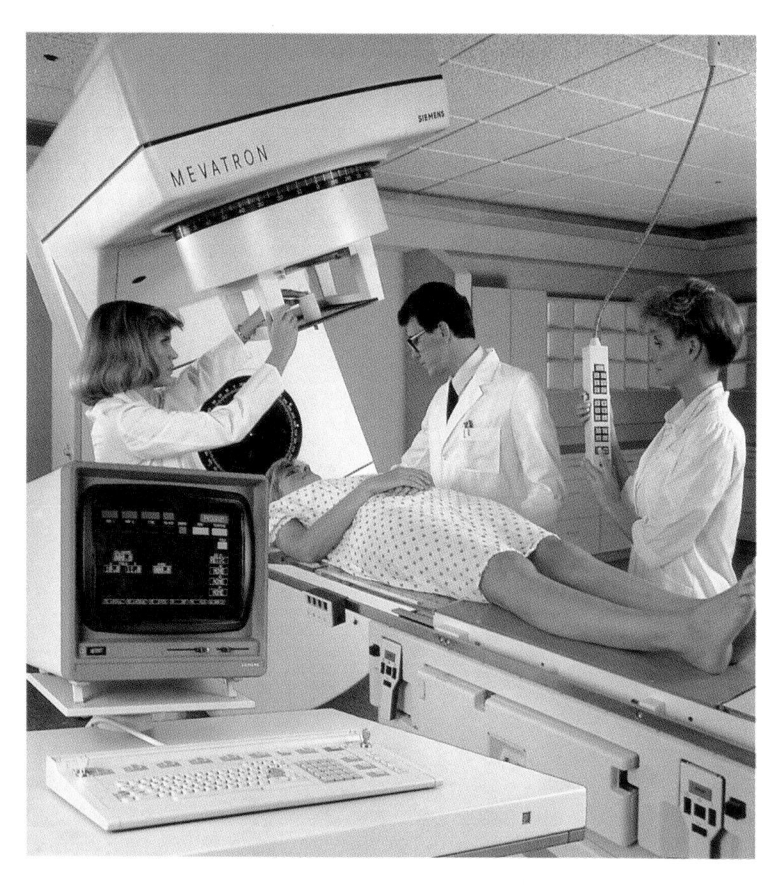

La radioterapia *es una de las armas terapéuticas utilizadas en el tratamiento del cáncer de mama, como técnica complementaria de la cirugía oncológica. Puede aplicarse en distintos momentos, con finalidades diferentes: para disminuir el tamaño de la masa tumoral y delimitar su extensión antes de la cirugía, o bien para destruir las células cancerosas residuales tras la intervención. También es un procedimiento de utilidad, en casos avanzados, para aliviar el dolor en las metástasis muy extendidas. En la ilustración, radioterapia externa.*

La termografía *es una técnica de exploración basada en el registro de la radiación infrarroja emitida por la superficie del cuerpo humano, entre cuyas principales aplicaciones destaca el diagnóstico de presunción del cáncer de mama. Los tumores malignos presentan un elevado metabolismo y reciben una elevada irrigación, motivos por los cuales se acompañan de un aumento de temperatura en la zona que, si está próxima a la superficie corporal (como ocurre cuando se trata de tumores malignos de mama), puede registrarse mediante la termografía. La técnica es inocua, aunque requiere la posterior confirmación diagnóstica del proceso tumoral maligno por otros métodos. En la ilustración, termografía de mama: las zonas coloreadas en rojo y naranja-amarillo de la mama izquierda (parte derecha de la imagen) determinan una área caliente compatible con un proceso canceroso.*

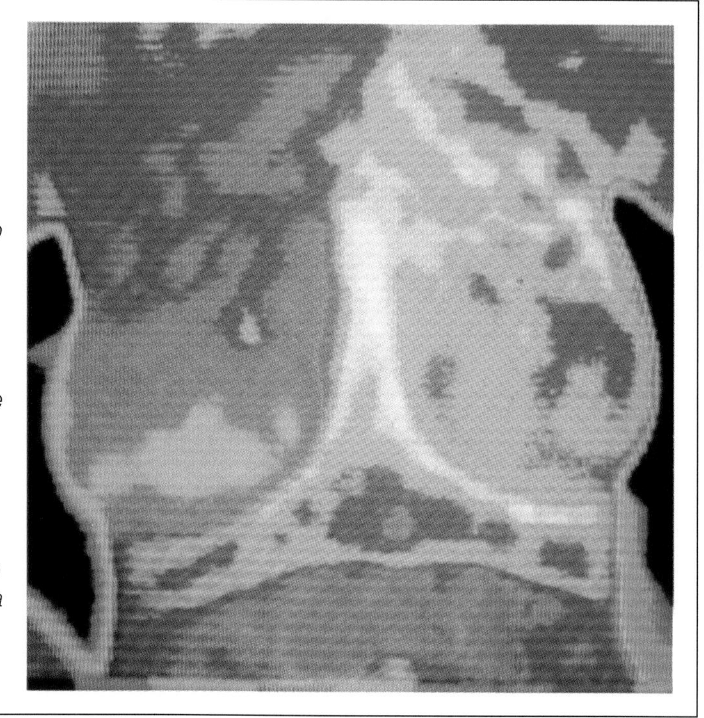

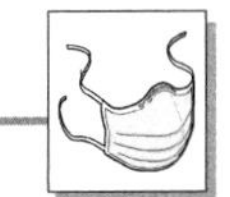

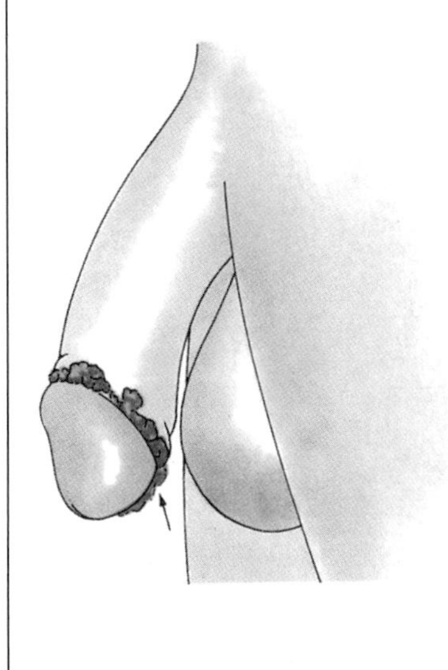

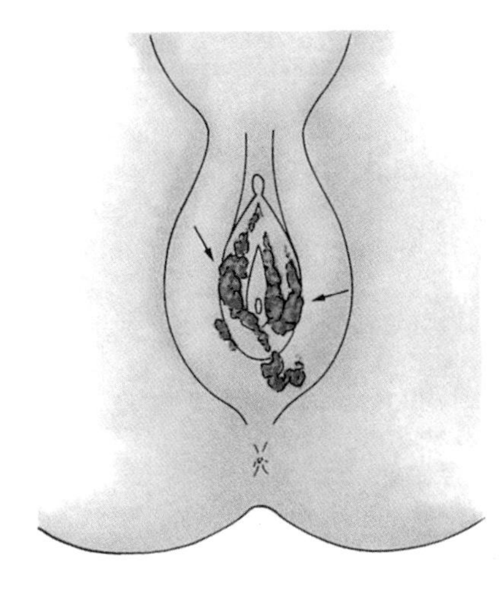

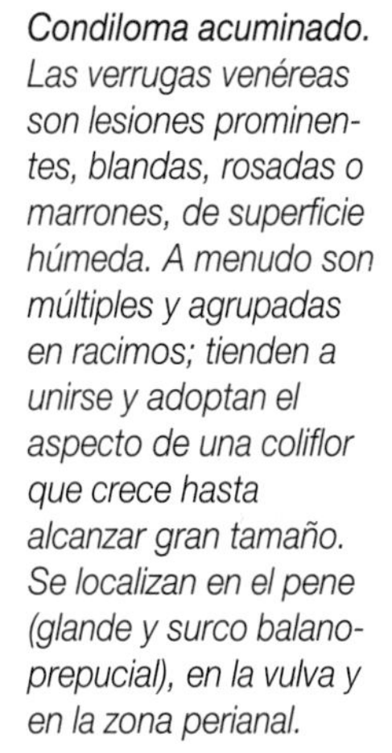

Condiloma acuminado. Las verrugas venéreas son lesiones prominentes, blandas, rosadas o marrones, de superficie húmeda. A menudo son múltiples y agrupadas en racimos; tienden a unirse y adoptan el aspecto de una coliflor que crece hasta alcanzar gran tamaño. Se localizan en el pene (glande y surco balano-prepucial), en la vulva y en la zona perianal.

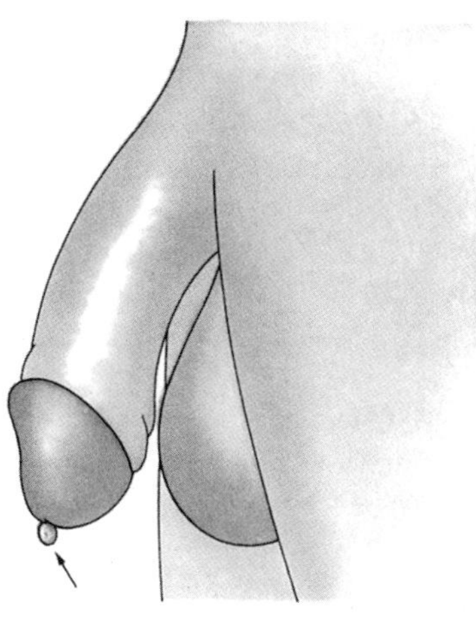

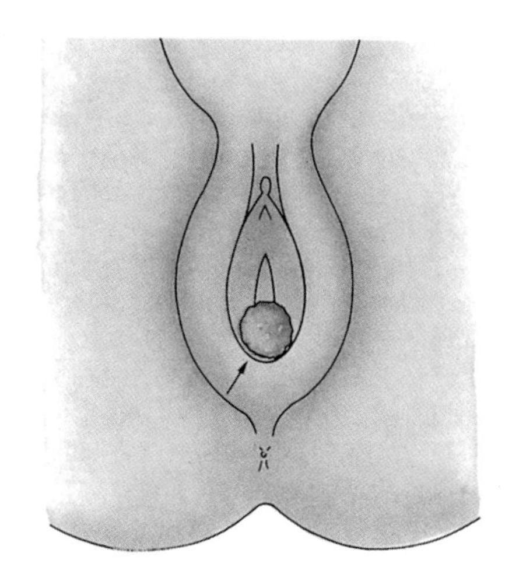

Gonorrea. Causa una inflamación localizada en las mucosas uretral (uretritis), vulvar y vaginal (vulvovaginitis) o del cérvix uterino (cervicitis), aunque con menor frecuencia puede asentar en las mucosas rectal o faríngea. Se caracteriza por la producción de una secreción mucopurulenta eliminada por el orificio uretral o la vagina.

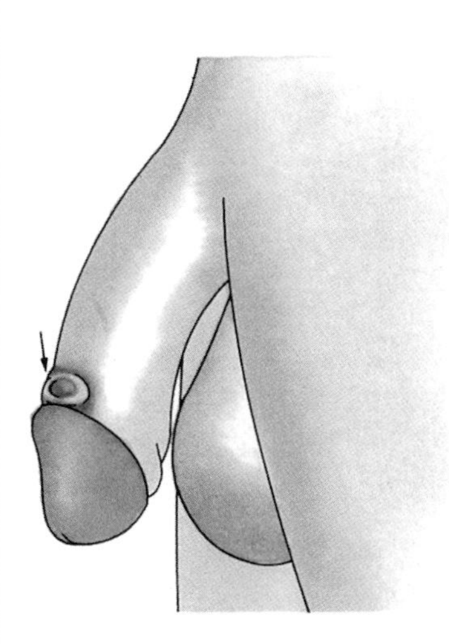

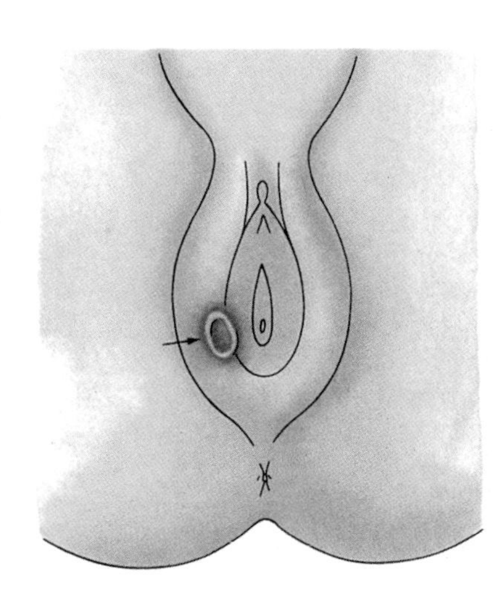

Sífilis. La lesión primaria es el chancro sifilítico: una lesión ovalada o redondeada, de 1-3 cm de diámetro, con la base ulcerada y bordes sobreelevados más oscuros, de consistencia dura e indolora. En el hombre suele asentar en el pene, en la zona de implantación del prepucio; en la mujer, en la mitad inferior de los labios mayores de la vulva.

vejiga. Cuando la acumulación de orina en la vejiga alcanza unos 200 ml, se desencadenan unos impulsos nerviosos que originan deseos de orinar y, si no se impide por medio de la voluntad, se produce el reflejo de la micción regulado por un centro nervioso localizado en el asta anterior de la medula espinal sacra (centro de Budge), comunicado con la vejiga urinaria mediante el nervio pélvico que inerva el músculo detrusor de la pared vesical y el esfínter interno de la vejiga. Toda patología de dichas estructuras puede originar un fallo de la micción y, consecuentemente, una pérdida involuntaria de orina. Puede estar alterado el control voluntario de la micción pero con persistencia del reflejo miccional, con lo cual se producirá emisión de orina cada vez que la vejiga comience a llenarse. También pueden alterarse las estructuras que controlan el reflejo automático, y en este caso la vejiga se distenderá exageradamente, hasta que se produzca incontinencia por rebosamiento.

Se diferencian distintos tipos de incontinencia urinaria:

- *Incontinencia por tensión*: emisión involuntaria de orina en cantidades inferiores a 50 ml provocada por un incremento de la presión intraabdominal. Se debe a cambios degenerativos en los músculos de la pelvis y las estructuras de sostén pélvico, generalmente en mujeres y relacionados con el embarazo, la obesidad y la edad. Los escapes de orina se producen ante circunstancias que incrementen la presión intraabdominal, como reírse o levantar pesos.
- *Incontinencia refleja*: emisión involuntaria de orina cuando se alcanza un determinado volumen de llenado vesical. Se produce en lesiones neurológicas diversas, sobre todo en lesiones medulares que impliquen interrupción en la conducción de impulsos nerviosos por encima del nivel del arco reflejo micccional (S_3).
- *Incontinencia por urgencia*: emisión involuntaria de orina inmediatamente después de percibir una sensación de urgencia miccional. Entre las posibles causas destacan la infección o inflamación vesical, la reducción de la capacidad vesical por cirugía o sondaje urinario previo, la distensión vesical excesiva y el tratamiento con diuréticos.
- *Incontinencia total*: emisión de orina continua por falta absoluta de control vesical. Suele deberse a disfunción neurológica que comporte el desencadenamiento de la micción en momentos impredecibles, trastorno neurológico que impida la percepción de llenado vesical, lesiones neuromusculares relacionadas con prácticas quirúrgicas y enfermedades o traumatismos de la médula espinal o raíces nerviosas. En ocasiones la incontinencia total aparece porque existe una fístula o comunicación anómala entre el uréter o la vejiga y otra abertura externa (*p.e.*, fístula vesicovaginal).
- *Incontinencia por rebosamiento*: emisión involuntaria de orina ante una obstrucción o retención urinaria en que la vejiga se distiende tanto que se produce un goteo constante.

Pruebas diagnósticas habituales

- Análisis de orina; cultivo de orina para detectar infecciones urinarias.
- Cistomanometría y flujometría.
- Cistouretrografía miccional.
- Cistoscopia.
- Ecografía.
- Pielografía intravenosa.
- Estudios para establecer las lesiones neurológicas responsables de la incontinencia urinaria (vejiga neurógena).

Tratamiento

- Medidas correctoras no invasivas: reeducación de los músculos perineales (véase TE: Kegel, ejercicios de), regulación de la ingesta de líquidos, etcétera.
- Administración de anticolinérgicos en caso de vejiga irritable.
- Medidas para provocar una micción controlada:
  1. Si el reflejo miccional está intacto pero se ha perdido el control voluntario, es posible desencadenar la micción mediante estimulación en área genital, perineo, muslo o abdomen.
  2. Si se ha perdido el reflejo miccional, puede vaciarse la vejiga mediante la maniobra de Credé (presión en la región suprapúbica).
- Cirugía.

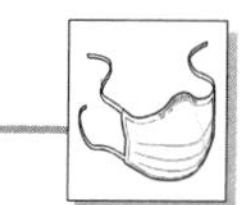

1. Uretropexia (véase EMQ: Genitourinario, uretropexia) u otros procedimientos que fortalezcan el esfínter urinario.
2. Derivación urinaria.

Consideraciones de enfermería

- Debe brindarse un adecuado soporte emocional a todo paciente con incontinencia urinaria, actuando con paciencia y comprensión en su atención e intentando que no se sienta culpable de la situación. Garantícese al máximo la intimidad del enfermo cuando se lleven a cabo los cuidados.
- Para recolectar la orina pueden utilizarse diversos dispositivos no invasivos:
  1. Si se trata de un hombre, puede emplearse un capuchón que, aplicado sobre el pene, recibe la orina y la dirige a un sistema de drenaje, preferiblemente cerrado.
  2. Si se trata de una mujer, emplear compresas absorbentes específicas para este cometido.
- Debe evitarse en lo posible el cateterismo vesical, ya que la instauración de una sonda de permanencia favorece el desarrollo de infecciones urinarias (véase TE: Sondaje vesical). Recúrrase a las medidas más oportunas para proporcionar comodidad al paciente, de tal modo que sea innecesario el sondaje.
- Si es preciso recurrir al sondaje vesical, respétese una rigurosa técnica aséptica y utilícese un sistema de drenaje cerrado. Hay casos en que puede intentarse regular la evacuación vesical mediante una cateterización intermitente, y en este caso hay que extremar las precauciones. Siempre debe mantenerse la bolsa colectora por debajo del nivel de la vejiga para evitar el reflujo de orina.
- Recuérdese que el contacto de la orina con la piel resulta muy irritante. Adóptense todos las medidas oportunas para evitarlo:
  1. Utilización de compresas absorbentes.
  2. Cambios de ropa de cama tan frecuentes como sea preciso.
- Inspecciónese con regularidad el área genital para comprobar la existencia de alteraciones irritativas, y adóptense las medidas más convenientes para solucionar la situación (véase TE: Ostomías, fístulas y heridas con drenaje).
- Cuando esté indicado, llévese a cabo una reeducación del hábito urinario:
  1. Hágase que el paciente intente orinar a intervalos regulares preestablecidos que se irán prolongando progresivamente.
  2. Regúlese la ingesta de líquidos, con diferentes técnicas:
     a. La limitación de la ingesta de líquidos por la tarde reduce la diuresis nocturna.
     b. La reducción temporal de líquidos en períodos preestablecidos permite disminuir el contenido vesical durante ciertos períodos.
     c. Puede forzarse la diuresis mediante una ingesta elevada de líquidos para que el paciente intente orinar después de 30 minutos o una hora.
- Siempre debe llevarse a cabo un adecuado control de entradas y salidas.

Infecciones del tracto urinario

Descripción

La mayor parte de las infecciones del tracto urinario son ascendentes, es decir, provocadas por gérmenes que penetran a través de la uretra, aunque algunas se propagan por vía sanguínea o linfática. Son más frecuentes en las mujeres que en los varones, debido a que la uretra es más corta y está más expuesta a contaminación en las mujeres.

Cistitis

Descripción

La cistitis consiste en la inflamación de la vejiga urinaria, causada generalmente por una infección. Se da más a menudo en mujeres durante los años de vida sexual activa, ya que la uretra femenina, de corta longitud, se traumatiza y contamina con facilidad desde la vagina o el ano. La cistitis del varón frecuentemente se desarrolla a partir de una uretritis o de una prostatitis.

Pruebas diagnósticas habituales

- Cultivo de orina y antibiograma en muestra obtenida por método estéril (véase TE: Orina,

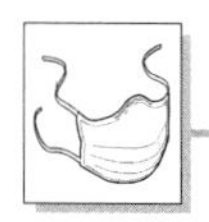

*La cistitis consiste en la inflamación de la vejiga urinaria y, aunque su origen puede ser diverso, por lo general corresponde a una infección de naturaleza bacteriana. Los gérmenes involucrados son muy variados, si bien suele tratarse de enterobacterias (*Escherichia coli, Proteus mirabilis, *estafilococos y enterococos) que, especialmente en la mujer, llegan hasta la vejiga urinaria, a través de la uretra, procedentes del recto.*

toma y análisis de muestras, método estéril).

- Tinción del sedimento de la orina.
- Puede hacerse una cistoscopia para descubrir la causa subyacente en el paciente que presente infecciones recidivantes.
- Pielografías intravenosas y cistouretrografía miccional (véase TE: Radiología, preparación para).
- Estudios cistométricos u otros métodos urodinámicos (no se administra ni anestesia ni medicación preoperatoria).
- A veces se realiza una punción suprapúbica con aspiración del contenido de la vejiga urinaria.
- Prueba de los vasos múltiples para localizar la zona de la infección (*p.e.*, uretra, vejiga o próstata).
- Cultivo de muestra obtenida del introito (entrada de la vagina, lugar más frecuente de origen de la infección en la mujer).

Observaciones

- Recuento de colonias superior a 100 000 en el cultivo de orina.
- Patrón de micción: urgencia miccional (tenesmo), polaquiuria (aumento de la frecuencia), nicturia, ardor o dolor y dificultad para orinar (disuria), calambres y espasmos vesicales.
- Dolor suprapúbico y, en ocasiones, dolor en la parte baja de la espalda.
- A veces se aprecia una hematuria macroscópica, sobre todo al final del chorro de orina.
- No suele haber fiebre.
- Los síntomas de vaginitis incluyen la secreción vaginal purulenta, irritación y picor de la vulva y perineo, polaquiuria y disuria.
- Orina con olor fétido.

Tratamiento

- Terapéutica antibiótica: sulfamidas, ampicilina o tetraciclina, dependiendo de la sensibilidad del microorganismo responsable y el resultado del antibiograma.
- Acidificación de la orina con ácido ascórbico para mejorar la eficacia de los antibióticos (*p.e.*, en caso de administrarse tetraciclinas).
- Antisépticos del tracto urinario (*p.e.*, nitrofurantoína o trimetroprima con sulfametoxazol).
- Analgésicos tópicos urinarios. El hidrocloruro de fenazopiridina puede modificar el color de la orina, virándolo a naranja; con el azul de metileno, la orina pasará a adquirir un color azul-verdoso.
- Se pueden prescribir antiespasmódicos y analgésicos.
- Ingesta forzada de líquidos.
- Los baños de asiento y el calor pueden aliviar las molestias.
- La profilaxis en mujeres que presentan varias infecciones al año puede incluir un antimicro-

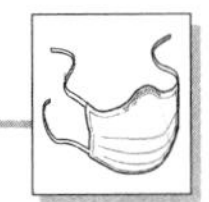

biano a dosis bajas (*p.e.*, nitrofurantoína o trimetroprima con sulfametoxazol), tomado a diario o bien después del acto sexual.
- Pomada antibiótica en el introito.
- Puede necesitarse corrección quirúrgica de la causa subyacente.

Consideraciones de enfermería

- Para prevenir las recidivas en los pacientes predispuestos (especialmente en las mujeres), es indispensable explicar e incentivar las siguientes normas:
  1. Las mujeres deben limpiarse la zona tras la defecación de delante hacia atrás (desde la uretra al ano).
  2. Conviene realizar una micción después del acto sexual.
  3. Cuando está indicado, debe administrarse la medicación prescrita después del acto sexual.
  4. Conviene tomar duchas en lugar de baños.
  5. Hay que ingerir abundantes líquidos.
  6. Debe vaciarse la vejiga por completo para evitar el estancamiento de orina, presionando en la región suprapúbica con la parte posterior de la mano cada 2 o 3 horas.
  7. Debe tomarse toda la medicación prescrita, incluso si han desaparecido los síntomas.
  8. Conviene usar ropa interior de algodón, evitar llevar pantalones muy ajustados y mantener seca el área perineal.

PIELONEFRITIS

Descripción

La pielonefritis es una infección piógena aguda o crónica de uno o ambos riñones (pelvis renal y tejido intersticial del riñón) que suele producirse por vía ascendente, aunque a veces la llegada de los gérmenes responsables tiene lugar por vía hematógena. Suele asociarse con infecciones de las vías urinarias bajas (cistitis) y con obstrucción de las vías urinarias y estasis de la orina, condición favorable para el desarrollo microbiano. Si no se trata, la pielonefritis aguda puede pasar a crónica, con desarrollo de lesiones renales irreversibles que pueden dar lugar a hipertensión arterial e insuficiencia renal (uremia).

Pruebas diagnósticas habituales

- Cultivo de orina y antibiograma. Las muestras de orina se recogen con método estéril, a mitad del chorro de micción, o bien mediante sondaje o por punción suprapúbica (véase TE: Orina, toma y análisis de muestras).
- El análisis de orina puede mostrar abundantes bacterias, pus y hematíes.
- El análisis de sangre evidencia leucocitosis y, posiblemente, incremento de los niveles de urea y creatitina en la pielonefritis crónica.
- Cistografía miccional, que puede mostrar un reflujo vesicoureteral.

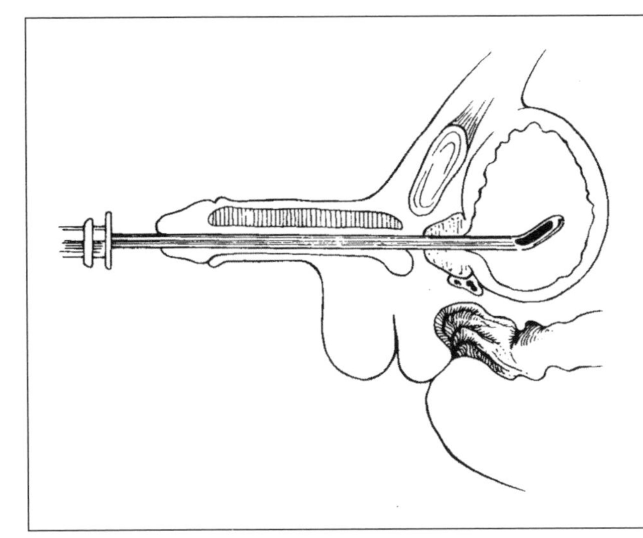

__La cistoscopia__ es una técnica muy eficaz en el diagnóstico (exploración visual y toma de biopsias) así como en el tratamiento de diversas alteraciones de la uretra, la próstata y la vejiga urinaria, especialmente de las tumorales. Suele realizarse mediante un cistoscopio rígido, consistente en un tubo metálico provisto de un sistema óptico, que se inserta por la uretra y a través del cual pueden introducirse diversos dispositivos específicos para obtener muestras de tejidos o efectuar procedimientos terapéuticos; con menor frecuencia se emplean fibroscopios flexibles. En la ilustración se muestra un esquema de la exploración con cistoscopio rígido.

- Pielografías intravenosas (véase TE: Radiología, preparación para).
- Tomografía axial computada.

Tratamiento

- Reposo en cama en la fase aguda.
- Antibioticoterapia específica, según resultado del antibiograma.
- Ingesta abundante de líquidos si la situación renal lo permite.
- Corrección de la causa de la obstrucción urinaria.
- En la pielonefritis crónica:
  1. Mantenimiento de una dosis baja de antibióticos.
  2. Control de la hipertensión.
  3. Diálisis, si está indicada.
- Si la enfermedad está muy avanzada y existen lesiones irreversibles y extensas puede ser precisa la extirpación del riñón (nefrectomía).

Consideraciones de enfermería

- Los cuidados de enfermería deben orientarse en el sentido de aliviar los síntomas.
- Véanse las secciones que se refieren a pacientes con la función renal deteriorada, sobre todo la glomerulonefritis y la insuficiencia renal crónica.

Insuficiencia renal

Descripción

La insuficiencia renal corresponde a la disminución o pérdida de la capacidad funcional de los riñones, temporal o permanente, de etiología muy diversa.

- La *insuficiencia renal aguda* (IRA) se describe como un deterioro rápido de la función renal acompañado de retención y aumento de niveles sanguíneos de productos terminales del metabolismo nitrogenado (urea, creatitina) y normalmente de oliguria (eliminación de orina inferior a 500 ml/24 horas). Suele solucionarse completamente con el tratamiento adecuado y, según su origen, se distinguen tres variedades:
  1. *IRA prerrenal*: puede precipitarse por una hipovolemia ocasionada por insuficiencia cardiaca, shock, hemorragia o quemaduras, o bien por cualquier otro factor externo a los riñones que disminuya el flujo sanguíneo renal y, por lo tanto, disminuya la perfusión de los glomérulos. Las complicaciones obstétricas, tales como el desprendimiento de la placenta, la preeclampsia grave, la eclampsia y el aborto séptico son otros ejemplos.
  2. *IRA intrínseca* o *intrarrenal*: se produce por trastornos que afectan a los propios riñones (*p.e.*, enfermedades primitivas renales tales como la glomerulonefritis y la pielonefritis; enfermedades sistémicas como la diabetes mellitus y el lupus eritematoso sistémico; la necrosis tubular aguda producida por reacciones transfusionales o por la absorción de sustancias nefrotóxicas como por ejemplo aminoglucósidos, gentamicina o neomicina).
  3. *IRA postrenal*: producida por la lesión renal que ocasiona la obstrucción del flujo de orina debido a la existencia de un cálculo, a neoplasias, o bien por un aumento del tamaño de la próstata.
- La evolución clínica de la insuficiencia renal aguda, reversible, se caracteriza por diversas fases:
  1. *Fase inicial*: es el período en que se desarrollan las lesiones en el riñón, de unas horas a una semana de duración, durante el cual pueden apreciarse las manifestaciones de la enfermedad causal pero la alteración funcional del riñón suele pasar inadvertida.
  2. *Fase oligúrica*: puede durar de 1 a 2-4 semanas después del acontecimiento causal. Con la reducción notable de la diuresis, de 400 a 500 ml/día (oliguria) a menos de 100 ml/día (anuria), se produce una acumulación orgánica de productos de desecho (especialmente sustancias nitrogenadas: urea) y diversas alteraciones hidroelectrolíticas capaces de causar variados trastornos.
  3. *Fase poliúrica*: dura unos 5-20 días tras superarse la fase crítica y restablecerse la filtración glomerular, mientras aún no se recupera la adecuada resorción tubular. Se

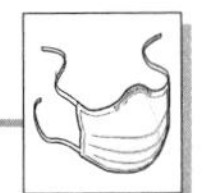

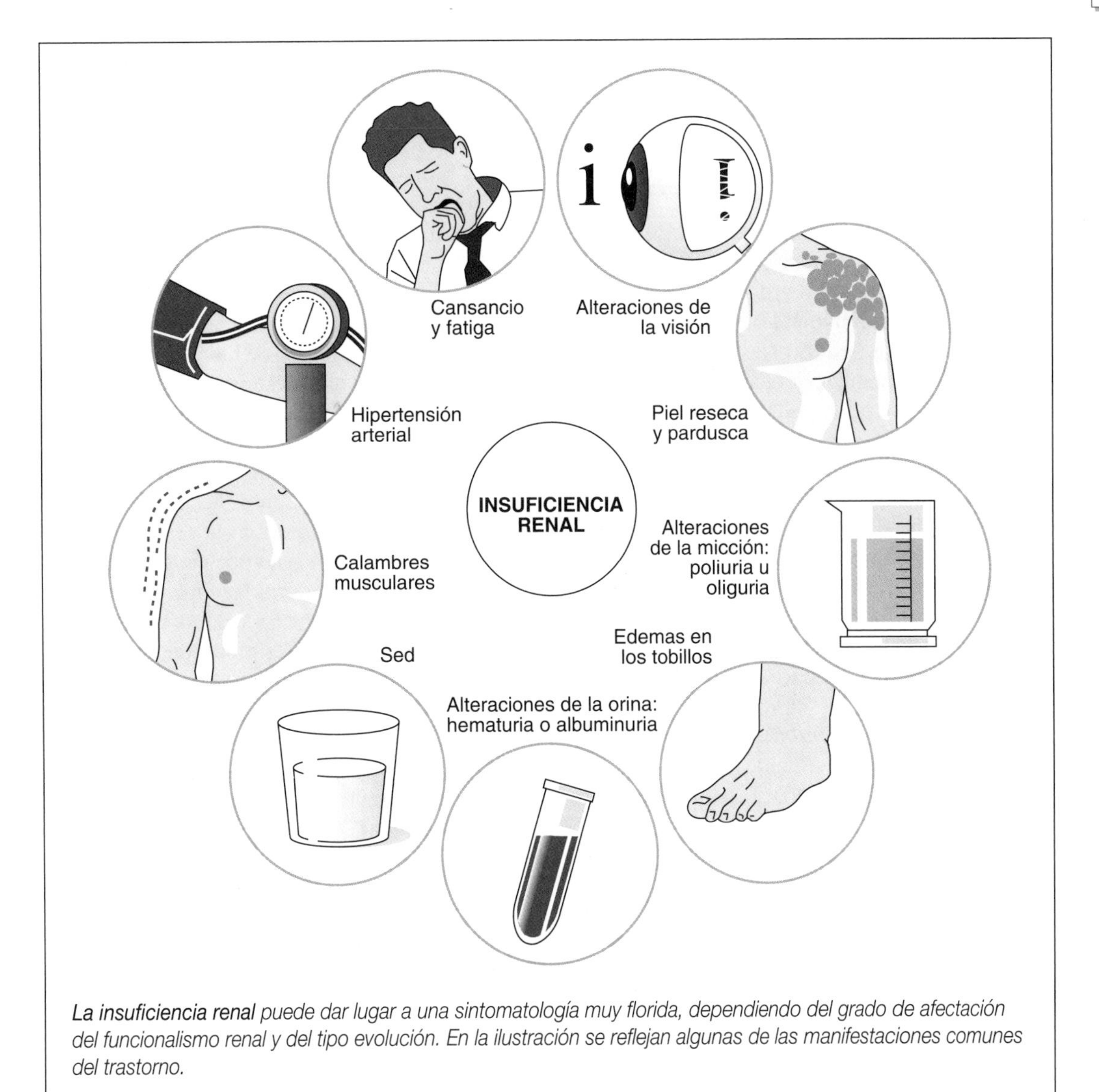

***La insuficiencia renal** puede dar lugar a una sintomatología muy florida, dependiendo del grado de afectación del funcionalismo renal y del tipo evolución. En la ilustración se reflejan algunas de las manifestaciones comunes del trastorno.*

observa un progresivo incremento de la diuresis de 300-400 ml/día hasta llegar a 3 ó 4 litros/día. A pesar de la poliuria, pasa cierto tiempo hasta la corrección de la retención de productos nitrogenados y los trastornos metabólicos e hidroelectrolíticos.

4. *Fase de recuperación*: la recuperación es gradual y puede requerir de 3 a 12 meses, período durante el cual la función renal se normaliza si la agresión causal no ha dejado lesiones irreversibles.

- La *insuficiencia renal crónica* (IRC) o *insuficiencia renal en estadio terminal* se produce en las enfermedades renales irreversibles. Evoluciona durante un largo período de tiempo y, finalmente, da lugar a un cuadro de *uremia* o *síndrome urémico*. Las alteraciones que se observan en la uremia afectan a todos los sistemas del organismo y se originan por la retención de los productos finales del metabolismo y por los trastornos en los equilibrios ácido-base, electrolítico e hídrico. Pueden distinguirse diversas fases, según sea el porcentaje de tejido renal dañado:

1. *Fase latente*: no se presentan trastornos evidentes, porque las nefronas sanas mantienen la función renal dentro de límites tolerables.

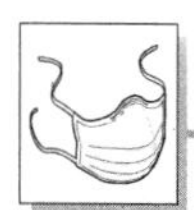

2. *Fase compensada*: los túbulos renales ya no son capaces de reabsorber la cantidad de agua filtrada en los glomérulos y aparece poliuria, así como trastornos por la retención de productos nitrogenados y, a veces, hipertensión y anemia.
3. *Fase descompensada*: ante cualquier situación crítica (*p.e.*, infección), la disfunción se acentúa y el riñón pierde la capacidad para concentrar o diluir la orina; la poliuria es constante y pueden producirse desequilibrios en la regulación hídrica (hiperhidratación por aporte excesivo de líquido o deshidratación por ingesta hídrica escasa). Se genera una importante retención de productos nitrogenados y se reduce la excreción de sodio y potasio, por lo que se desarrollan alteraciones del medio interno y diversos trastornos orgánicos.
4. *Fase terminal*: se produce una importante reducción del volumen de orina (oliguria) y se establece un cuadro de uremia.

Pruebas diagnósticas habituales

- Véase EMQ: Genitourinario, riñón, pruebas diagnósticas habituales.

Tratamiento

En la insuficiencia renal aguda:

- El objetivo es mantener un adecuado equilibrio hidroelectrolítico hasta que se recupere la funcionalidad renal.
- Se restringe la ingesta de líquidos a 400 ml/día en la fase oligúrica, con aumento si se han de recuperar las pérdidas.
- Dieta baja o carente de proteínas, baja en potasio y elevado contenido de hidratos de carbono.
- Se administrará glucosa endovenosa, especialmente si existen náuseas y vómitos.
- Corrección de los trastornos hidroeléctricos.
  1. Sodio poliestireno sulfonato: una resina de intercambio que se mezcla con agua o sorbitol, administrada por vía oral (mediante sonda nasogástrica) o por vía rectal, con el fin de tratar la hiperpotasemia.
  2. Glucosa e insulina EV o gluconato cálcico como tratamiento temporal de la hiperpotasemia.
  3. Bicarbonato sódico endovenoso para corregir la acidosis y disminuir los niveles séricos de potasio.
  4. Hidróxido de aluminio como quelante de los fosfatos.

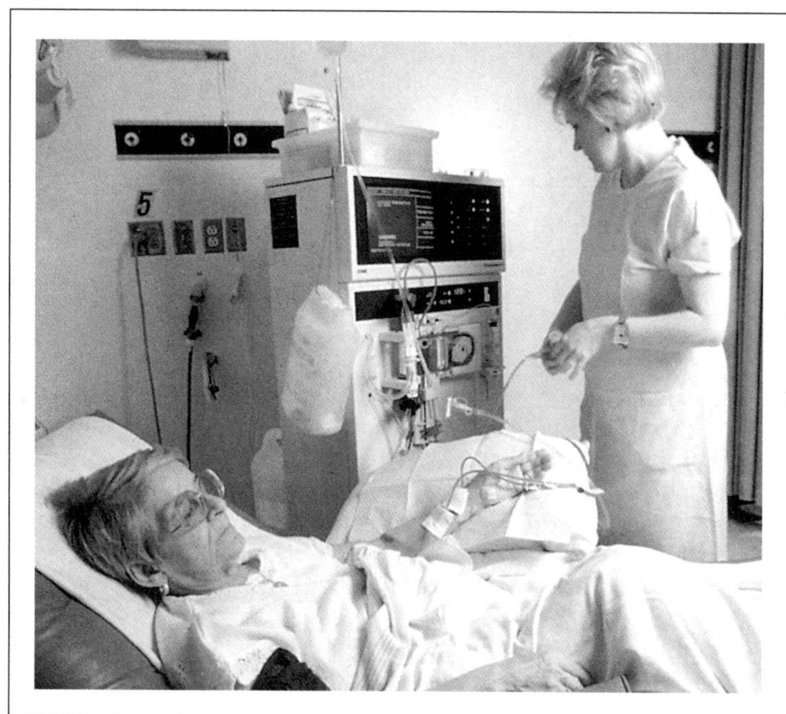

La hemodiálisis es una práctica terapéutica utilizada para suplir la función de los riñones en los pacientes con fallo renal: hasta la recuperación funcional, cuando se trata de una insuficiencia renal aguda; de manera repetida durante toda la vida o hasta efectuar un trasplante de riñón, cuando se trata de una insuficiencia renal crónica terminal.
El objetivo de la técnica es corregir los trastornos electrolíticos y del equilibrio ácido-base, así como extraer de la sangre sustancias tóxicas, y también eliminar el exceso de líquidos corporales cuando los diuréticos no resultan eficaces.

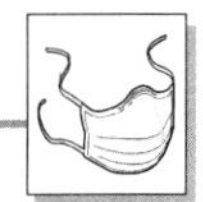

- Diálisis peritoneal o hemodiálisis (véase TE: Diálisis).
- Debe prevenirse o controlarse la infección mediante una buena técnica de lavado de las manos y respeto de la técnica aséptica en toda maniobra. Pueden pautarse antibióticos.

En la insuficiencia renal crónica:

- El objetivo del tratamiento conservador es intentar preservar la función renal que aún existe; tratar los síntomas de la uremia; mantener los equilibrios electrolítico, ácido-base e hídrico; evitar la aparición de complicaciones, y aportar el máximo confort psíquico y físico.
- En general, se prescribe una dieta con bajo contenido en proteínas y en potasio y un alto contenido en carbohidratos.
- Se reponen los líquidos, normalmente 500 ml más que lo que se elimina en 24 horas (una cantidad de 500 ml corresponde a la pérdida insensible a través de la respiración, perspiración y pérdida por las heces).
- Se administran antiácidos, como hidróxido de aluminio, para que se una con el fósforo en el tracto digestivo (acción quelante).
- La hipertensión se trata con fármacos (*p.e.*, metildopa y propanolol).
- Se pueden prescribir diuréticos.
- Se puede dar diazepam EV y fenitoína para controlar las convulsiones.
- Se puede requerir oxigenoterapia (véase TE: Oxigenoterapia).
- Se pueden prescribir transfusiones de sangre.
- Se pueden prescribir suplementos de hierro y ácido fólico.
- Puede requerirse la administración de antieméticos para mitigar las náuseas y vómitos.
- La terapéutica con andrógenos puede estimular la producción de hematíes.
- Diálisis (evitando al máximo la pérdida de sangre).
- En pacientes seleccionados se puede realizar un trasplante renal.

Consideraciones de enfermería

- Adminístrense líquidos EV y electrólitos.
- Contrólense minuciosamente la ingesta de líquidos y su eliminación.

  Se puede requerir una sonda vesical con urómetro para medir la diuresis horaria, pero en lo posible se evitará, para prevenir complicaciones infecciosas. Se deben realizar exámenes de la gravedad específica de la orina.
- Valórese cada día el peso del paciente a la misma hora y en las mismas condiciones.
  1. Quizá sea el índice más exacto de la retención de líquidos: 1 kg (2,2 lb) = 1 000 ml.
  2. Durante la fase oligúrica se debe esperar una pérdida de peso de 0,2 a 0,5 kg al día.
- Durante las fases oligúrica o anúrica se puede ordenar una restricción importante en el aporte de líquidos. Debe hacerse todo lo posible para que el paciente colabore en su cumplimiento. Una manera de abordar esta cuestión es que el personal de enfermería asuma la responsabilidad de aportar todos los líquidos, sin dejar líquidos al alcance del paciente, y repartiendo la cantidad permitida a lo largo del día. Se deben contabilizar incluso los sorbos de agua que ingiere el paciente con los medicamentos que se le administren por vía oral.
- Contrólense los signos físicos y los resultados de laboratorio que puedan indicar que existe una sobrecarga de líquidos, desequilibrios electrolíticos (*p.e.*, acidosis, hipercalcemia o hiponatremia) (véase Farmacología: Tratamiento endovenoso, trastornos electrolíticos). Los desequilibrios hídricos son peligrosos, en particular durante la fase diurética de la IRA.
- Monitorícense los valores de urea y de creatinina en suero, así como la tensión arterial. Adminístrense antihipertensivos según se indique en la insuficiencia renal crónica.
- Medidas de apoyo adecuadas.
  1. Higiene oral para prevenir la estomatitis.
  2. Higiene pulmonar, con cambios de posición, tos asistida y respiración profunda (véase TE: Fisioterapia respiratoria).
  3. Prevención de las úlceras de decúbito (véase EMQ: Dermatología, úlcera de decúbito) y adecuados cuidados de la piel.
  4. Alíviense los picores o la dermatitis urémica con baños de vinagre diluido (2 cucharadas de vinagre en 750 ml de agua), lociones antipruriginosas y antihistamínicos. Córtense las uñas para evitar que el paciente se rasque.
  5. Protéjase al paciente de las autolesiones. Pueden necesitarse barandillas acolchadas

laterales. Conviene tener dispuesto un depresor lingual si existe peligro de convulsiones (véase EMQ: Neurología, convulsiones).

- Efectúese un estricto control de la nutrición, según las necesidades en cada caso, con la debida restricción de proteínas, potasio y sodio, y aporte elevado de carbohidratos. Si el enfermo no tolera la vía oral (anorexia, vómitos) puede requerirse alimentación parenteral, con riguroso control para evitar sobrecarga hídrica.
- Adminístrense correctamente los fármacos; es más probable que se produzca una intoxicación por fármacos cuando disminuye la función renal. Se debe realizar un reajuste de las dosis.
- Se deben conocer, y prevenir cuando sea posible, complicaciones tales como insuficiencia cardiaca y arritmias, convulsiones, hemorragias e infección.
- Es importante el soporte emocional, así como tranquilizar al paciente.

Litiasis urinaria (piedras o cálculos urinarios)

Descripción

La litiasis urinaria es un trastorno caracterizado por la formación de concreciones sólidas, denominadas cálculos o piedras, en el interior de las vías urinarias. Los cálculos urinarios se pueden hallar en la pelvis renal, en los uréteres o en la vejiga urinaria. Según sea el tamaño y la localización de los cálculos, se puede producir una obstrucción del flujo de la orina, que si es aguda dará lugar a un cuadro de cólico nefrítico, mientras que, si es crónica, propiciará alteraciones de la función renal.
La formación de cálculos depende de la eliminación por la orina de cantidades excesivas de sustancias que tienden a cristalizar y de la existencia de factores que propicien tal cristalización, como es la estasis urinaria, particularmente cuando existe infección.

- Factores etiológicos comunes: trastornos metabólicos (*p.e.*, hiperparatiroidismo, cistinuria, gota), inmovilización prolongada, presencia prolongada de un catéter vesical, ingesta excesiva de leche y de vitamina D, deficiencia de vitamina A y predisposición familiar.
- Un pH anómalo de la orina se asocia con diferentes tipos de cálculos: cuando la orina tiene un pH ácido, se favorece la formación de cálculos de ácido úrico; cuando la orina tiene un pH alcalino, se favorece la formación de cálculos compuestos por sales de calcio y fosfato amónico-magnésico, y en menor grado de cistina y fosfato. La profilaxis se puede centrar en variar el pH de la orina a través de la dieta y de la administración de medicamentos.
- Es indispensable que se filtre la orina para recuperar los cálculos y proceder a su análisis químico. Alrededor de un 90% de los cálculos contienen calcio combinado con fosfatos y oxalatos y son radioopacos. También pueden producirse cálculos de fosfato amónico-magnésico (estruvita), de ácido úrico y de cistina. Muchos cálculos no logran verse en las radiografías, especialmente los de ácido úrico.
- La dimensión de los cálculos es muy variada: desde los más pequeños que se eliminan en forma de arenilla, hasta los grandes cálculos que ocupan la pelvis y los cálices renales (cálculos coraliformes)
- El 90% de los cálculos se eliminan espontáneamente en un período de tiempo que oscila entre días y semanas. Si un cálculo se aloja en el uréter y produce una obstrucción completa, puede ocasionar una hidronefrosis importante y constituir una urgencia quirúrgica. Los cálculos de 1 cm o de un tamaño inferior se suelen eliminar espontáneamente.

Pruebas diagnósticas habituales

- Estudios radiológicos: radiografía simple de abdomen, pielografía intravenosa, urografía retrógrada (véase TE: Radiología, preparación para).
- Ecografía (especialmente cuando los cálculos no son radioopacos).
- Análisis de orina: determinación de gravedad específica, pH, presencia de hematíes (indicativa de lesión ocasionada por el paso de los cálculos) y de leucocitos (indica que existe infección).
  1. Recogida de orina de 24 horas: puede evidenciar unos altos niveles de calcio, ácido úrico, oxalato, fósforo o cistina.

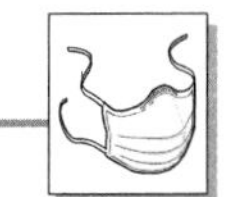

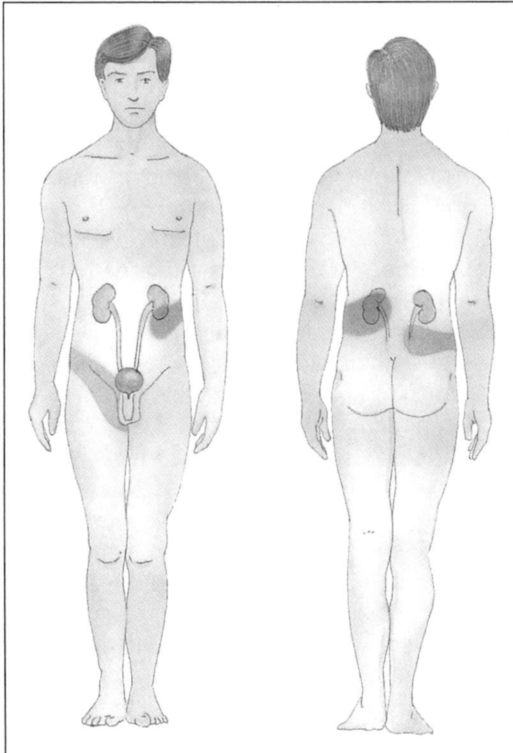

Litiasis urinaria. El dibujo muestra la localización y la irradiación del dolor en el cólico nefrítico, cuadro clínico consecuente a la obstrucción del flujo de orina por la presencia de un cálculo en las vías urinarias.

2. Recogida de muestra estéril para análisis bacteriológico y cultivo y antibiograma (para determinar infección y valorar la sensibilidad de los gérmenes causales ante los antibióticos).

- Análisis de sangre, con bioquímica y electrólitos.
- Análisis de los cálculos para determinar su composición química.
- Pruebas necesarias para intentar hallar la causa subyacente de la formación de cálculos.

Tratamiento

Médico

- Forzar la ingesta de líquidos, hasta 4 litros al día, para favorecer la expulsión de los cálculos. *Precaución*: no deben administrarse líquidos durante los episodios dolorosos, porque ello aumentaría la presión interna en las vías urinarias y el dolor.
- Por lo general se anima al paciente a que deambule, en un intento por conseguir que el cálculo se movilice. Algunos cálculos que se hallan atrapados en el riñón y que no ocasionan obstrucciones pueden ser asintomáticos.
- Se suelen administrar analgésicos y espasmolíticos para aliviar el dolor propio del cólico renal. Puede ser preciso la administración de analgésicos potentes por vía inyectable o por vía intravenosa.
- Puede ser de ayuda la aplicación de calor en la zona mediante baños calientes (préstese atención a una posible sensación de desvanecimiento), aplicación de esterilla eléctrica o rayos infrarrojos en la zona.
- Si existe evidencia de infección, se lleva a cabo una antibioticoterapia.
- Tratamiento de la causa subyacente de formación de los cálculos.
- Recuperación del cálculo y análisis de su composición. Los cálculos de ácido úrico pueden llegar a disolverse mediante la alcalinización de la orina.

Profiláctico

- Se recomienda una ingesta abundante de líquidos, de hasta 4 litros al día.
- Se debe modificar la dieta para reducir la ingesta de los componentes del cálculo. También se debe modificar la dieta y administrar medicación para acidificar o bien alcalinizar la orina con el fin de mantener el pH urinario recomendado.
  1. Para acidificar la orina se administra ácido ascórbico (los estudios han demostrado que la cantidad de jugo de arándanos necesaria para acidificar la orina es demasiado alta para que se pueda llevar a la práctica).
  2. El bicarbonato sódico alcaliniza la orina.
- Puede administrarse alopurinol para disminuir la eliminación de ácido úrico en los pacientes que presenten cálculos de ácido úrico, o puede administrarse fosfato de celulosa sódico a los pacientes que formen cálculos de fosfato u oxalato cálcico.
- Los ortofosfatos (*p.e.*, el fosfato ácido de potasio) acidifican la orina y disminuyen la concentración de calcio.
- Se puede administrar hidróxido de aluminio para que se una con el fósforo a nivel intesti-

nal, aumentando así la excreción fecal de fosfatos en el paciente que forme cálculos de fosfatos.
- Anímese al paciente a que se mueva para evitar la estasis de orina.
- Se pueden prescribir diuréticos tiazícidos a los pacientes con hipercalciuria idiopática.

Quirúrgico

- Nefroscopia percutánea y extracción del cálculo.
- Extracción quirúrgica del cálculo (litotomía) mediante la técnica que cause el mínimo traumatismo posible:
  1. Nefrolitotomía: incisión en el interior del riñón para extraer el cálculo.
  2. Pielolitotomía: extracción de cálculos localizados en la pelvis renal.
  3. Ureterolitotomía: extracción del cálculo del uréter.
  4. Cistolitotomía: extracción del cálculo de la vejiga mediante una incisión realizada en el abdomen.
- Extracción percutánea de cálculos renales o de sus fragmentos a través de una sonda de nefrostomía colocada en la pelvis renal.
- Nefrectomía: extracción quirúrgica del riñón; sólo se lleva a cabo cuando éste es afuncional y el otro riñón es funcional.

Litotricia

La litotricia consiste en la fragmentación de los cálculos mediante diferentes procedimientos, para que, a continuación, las partículas puedan eliminarse de forma espontánea sin que ocasionen dolor al paciente.
- Trituración del cálculo con un instrumento introducido a través de la uretra en la vejiga urinaria.
- Puede procederse a la fragmentación de los cálculos mediante la aplicación de ultrasonidos o rayos láser a través de instrumentos endoscópicos.
- La litotricia extracorpórea por ondas de choque permite la fragmentación no invasiva del cálculo. La técnica suele requerir anestesia peridural, aunque existen aparatos modernos que permiten la disolución de los cálculos mediante la aplicación de ondas de baja energía que no producen dolor y no requieren anestesia.

Consideraciones de enfermería

- Se debe filtrar toda la orina a través de un tamiz o de una gasa fina y se deben guardar los cálculos para su análisis químico. Los cálculos varían de tamaño (algunos pueden ser tan pequeños como la cabeza de un alfiler), por lo

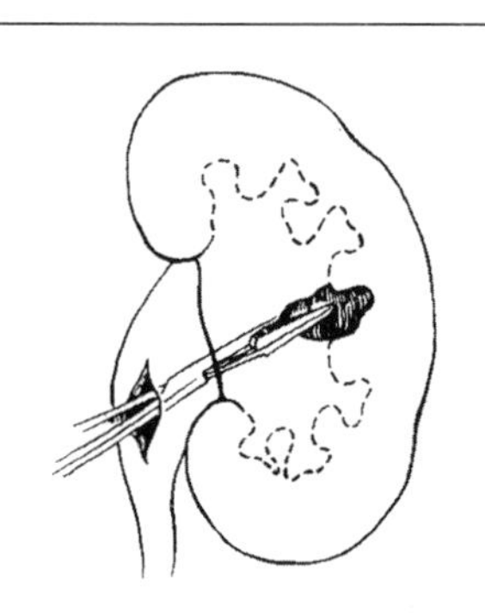

Pielolitotomía, extracción de la piedra a través de la pélvis renal

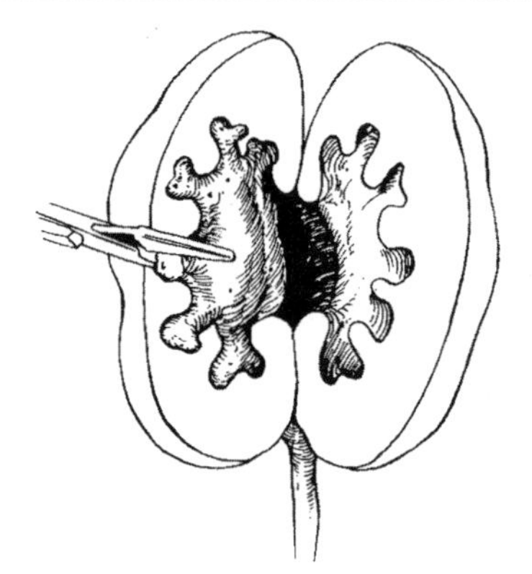

Nefrolitotomía, extracción del cálculo separando el parénquima renal

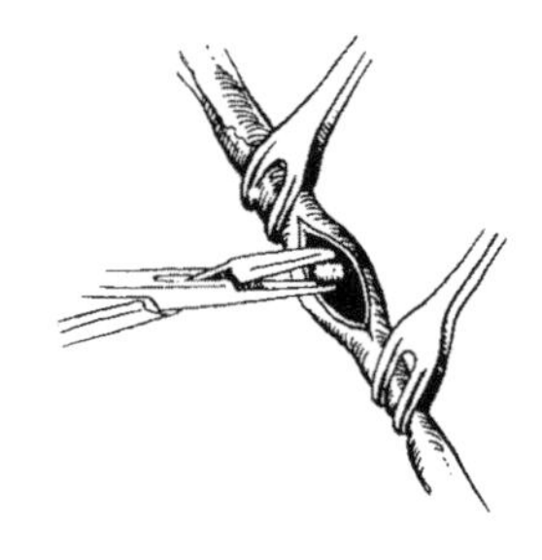

Ureterolitotomía, extracción a través del uréter

Litiasis urinaria. *El dibujo muestra un esquema de la realización de distintos procedimientos para la extracción quirúrgica de cálculos (litotomía) en el tracto urinario alto. De izquierda a derecha: pielolitotomía, nefrolitotomía y ureterolitotomía.*

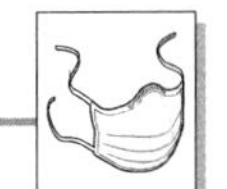

que se debe lavar con cuidado el orinal o la cuña, separando el agua para asegurarse de encontrar los cálculos que puedan haber quedado adheridos a los laterales. Si se da de alta al paciente antes de haber eliminado el cálculo, se le debe enseñar cómo hacerlo.
- Se deben administrar altas dosis de analgésicos de forma frecuente para aliviar el fuerte dolor que se experimenta mientras el cálculo desciende por el uréter.
- Contrólense con regularidad las constantes vitales durante la crisis aguda, vigilando la aparición de fiebre y signos de shock.
- Anímese al paciente a levantarse de la cama y deambular para favorecer la progresión y eliminación de los cálculos.
- Para prevenir la recidiva, la clave está en educar al paciente.
  1. Se le debe enseñar a que valore el pH de su orina mediante tiras colorimétricas, si así se le prescribe.
  2. Es imprescindible modificar la dieta según las particularidades de cada caso, por lo que es necesaria la visita al dietista.
- Véanse los cuidados postoperatorios tras la cirugía renal y de los uréteres para conocer las consideraciones de enfermería correspondientes.

Próstata, tumores de

Descripción

En la próstata pueden formarse distintos tipos de tumores, aunque sólo hay dos que se presentan con una frecuencia notoria: la *hipertrofia benigna* o *adenoma de próstata* y el *cáncer* o *adenocarcinoma de próstata.* Las características histológicas y evolutivas de ambos tipos de tumores, uno benigno y otro maligno, son diferentes. En cambio, los síntomas que producen, dejando de lado los consiguientes a eventuales metástasis cancerosas, son semejantes, constituyendo la causa más frecuente de obstrucción del cuello de la vejiga urinaria y la uretra en el hombre de edad avanzada. Los síntomas que ocasiona esta obstrucción se conocen con el nombre de *prostatismo.*

Pruebas diagnósticas habituales

- Palpación de la próstata mediante tacto rectal.
  1. La palpación de una próstata con aumento de tamaño difuso y consistencia gomosa sugiere la existencia de una hipertrofia benigna de próstata.
  2. Si el aumento de tamaño de la próstata es nodular, la superficie palpada es irregular y la consistencia es dura, puede presumirse el desarrollo de un carcinoma de próstata.
- Ecografía: este estudio puede permitir la diferenciación entre la hipertrofia benigna y el cáncer de próstata.
  1. Ecografía abdominal (el transductor emisor de ultrasonidos se desplaza por la superficie de la pared abdominal).
  2. Ecografía por vía rectal (se emplea un trasductor especial que se introduce en el recto).
- Pielografías intravenosas, para estudiar el grado de afectación del sistema urinario provocado por la obstrucción tumoral (véase TE: Radiología, preparación para).
- Urografía retrógrada o ascendente, para determinar el grado de obstrucción uretral provocado por el desarrollo tumoral (véase TE: Radiología, preparación para).
- Determinación de los niveles séricos de fosfatasas ácidas, especialmente las que constituyen la fracción prostática, que suelen hallarse elevadas en el cáncer de próstata. Los niveles séricos de fosfatasa alcalina se elevan en las metástasis óseas.
- Determinación del antígeno prostático específico (PSA), para el diagnóstico de cáncer de próstata.
- Determinación de urea y creatinina en suero para evaluar la función renal.
- Tomografía computada, gammagrafías y radiografías óseas para confirmar la existencia de metástasis en los huesos, cuando se trate de un cáncer de próstata (véase TE: Tomografía computada; gammagrafía).
- Sondaje vesical para detectar orina residual.
- Análisis de orina y cultivos.
- Cistoscopia.
- Biopsia, generalmente por punción en la zona perineal o a través del recto, y en menor medida mediante una incisión quirúrgica a través del perineo.

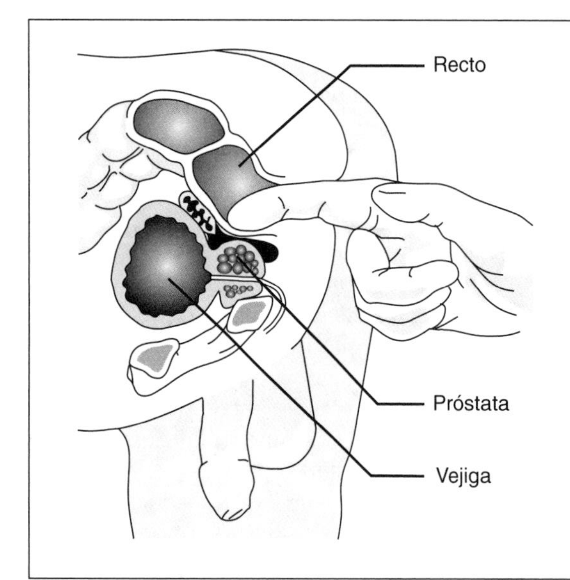

Tumores de próstata. Para la detección de los tumores de próstata, un método muy simple de realizar y a la par eficaz corresponde al tacto rectal, dado que la exploración digital del recto proporciona una valiosa información sobre el estado de los órganos adyacentes, entre ellos la glándula prostática, y permite detectar sus alteraciones al palpar indirectamente, a través de la pared rectal, su tamaño, superficie y consistencia. La palpación de una próstata con un aumento de tamaño difuso y de consistencia gomosa sugiere la existencia de una hipertrofia benigna de próstata, mientras que la palpación de una próstata con un aumento de tamaño desigual (nodular), superficie irregular y consistencia dura sugiere el desarrollo de un carcinoma de próstata. El dibujo muestra un esquema del tacto rectal y pone en evidencia la relación entre la próstata y el recto.

Observaciones

- Se suele hallar un historial de eliminación lenta y pérdida de fuerza del chorro de orina, goteo, disuria (dificultad para vaciar la vejiga), polaquiuria (micciones frecuentes) y nicturia (incremento de las micciones por la noche). Estas manifestaciones se van acentuando a medida que el tumor de próstata comprime la uretra y dificulta el paso de orina.
- Puede producirse una obstrucción total de la uretra y, consecuentemente, una retención completa de orina, con incontinencia por rebosamiento.
- Pueden presentarse signos de infección urinaria, propiciada por el estancamiento de orina (véase EMQ: Genitourinario, infecciones del tracto urinario).
- También pueden haber episodios de hematuria, con eliminación de orina de color rosado a rojo oscuro, por la rotura de los vasos superficiales de la vejiga dilatada.
- El dolor en la parte inferior de la espalda o en las caderas o muslos puede ser indicativo de metástasis óseas en el carcinoma de próstata.

Tratamiento

De la retención urinaria aguda

- Sondaje vesical. A menudo se emplea un catéter de Coude, que es más rígido y cuyo extremo curvo permite salvar la obstrucción; siempre debe ser introducido por el médico.

  La vejiga distendida se debe descomprimir poco a poco. Extráiganse 300 ml de orina y píncese el catéter; cuando hayan transcurrido 15 minutos, déjese salir otros 300 ml y sígase procediendo de este modo. Únicamente se deben extraer 300 ml de orina cada vez. En general, la sonda no se pinza nunca.
- Si el sondaje no es posible, puede ser preciso efectuar una punción suprapúbica evacuadora.

Médico

- Mientras se espera la intervención, pueden indicarse medicamentos para disminuir la congestión de la próstata (*p.e.*, a base de extractos prostáticos) y efectuar algunas medidas para aliviar las molestias. En este sentido, se pueden dar los siguientes consejos:
  1. Efectuar micciones a menudo, sin retener excesivamente el deseo de orinar.
  2. Evitar permanecer mucho tiempo sentado.
  3. No consumir alcohol.
  4. Evitar las comidas copiosas y muy condimentadas.
  5. Tratar adecuadamente el estreñimiento y las hemorroides, si existen.
  6. Mantener una actividad sexual regular, para evitar la retención de secreciones prostáticas.

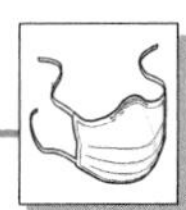

Quirúrgico

- Resección transuretral de la próstata. Se introduce un resectoscopio a través de la uretra y se secciona la próstata mediante un bisturí eléctrico en forma de aro que se desplaza hacia adelante y atrás. A continuación se deja durante 24 horas un sistema de lavado continuo de la vejiga, mediante una sonda conectada a un frasco de suero y a un sistema de drenaje. La fosa prostática se llena con tejido epitelial para formar una nueva uretra.
- Adenectomía (extirpación del adenoma) o prostatectomía (extirpación de toda la glándula prostática); complementariamente a la enucleación de la próstata puede realizarse una vasectomía bilateral, para reducir la incidencia de epididimitis y de orquitis postoperatoria. Entre los accesos quirúrgicos que se emplean en cirugía se incluyen los siguientes:
  1. Vía suprapúbica: se accede a través de la vejiga urinaria; se practica una incisión en el abdomen inferior y en la pared vesical.
  2. Vía retropúbica: se consigue acceder a la próstata realizando una incisión abdominal baja y llevando la vejiga hacia adelante, sin necesidad de abrir la vejiga. A continuación se realiza una incisión en la parte anterior de la cápsula prostática.
  3. Vía perineal: la aproximación se realiza a través del perineo, vigilando para no entrar en el recto (esta técnica suele ocasionar impotencia; alrededor de un 5 % de las prostatectomías perineales dan lugar a incontinencia).
- En caso de existir un carcinoma, se realiza una resección radical de la próstata, ya sea por vía perineal o retropúbica. Esta técnica incluye la resección total de la glándula prostática (incluida la cápsula) y las vesículas seminales, así como una linfadenectomía pélvica. En caso de realizarse antes de existir metástasis, el pronóstico es excelente, pero es posible que el carcinoma de próstata metastatice de forma temprana, ocasionando poca sintomatología local. El tratamiento específico para realizar la resección radical de la próstata suele incluir lo siguiente:
  1. Preparación intestinal preoperatoria: enemas y administración por vía oral de sulfato de neomicina.
  2. Postquirúrgica (tras la prostatectomía perineal): dieta baja en residuos, administración de fármacos para reducir la motilidad intestinal y un catéter uretral que se fija mediante un esparadrapo o bien con hilo de sutura que sirve como férula para la anastomosis uretral. No deben administrarse enemas.

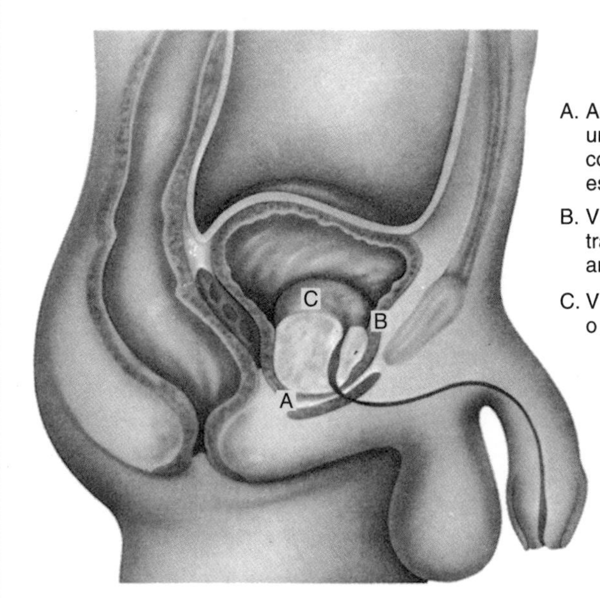

A. Acceso perineal con una incisión entre el conducto anal y el escroto
B. Vía retropúbica, a través de la pared anterior de la vejiga
C. Vía suprapúbica o transversal

Tumores de próstata. *El tratamiento quirúrgico incluye la adenectomía (extirpación del adenoma) y la prostatectomía (extirpación de toda la glándula). Para ello, puede accederse hasta la próstata por las diversas vías que se muestran en la ilustración: la vía retropúbica (la más empleada, ya que no es preciso abrir la vejiga), la vía suprapúbica o transvesical y la vía perineal (la menos empleada, porque puede dar lugar a impotencia e incontinencia urinaria).*

- Tras la intervención, según sea la técnica efectuada y las estructuras anatómicas resecadas, puede quedar como secuelas impotencia y/o incontinencia urinaria. Actualmente, en determinados centros se trata con éxito relativo la impotencia derivada de la prostatectomía radical mediante prótesis peneanas (véase EMQ: Genitourinario, prótesis peneana hinchable) y una inyección de teflón; la incontinencia puede controlarse con dispositivos que se implantan mediante cirugía.

Otros

En el tratamiento del cáncer de próstata se pueden emplear otras terapéuticas, ya sea aisladas o bien combinadas con la intervención quirúrgica:
- Radioterapia preoperatoria y postoperatoria (externa o intersticial) (véase EMQ: Aproximación general, enfermería oncológica).
- Quimioterapia (véase EMQ: Aproximación general, enfermería oncológica).
- Hormonoterapia, mediante la administración de estrógenos.
- Cuando se determina que el cáncer responde claramente a influencias hormonales, puede indicarse una extirpación parcial o total de los testículos (orquiectomía)

Consideraciones de enfermería

Preoperatorio

- Si al paciente se le debe practicar una vasectomía junto con la prostatectomía, asegúrese de que el cirujano le ha explicado las razones, así como las consecuencias, antes de que firme su consentimiento (después de la vasectomía el paciente quedará estéril).

Postoperatorio

- Se debe estar prevenido ante la aparición de complicaciones:
  1. Una complicación posible en cualquier intervención prostática es la hemorragia. Deben tomarse las constantes vitales y valorar la diuresis, así como controlar los vendajes una vez cada 20 minutos, por lo menos, durante el postoperatorio inmediato. Tras la resección transuretral la orina suele cambiar de color: de un color rosado a un rosa claro en el curso de las primeras 24 horas; si tiene un color rojo que se va oscureciendo, puede ser indicativo de una nueva hemorragia. Los pacientes a los que se les ha practicado una resección transuretral pueden presentar una hemorragia tardía entre el 7° y el 14° día del postoperatorio, lo cual debe advertírsele.
  2. Puede presentarse una hiponatremia dilucional, desequilibrio electrolítico grave. Contrólense los niveles de electrolitos del paciente. En el caso de que los resultados de la bioquímica en sangre reflejen una hiponatremia, comuníquese al cirujano. Los síntomas incluyen agitación, confusión, náuseas, pulso lento y tensión arterial elevada al comienzo. Si este trastorno evoluciona y la presión sanguínea desciende, puede llegar a darse un edema pulmonar, con insuficiencia renal, convulsiones, coma y muerte. Si se sospecha la aparición de este síndrome, adminístrese la perfusión EV más lentamente, adviértase al cirujano y prepárese oxígeno y una solución salina hipertónica EV, así como diuréticos osmóticos.
  3. Shock séptico (véase EMQ: Aproximación general, postoperatorio, complicaciones).
- Consideraciones sobre las sondas: las sondas deben permanecer permeables y deben ser lo suficientemente anchas (22, 24, 26) como para permitir que pasen los coágulos de sangre.
  1. Compruébese la permeabilidad: cada 20 minutos durante las primeras dos horas del postoperatorio; cada 30 minutos durante las dos horas siguientes, y a continuación cada hora durante 24 horas.
  2. Explórese la vejiga para determinar si está distendida.
  3. En caso de ordenarse, irríguese la vejiga introduciendo 30 ml de suero salino normal estéril a temperatura ambiente con una jeringa de Tommey o con una ampolla, y aspírese poco a poco. La vejiga debe mantenerse sin coágulos. La irrigación debe utilizar técnica estéril (véase TE: Sondaje vesical, irrigación vesical intermitente).
  4. La irrigación continua a través de un tubo en «Y», con una sonda de tres vías, o en

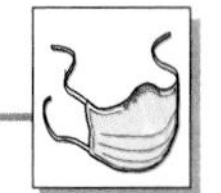

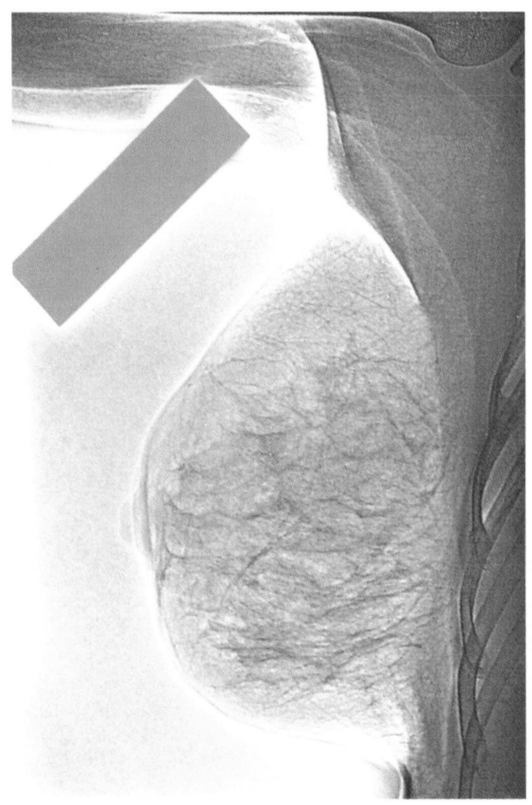

El cáncer de mama suele ser diagnosticado a partir de la detección de bultos en los pechos durante la autopalpación (arriba, a la izquierda), pero es posible lograr un diagnóstico más precoz mediante la mamografía, técnica que permite detectar tumores de mama cuando todavía no son palpables. Actualmente se recomienda la realización de mamografías periódicas en la población femenina a partir de los 35-40 años de edad, con una frecuencia anual desde los 50 años. Junto a estas líneas, práctica de una mamografía; arriba, a la derecha, mamograma normal.

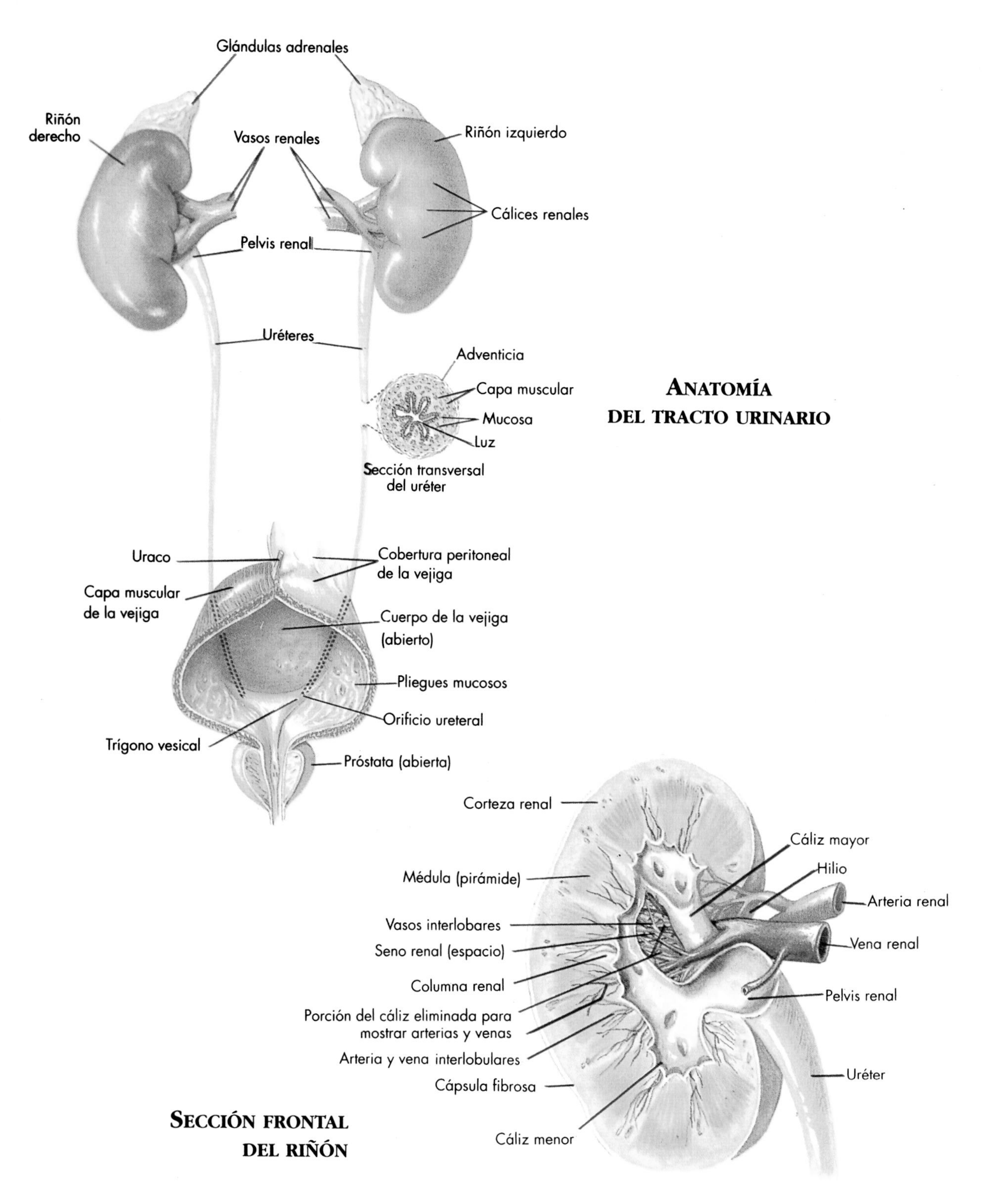

Aparato urinario. *Representación esquemática de la anatomía de los riñones y de diversos componentes de las vías urinarias.*

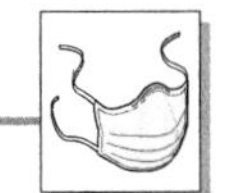

ocasiones con un irrigador que desagüe en un catéter suprapúbico y hacia el exterior en uno uretral, necesita un examen para comprobar la permeabilidad de la sonda, las características del drenaje y la distensión de la vejiga. Para calcular el flujo urinario, réstese la cantidad de solución de irrigación que se ha introducido de la que quede en la bolsa de drenaje (véase TE: Sondaje vesical, irrigación vesical continua).

5. Los coágulos pueden ser demasiado grandes para extraerlos únicamente con la solución de irrigación. Si se necesita una irrigación manual, la técnica sólo debe efectuarse por orden del médico. En primer término, deténgase la irrigación de los tres canales; a continuación, irríguese manualmente mediante una técnica aséptica y, posteriormente, vuélvase a poner en funcionamiento el sistema de tres vías.
6. El cirujano puede efectuar una tracción mediante el empleo de presión sobre una sonda de Foley. Se empuja el catéter tirante y se fija al muslo del paciente mediante un esparadrapo. El balón de 30 ml se ajusta a la fosa prostática y así puede controlar la hemorragia que sigue a la resección transuretral. La tracción se suele liberar, siguiendo indicaciones del cirujano, después de 4 o 5 horas, ya que existe un peligro potencial para el esfínter interno.
7. Se puede colocar un tubo de cistostomía suprapúbico (con frecuencia una sonda de Melecot) para descomprimir la vejiga. Si existe demasiada salida de orina alrededor del tubo, ello puede indicar que la sonda está obstruida. Debe protegerse la piel.
8. La sonda se suele retirar al cabo de 24 horas después de la resección transuretral (en ocasiones se deja unos días), y tras dos semanas en el caso de cirugía perineal.

- Los espasmos de la vejiga son dolores breves, agudos y repentinos que se acompañan de sensación de ganas de defecar y de orinar al mismo tiempo. Los espasmos pueden agravarse si se tracciona el catéter; cuando éste se retira, se alivian. Pueden prescribirse fármacos anticolinérgicos (*p.e.* bromuro de propantelina) y analgésicos.

  A menudo existe un drenaje sanguinolento que procede del meato, en general ocasionado por los espasmos. Límpiese la zona que rodea el meato con una gasa con povidona yodada. Si existe una fuga alrededor de la sonda acompañada de intensos deseos de defecar, ello puede indicar que la sonda se ha obstruido. Compruébese la permeabilidad.
- Después de retirar la sonda suele haber problemas de micción tales como polaquiuria e incontinencia urinaria, sobre todo después de la resección transuretral. Tranquilícese al paciente, explicándole que estos problemas suelen ser temporales, y anímesele a que aumente su ingesta de líquidos, que por lo general debe ser superior a 2 500 o 3 000 ml al día.
  1. Obsérvese la forma de realizar la micción y mídanse las entradas y salidas.
  2. Anótense el número y características de las micciones.
  3. Se pueden prescribir diuréticos.
  4. Préstese atención por si aparece una nueva hemorragia, sobre todo tras la resección transuretral.
- En el caso de las prostatectomías abiertas, las gasas suelen estar empapadas, por lo que se deben cambiar con frecuencia. Manténganse las heridas limpias. Utilícense bandas de Montgomery.

  Los drenajes situados cerca de la incisión no se deben retirar.
- La herida perineal debe mantenerse limpia. Se pueden prescribir una lámpara de calor, baños de asiento e irrigaciones de mitad de peróxido de hidrógeno y mitad de agua. No se debe introducir nada por el recto (ni enemas, ni tubos rectales ni supositorios).
- Manténganse las heces blandas. El paciente debe evitar hacer esfuerzos, ya que podrían ocasionarle una hemorragia.
- Los ejercicios de Kegel pueden corregir la incontinencia (véase TE: Kegel, ejercicios de).
- Se puede reanudar la actividad sexual según aconseje el cirujano. La eyaculación y la erección pueden verse afectadas según la intervención que se practique. Es posible que el paciente operado de próstata tenga en adelante eyaculación retrógrada, en la que el semen se dirige hacia la vejiga urinaria y no hacia el exterior por la uretra. Explíquese que esto no afecta en absoluto la potencia sexual.

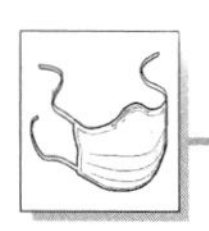

• En el caso de los pacientes que reciban radioterapia o quimioterapia, véase EMQ: Aproximación general, enfermería oncológica.

Prótesis peneana hinchable

Descripción

La implantación de una prótesis peneana hinchable es un método de tratar la impotencia (incapacidad del varón para presentar una erección que sea lo suficientemente firme o que se mantenga el tiempo necesario para lograr un coito satisfactorio). Esta prótesis se implanta mediante cirugía a través de una incisión suprapúbica o escrotal. El dispositivo, diseñado para emular una erección natural, consta de unos tubos de material flexible que se colocan en el interior del pene (en los cuerpos cavernosos), un fuelle que se implanta en el interior del escroto y un depósito lleno de líquido que se implanta en la pelvis. El paciente puede controlar que el pene esté lo bastante firme como para realizar el coito y que en otros momentos esté relajado. Para hinchar la prótesis, se presiona con la mano varias veces el fuelle implantado dentro del escroto, con lo que el líquido sale del depósito y colma los cilindros, lo que ocasiona una erección. Este fuelle tiene una válvula que, cuando se presiona, devuelve el líquido desde los conductos cilíndricos al depósito.

Otro tipo de prótesis peneana, al que aquí no se hace referencia, consiste en dos varillas semirrígidas (*p.e.*, de silicona) que se insertan en el cuerpo del pene y que pueden manipularse para que cambien de forma, manteniendo el pene en posición de flaccidez o de erección.

Observaciones

• Investíguense las causas de la impotencia como, por ejemplo, una historia de diabetes, empleo de fármacos antihipertensivos, cirugía pélvica radical, enfermedad vascular, traumatismos, causas psíquicas, etcétera.
• En el postoperatorio:
  1. Suele haber un ligero dolor.
  2. La fiebre elevada es un signo de infección.
  3. Puede producirse una hemorragia en el interior del escroto, que se apreciará como un aumento de su tamaño o bien un color púrpura del mismo.

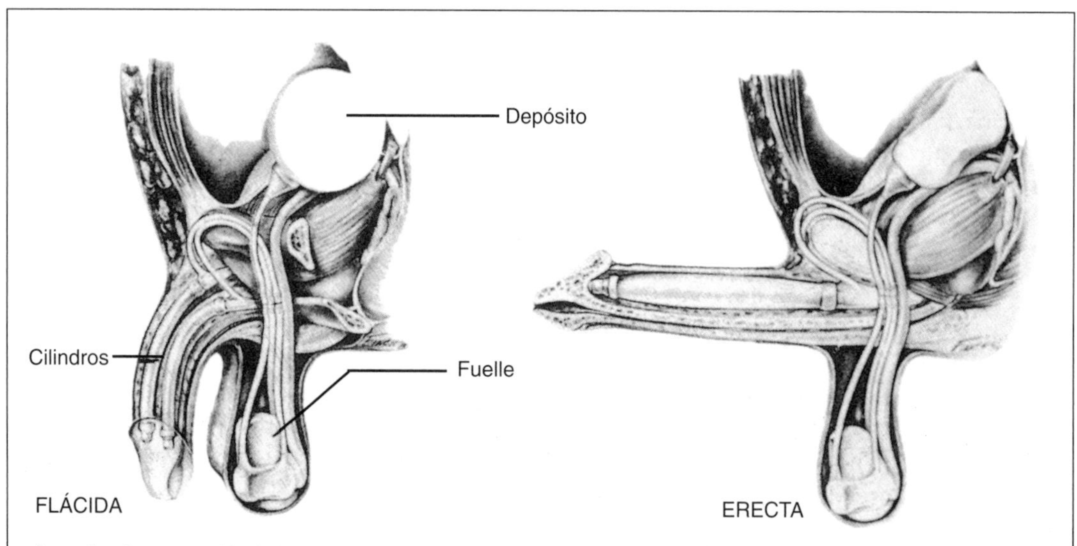

La prótesis penana hinchable es un dispositivo que puede emplearse para posibilitar el coito en casos de trastornos de la erección que no responden al tratamiento. La ilustración muestra de manera esquemática los diversos componentes del dispositivo y el funcionamiento de la prótesis.

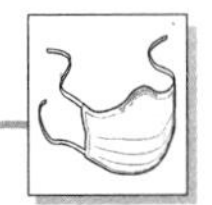

Consideraciones de enfermería

- Es necesario dar soporte emocional al paciente y a su compañera.
- Cuidados en el postoperatorio:
  1. Vacíese el drenaje en cada turno (generalmente drenaje de Jackson-Pratt, que saldrá de la región inguinal). Utilícese una técnica cuidadosamente higiénica.
  2. Se suele dejar una sonda de Foley durante las primeras 24 horas (véase TE: Sondaje vesical).
  3. Puede administrarse un antibiótico local.
  4. Pueden administrarse laxantes para favorecer la evacuación intestinal.
  5. No es necesario que se coloque un soporte escrotal, pero quizá proporcione cierto confort un aro de goma.
  6. Alíviese el dolor cuando sea necesario, siguiendo las prescripciones del médico.
  7. Algunos cirujanos prescriben bolsas de hielo o bien calor local para reducir las molestias.
  8. Indíquese al paciente que la aparición de dolor importante en la base del pene o la incapacidad de la bomba para hinchar o deshinchar son posibles síntomas de disfunciones hidráulicas en el dispositivo, que deberían comunicarse de inmediato al médico.

Riñón, trastornos del

Descripción

Los riñones están constituidos cada uno de ellos por aproximadamente un millón de nefronas y reciben alrededor del 25% del volumen de sangre que circula en cada sístole cardiaca. Cada día se producen aproximadamente 180 litros de filtrado glomerular, de los cuales normalmente sólo se eliminan 1,5-2 litros como orina, mientras que el resto es reabsorbido en los túbulos. La secreción de orina en un adulto normal es, por lo tanto, de 1 500 ml/24 horas aproximadamente, o de 1 ml/minuto.

Las funciones renales incluyen el mantenimiento de la homeóstasis (el equilibrio de líquidos y de electrólitos del organismo), la eliminación de los productos finales del metabolismo, la regulación de la presión de la sangre arterial a través del sistema renina-angiotensina y la producción de eritropoyetina, hormona que estimula la medula ósea para que incremente la producción de hematíes.

Pruebas diagnósticas habituales

Análisis de orina

- Examen del sedimento de la orina.
- Gravedad específica y osmolaridad.
- Grado de acidez o pH.
- Recogida de la orina de 24 horas.
- Tomas de orina con método estéril para realizar un cultivo y valorar la sensibilidad ante los antibióticos (antibiograma).
- Citología de orina.
- Véase TE: Orina, toma y análisis de muestras.

Análisis de sangre

- Creatinina sérica. Es el índice más fidedigno de la función renal.
- Nitrógeno ureico en sangre. Está elevado en la insuficiencia renal, en la uropatía obstructiva, en la disminución del flujo sanguíneo a los riñones y en el aumento del catabolismo proteico.
- Osmolaridad sérica.
- Electrólitos en suero: sobre todo potasio, sodio y calcio.
- Test de aclaramiento de la creatinina.
- Hematrocrito y hemoglobina, hemograma completo.
- Gases en sangre arterial.

Radiología

- Radiografías simples de abdomen, riñón, uréter o vejiga para descubrir la localización de los cálculos y anomalías de la silueta renal.
- Pielografía o urografía intravenosa (véase TE: Radiología, preparación para). Después de preparar el intestino y utilizar un laxante o enema para limpiar el tracto digestivo, se administra al paciente una dosis de contraste yodado orgánico radioopaco. Su eliminación por la orina permite visualizar el tracto urinario.

- Pielografía o urografía retrógrada (ascendente). Permite la exploración del sistema colector renal mediante la introducción de un medio de contraste en la pelvis renal a través de un catéter que se introduce por la uretra, la vejiga urinaria y por uno o ambos uréteres.
- Pielografía anterógrada percutánea. La sustancia de contraste se administra directamente en la pelvis renal a través de una punción en la zona lumbar.
- Nefrotomografía: combina las técnicas de la urografía intravenosa con la tomografía para una visualización más detallada de los riñones a diferentes niveles.
- Angiografía de sustracción digital.
- Arteriograma renal: da una idea general de la perfusión sanguínea.

Estudios con radioisótopos

- Gammagrafía renal estática: permite obtener una imagen de los riñones y detectar tumores o quistes (aparecen como zonas que no captan radioisótopos).
- Gammagrafía dinámica secuencial: muestra las distintas fases del funcionamiento del aparato urinario, con la distribución del radioisótopo por las vasos sanguíneos, la filtración en los riñones y la evacuación por las vías urinarias.
- Renograma con radioisótopos: evalúa el flujo sanguíneo renal, la función renal y la capacidad de eliminación de orina.

Ecografía

- Véase TE: Ecografía.

Tomografía computada

- La tomografía computada puede mostrar la silueta del tejido renal funcionante y la forma de los riñones.

Resonancia magnética nuclear

- Véase TE: Resonancia magnética nuclear.

Biopsia renal

- Véase TE: Biopsia renal.

Pruebas de concentración y de dilución

- Prueba de concentración de Fishberg: después de haber restringido la ingesta de líquidos durante un período de tiempo, se recoge una muestra de orina a fin de valorar la capacidad del riñón para concentrar la orina.
- Prueba de concentración de Addis: se restringe la ingesta de líquidos y se analiza la orina recogida en un tiempo determinado para valorar la cantidad de hematíes, leucocitos, cilindros y proteínas.
- Prueba de dilución: se fuerza la administración de líquidos hasta una cantidad específica en un corto espacio de tiempo predeterminado. Se calcula el peso específico de la orina y su osmolaridad para valorar el poder de concentración de la orina por parte del riñón. *Precaución*: puede ser peligrosa una deshidratación prolongada o la ingesta forzada de líquidos en un paciente que sufra azotemia.

CÁNCER DE RIÑÓN

Descripción

La mayoría de los tumores renales son malignos. Los dos tipos de cáncer renal más frecuentes son los siguientes:

- *Adenocarcinoma renal*, también llamado *tumor de Grawitz* o *hipernefroma*. Se desarrolla a partir de las células de los túbulos renales y es el tumor renal maligno más frecuente (80 % del total), con una máxima incidencia entre los 50 y 70 años de edad. El tumor normalmente es unilateral, encapsulado, solitario, y a menudo permanece asintomático durante largos período. Tiene tendencia a metastatizar de forma precoz.
- *Nefroblastoma*, también denominado *tumor de Wilms*. Se desarrolla a partir de células embrionarias y está constituido por diversos tipos de células. Su origen es congénito, aunque no hereditario, y ocasionalmente se presenta junto con otras malformaciones congénitas. Suele presentarse simultáneamente en ambos riñones, con una incidencia máxima hacia los 3 años de edad (para más información, véase Pediatría: Tumor de Wilms).

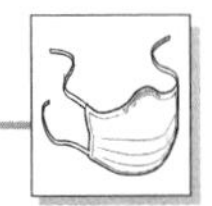

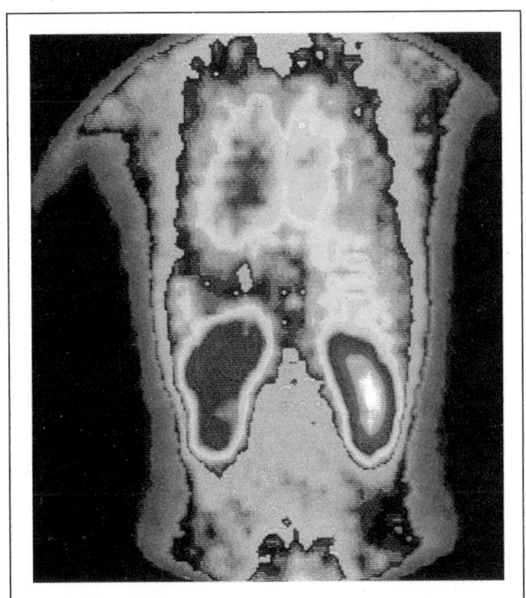

Cáncer de riñón. *El diagnóstico de los tumores de riñón puede efectuarse mediante diversas técnicas, entre las cuales consta la gammagrafía. En la ilustración, gammagrafía que permite observar un cáncer en el riñón izquierdo.*

Pruebas diagnósticas habituales

- Radiografías simples, urografía intravenosa, pielografía retrógrada, angiografía renal, ecografía, tomografía axial computada.
- Citología de orina y pruebas de funcionalismo renal.
- La hematología de rutina puede mostrar anemia o, en ocasiones, policitemia.

Tratamiento

- Nefrectomía, juntamente con linfadenectomía radical.
- Quimioterapia (véase Aproximación general: Enfermería oncológica, quimioterapia).
- Radioterapia (véase Aproximación general: Enfermería oncológica, radioterapia).
- Inmunoterapia, con administración de fármacos tales como el interferón (en experimentación).

Consideraciones de enfermería

Véase EMQ: Genitourinario, cirugía del riñón y las vías urinarias, postoperatorio de la cirugía renal y de los uréteres; EMQ: Aproximación general, enfermería oncológica.

ENFERMEDAD RENAL POLIQUÍSTICA

Descripción

La enfermedad renal poliquística o poliquistosis renal es un trastorno hereditario caracterizado por el desarrollo de quistes (cavidades llenas de líquido) en ambos riñones. Los quistes, que aumentan de tamaño y son múltiples, destruyen de forma gradual, por la presión, el tejido renal funcionante. Las complicaciones más habituales de la enfermedad incluyen la hipertensión arterial y la insuficiencia renal progresiva (véase EMQ: Genitourinario, riñón, insuficiencia renal).
Existen dos formas de la enfermedad:

- La *poliquistosis renal tipo infantil*, que se transmite por el mecanismo de herencia autosómica dominante y suele provocar manifestaciones notorias en los primeros meses de vida.
- La *poliquistosis renal tipo adulto*, transmitida por el mecanismo de herencia autosómica recesiva, que suele provocar manifestaciones ya en la tercera década de la vida.

Observaciones

- El individuo adulto generalmente presenta hematuria, hipertensión ligera, dolor en los flancos e infección recidivante que conduce al fallo renal y la uremia.

Pruebas diagnósticas habituales

- Radiografías, ecografías, tomografía axial computada.
- Pruebas para valorar la función renal.

Tratamiento

- El tratamiento es sintomático, parecido al de cualquier otra causa de insuficiencia renal (*p.e.*, glomerulonefritis crónica e insuficiencia renal crónica) (véase EMQ: Genitourinario, riñón).

  Se recomienda una dieta con bajo contenido proteico y poca sal.

- En ocasiones estos pacientes son candidatos a la diálisis y al trasplante renal.

Síndrome nefrótico

Véase EMQ: Pediatría, síndrome nefrótico.

Glomerulonefritis

Descripción

El término glomerulonefritis corresponde a un proceso inflamatorio de los glomérulos renales que puede ser causado por diversos trastornos y tiene su origen en una reacción inmunitaria anómala, con formación de inmunocomplejos que provocan lesiones en dichas estructuras renales.
Se diferencian muy variados tipos de glomerulonefritis en función de las estructuras glomerulares lesionadas, el tipo de alteración (proliferativa o no proliferativa) y el grado de extensión de las lesiones (difusas, segmentarias o locales).
Según la evolución, se distinguen básicamente tres tipos de glomerulonefritis:

- *Glomerulonefritis aguda*: se presenta de forma brusca, causando manifestaciones evidentes, aunque por lo general se cura al cabo de poco tiempo, incluso sin tratamiento.
- *Glomerulonefritis subaguda, rápidamente progresiva o maligna*: se presenta de forma brusca y evoluciona en pocas semanas hacia una insuficiencia renal grave, que por lo común progresa hasta determinar una insuficiencia renal terminal.
- *Glomerulonefritis crónica*: se presenta de forma insidiosa, con exacerbaciones y remisiones sintomáticas periódicas, y suele evolucionar hacia una insuficiencia renal crónica.

Pruebas diagnósticas habituales

- Análisis de orina, con examen del sedimento urinario.
- Análisis de sangre.
- Pruebas de funcionamiento renal.
- Determinación de antiestreptolisinas O (ASLO) y de los niveles de complemento.
- Biopsia renal.

Tratamiento

- Reposo en cama.
- Restricción de la ingesta de líquidos.
- Dieta con bajo contenido en sal y proteínas.
- Administración de diuréticos.
- Tratamiento de la insuficiencia cardiaca.
- Control de la hipertensión arterial.
- Antibioticoterapia cuando se sospeche un foco infeccioso.
- En la glomerulonefritis progresiva, administración de corticoides (p.e., metilprednisolona) e inmunosupresores (p.e., ciclofosfamida, azatioprina).
- Diálisis para suplir la función del riñón en caso de fallo renal (véase TE: Diálisis).

Consideraciones de enfermería

- Debe mantenerse al paciente en reposo durante toda la fase aguda de la enfermedad.
- El control regular de la presión arterial proporciona un buen índice de la evolución y pronóstico del trastorno.
- Debe medirse la cantidad de orina emitida cada día y pesar al paciente cotidianamente. También debe procederse a un estricto registro del balance de entradas y salidas de líquidos.
- Manténgase una dieta hiposódica mientras persistan los edemas y la hipertensión arterial.
- Suele indicarse restricción hídrica, administrando al paciente 500 ml de agua más que la cantidad de orina emitida el día anterior.

Traumatismos renales, de los uréteres y de la vejiga

Descripción

Los traumatismos directos sobre la porción inferior del tórax y el abdomen superior pueden lesionar los riñones. También pueden producirse traumatismos en los riñones por mecanismo de contragolpe, como ocurre en caídas desde gran altura. Las heridas penetrantes pueden producir lesiones en riñón, uréteres y vejiga. En la fractura de la pelvis se puede producir una lesión de la vejiga urinaria o de la uretra.

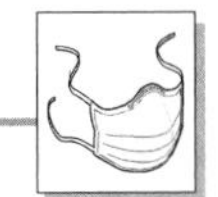

Pruebas diagnósticas habituales

- Estudio macroscópico y microscópico de la orina para detectar la presencia de sangre. Para la visualización de una hematuria microscópica resulta útil dejar la orina en reposo (véanse las consideraciones de enfermería).
- Pielografía intravenosa.
- Si se sospecha lesión renal, tomografía axial computada.
- Ecografía renal.
- Arteriografía renal.
- Cistograma o cistouretrograma para descartar la lesión de la vejiga o de la uretra.
- Ante sospecha de lesiones renales, una valoración que resulta imprescindible consiste en la observación del restablecimiento de la función renal.
- Valoración seriada del hematocrito y de la concentración de hemoglobina.

Observaciones

- Un síntoma frecuente de lesión renal es la hematuria, que a menudo cede espontáneamente. También puede aparecer sangre en la orina en los traumatismos de las vías urinarias.
- Signos de shock: caída de la presión arterial, pulso débil y rápido, respiración rápida.
- Signos de hemorragia: intranquilidad, sed, taquicardia, descenso de la tensión arterial y piel fría, pálida y húmeda (véase EMQ: Aproximación general, postoperatorio).
- Si hay distensión abdominal y abdomen en tabla, aumenta el dolor y no hay ruidos intestinales, es probable la existencia de una peritonitis, complicación frecuente cuando se lesionan los uréteres.
- Cuando no se consigue la micción, esto puede indicar un shock renal o una ruptura u obstrucción del tracto urinario. Cuando se lesiona la uretra o la vejiga urinaria se suele presentar oliguria o anuria.

Tratamiento

- Reposo en cama.
- Tratamiento del shock y de la hemorragia en caso de presentarse.
- Tras controlar el shock y haber completado las exploraciones diagnósticas (siempre que sea posible se debe conservar el riñón lesionado) se puede intentar la reparación quirúrgica del riñón.
- En una fase precoz se puede realizar la reparación quirúrgica de la uretra o de la vejiga lesionada. Algunos cirujanos prefieren introducir un tubo de cistostomía y postergar la reparación de la uretra.
- Tratamiento con antibióticos de amplio espectro.
- Medicación para el dolor tras completar las exploraciones diagnósticas.

Consideraciones de enfermería

- Reposo en cama.
- Contrólense los signos de shock y de hemorragia observando los cambios que se producen en el estado físico del paciente. Trátense de la forma oportuna (véase EMQ: Aproximación general, postoperatorio).
- Recójase una muestra de cada micción, póngase en un tubo de ensayo y señálese en el tubo la hora de la micción. Colóquense las muestras en una rejilla de tubos de ensayo, ordenándolas según la cronología de las tomas: la inspección proporcionará a simple vista una indicación sobre si la hemorragia está aumentando o disminuyendo. También se puede hacer un estudio microscópico para detectar la presencia de sangre.
- Véase EMQ: Generalidades, postoperatorio; TE: Sondaje vesical.

Uretropexia

Descripción

La uretropexia es una intervención quirúrgica mediante la cual se proporciona una prolongación de la uretra, el restablecimiento del ángulo uretrovesical normal y la colocación de suturas periuretrales en el periostio del hueso del pubis. Esta intervención, que se emplea como tratamiento de la incontinencia de esfuerzo en la mujer, fue en un principio ideada por los Drs. Marshall y

Marchetti, soliendo llevar su nombre, aunque otros cirujanos hayan realizado algunas modificaciones.
La suspensión endoscópica uretral, otro tipo de uretropexia, incluye una incisión vaginal pequeña, otra en el abdomen inferior, también pequeña, y la suspensión de la uretra con puntos de sutura. Se emplea un tubo de cistostomía suprapúbico en lugar de una sonda uretral.

Consideraciones de enfermería

- Cuando la paciente sale de la intervención puede prescribirse reposo en cama.
- Puede dejarse una sonda colocada de 1 a 3 días.
- El tiempo de sondaje se puede acortar y sustituir por un régimen de sondaje intermitente (véase TE: Sondaje vesical, sondaje vesical intermitente).
- Tras retirar la sonda, compruébese la frecuencia de la micción y si se reanuda un patrón de micción normal.

Uretrotomía para la estenosis uretral

Descripción

La estenosis uretral, una de las causas más frecuentes de obstrucción del tracto urinario, se ha tratado tradicionalmente mediante la dilatación con sondas. Sin embargo, la uretrotomía interna está convirtiéndose cada vez más en el tratamiento de elección.

Consideraciones de enfermería

- El paciente volverá casi siempre a la planta desde el quirófano con un sondaje y algún tipo de vendaje compresivo (*p.e.*, un taponamiento vaginal en la mujer o un vendaje compresivo externo del pene en el varón).
- Tras retirar la sonda (normalmente después de 24 horas), compruébese si hay hemorragia y si se establece de nuevo un patrón normal de micción.

Vejiga, cáncer de

Descripción

La incidencia del cáncer de vejiga ha aumentado muy rápidamente en los últimos años, sobre todo en los varones de edad superior a los 50 años. Algunos de los factores predisponentes son la exposición a agentes carcinógenos (*p.e.*, el tabaco y los colorantes de anilina), la cistitis crónica, los papilomas de vejiga urinaria y la esquistosomiasis.

Pruebas diagnósticas habituales

- Exploración cistoscópica, incluyendo el examen bimanual de la vejiga urinaria y la biopsia del tumor o de la pared vesical.
- Citología de orina: en una muestra recogida con técnica aséptica y obtenida alrededor de tres horas después de que el paciente haya orinado, o bien mediante una técnica de lavado de la vejiga urinaria (debe llevarse la muestra directamente al laboratorio).
- Pielografías intravenosas (véase TE: Radiología, preparación para).
- Cistouretrografía miccional (véase TE: Radiología, preparación para).
- Ecografía (véase TE: Ecografía).
- Tomografía computada (véase TE: Tomografía).

Observaciones

- Hematuria indolora (presente en el 90 % de los casos), la pérdida de sangre persiste durante toda la micción, si bien es más acusada al inicio y al término de la misma.
- Antecedentes de infecciones recidivantes del tracto urinario con disuria (dolor), escozor y polaquiuria (micciones frecuentes).
- El dolor de espalda, caderas o piernas puede ser un signo de la presencia de metástasis.

Tratamiento

- Resección transuretral con biopsias múltiples y fulguración de las lesiones superficiales o de las papilares simples.
- Cistoscopias con biopsias: se repiten cada 3 o 6 meses durante uno o dos años para detec-

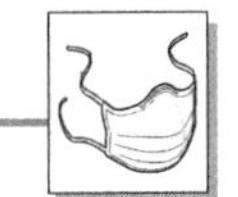

tar la posibilidad de que exista una recidiva.
- Cistectomía (extracción de una parte o de la totalidad de la vejiga urinaria) y linfadenectomía: parcial, total o radical, dependiendo del estadio evolutivo (*p.e.*, invasivo) de la enfermedad. La cistectomía total o radical puede requerir que se realice una derivación para la orina.
- Derivación de la orina cuando sea necesario.
  1. Ureterostomía cutánea: se lleva(n) el(los) uréter(es) hasta la pared abdominal.
  2. Conducto ileal (ureteroisleostomía): se implantan los uréteres en un asa del íleon, que se saca al exterior para formar una ileostomía. Los dos extremos del íleon se anastomosan para volver a instaurar la continuidad normal (véase TE: Ostomías, fístulas y heridas con drenaje; EMQ: Digestivo, cirugía digestiva). También se hacen conductos del sigmoide.
  3. Ureterosigmoidostomía: se implantan los uréteres en el colon sigmoide y se permite que la orina drene hacia éste. La orina se elimina por el recto juntamente con las heces.
- Radioterapia. El tratamiento radioterápico puede complicarse con cistitis grave, fístula rectal, irritación del recto con diarrea concomitante o bien con espasmos de la vejiga (véase EMQ: Aproximación general, enfermería oncológica).
- Quimioterapia (local y sistemática); irrigación vesical con instilación de citostáticos en los cánceres superficiales o papilomas de bajo grado de malignidad (véase EMQ: Aproximación general, enfermería oncológica).
- Cirugía con láser.

Consideraciones de enfermería

- Véase EMQ: Aproximación general, enfermería oncológica.

Para la cistectomía parcial (resección segmentaria)

- El drenaje urinario adecuado puede necesitar un tubo de cistostomía, así como un catéter uretral al principio.
- La disminución del tamaño de la vejiga puede hacer que el paciente necesite orinar cada 20-30 minutos. La capacidad de la vejiga irá aumentando de forma gradual.
- Se debe forzar la administración de líquidos.

En la ureterosigmoidostomía

- La preparación preoperatoria consiste normalmente en:
  1. Dieta con bajo contenido en residuos.
  2. Preparación intestinal con enemas.
  3. Tanda corta de neomicina oral.
- En general se habrá colocado una sonda rectal estéril en el postoperatorio inmediato para drenar la orina y evitar el reflujo de ésta hacia los uréteres.
- En el período postoperatorio se debe vigilar la aparición de complicaciones (*p.e.*, infección, desequilibrio electrolítico y acidosis). Inténtese evitarlas.
- Ejercicios de Kegel: se deben enseñar en el preoperatorio. Pídase al paciente que ejercite con frecuencia el tensor del ano y del perineo como si fuera a evitar la defecación o bien la micción (véase TE: Kegel, ejercicios de).
- Las indicaciones médicas para el postoperatorio suelen incluir las siguientes:
  1. Ingesta forzada de líquidos.
  2. Dieta baja en residuos.
  3. Ablandadores de heces.
  4. Medicamentos para disminuir los movimientos intestinales (*p.e.*, lomotil).
  5. Espasmolíticos que puedan aliviar los síntomas.

En la instilación de citostáticos en la vejiga urinaria

- Se instilan los medicamentos en el interior de la vejiga a través de un catéter. Generalmente este procedimiento es efectuado por un médico en el quirófano, aunque en muchos centros es realizado por el personal de enfermería.
- El paciente debe retener la medicación en la vejiga durante dos horas, por lo que puede volver a la planta con una sonda, pinzando el catéter.
- Cámbiese de posición al paciente cada 15 minutos para favorecer que la medicación alcance todas las áreas de la vejiga.

• Síganse las prescripciones del médico en cuanto a sacar la pinza del catéter o sobre la retirada del mismo.

En el conducto ileal

• Véase EMQ: Digestivo, cirugía digestiva; TE: Ostomías, fístulas y heridas con drenaje.

Cambios producidos por la edad en el sistema genitourinario

• Los riñones disminuyen gradualmente de peso con la edad y, además, se oscurecen como consecuencia de acúmulo de pigmento.
• Desciende el número y el tamaño de las nefronas.
• Tanto el número de glomérulos del interior de las nefronas como la superficie glomerular total disminuyen. Aumenta el número de glomérulos anómalos.
• Las arterias que irrigan el riñón muestran un depósito aumentado de colágeno y una pérdida de fibras musculares.
• La tasa de filtración glomerular (la velocidad con que el plasma es filtrado al atravesar los riñones) disminuye de forma progresiva con el envejecimiento. El flujo de plasma renal disminuye, así como la función de los túbulos proximales.
• Se produce un aumento de tejido conectivo en los riñones, sobre todo en la zona medular.
• La orina es menos concentrada y su gravedad específica disminuye con el envejecimiento.
• Es frecuente la presencia de divertículos en la vejiga urinaria, cuya capacidad también disminuye con la edad.
• La frecuencia de micción y el volumen de orina residual después de la misma aumentan.
• Con frecuencia se observa un prolapso de la mucosa en el orificio uretral externo de la mujer.
• En los varones, disminuye la producción de esperma con el envejecimiento, aunque persiste un porcentaje de espermatozoides vivos bastante alto hasta los 70 años.
• Disminuye el nivel de testosterona circulante, sobre todo después de los 60 años.
• La glándula prostática muestra un aumento de peso, cambios celulares degenerativos e hipertrofia benigna. Las vesículas seminales y las glándulas bulbouretrales muestran cambios regresivos y disminuye la cantidad de líquido seminal producido.
• Se produce una esclerosis de las arterias y venas del pene. El tejido eréctil muestra cambios escleróticos.

Consecuencias

• Como consecuencia de los cambios que tienen lugar con el envejecimiento en los riñones y en la vejiga urinaria, existe una mayor incidencia de infecciones urinarias en los individuos ancianos, con mayor riesgo de pielonefritis (a veces pasa inadvertida durante largos períodos).
• La persona de edad puede tener sensación de urgencia de orinar, ya que no aparece necesidad de micción hasta que la vejiga está casi llena. Los ancianos pueden tener problemas para alejarse mucho de un baño por miedo a tener incontinencia.
• Los individuos de edad muestran un aumento de la frecuencia de micción por la noche. En los entornos poco familiares, como por ejemplo la habitación de un hospital, existe un claro riesgo de caídas.
• La capacidad del varón anciano para conseguir y mantener una erección puede durar hasta una edad avanzada. El anciano puede requerir más tiempo para conseguir la erección (durante la fase de excitación) pero la fase de meseta es más larga y tiene mayor capacidad para sostener la erección sin eyacular durante largos períodos de tiempo. En la fase de orgasmo, el clímax suele ser corto y el eyaculado es escaso y poco denso. La pérdida de la erección y la vuelta a la flaccidez del pene en la fase de resolución son más rápidas.
• El interés y la actividad sexual de los ancianos con frecuencia son un reflejo de sus hábitos sexuales de su vida pasada. Sin embargo, la presencia de una enfermedad crónica, la administración de medicamentos múltiples y la falta de un compañero sexual adecuado pueden limitar su expresión sexual.

Musculoesquelético

Diagnósticos de enfermería asociados a enfermedades del sistema musculoesquelético

Véase capítulo Diagnóstico de enfermería:

- Alto riesgo de lesiones.
- Alto riesgo de traumatismo.
- Alto riesgo de síndrome por falta de uso.
- Deterioro de la integridad de los tejidos.
- Trastorno de la movilidad física.
- Alto riesgo de disfunción neurovascular periférica.
- Intolerancia a la actividad.
- Fatiga.
- Alto riesgo de intolerancia a la actividad.
- Déficit en los cuidados personales de alimentación.
- Déficit en los cuidados personales de baño/higiene.
- Déficit en los cuidados personales de vestido-/acicalado.
- Déficit en los cuidados personales de uso del orinal/retrete.
- Trastorno de la imagen corporal.
- Alteraciones sensoperceptivas.
- Dolor.
- Dolor crónico.

Amputación

Descripción

Las principales indicaciones para la amputación, parcial o total, de una extremidad son las complicaciones de los trastornos vasculares periféricos y de la diabetes, así como los tumores malignos, la osteomielitis y las malformaciones congénitas.
Atendiendo a la articulación, la amputación puede hacerse a distintos niveles: por debajo de la rodilla, por encima de la misma, por debajo del codo, por encima del mismo, etc.
La amputación de Syme hace referencia a la resección del pie por encima del tobillo, incluyendo los maléolos.

Pruebas diagnósticas habituales

- Radiografías, tomografía computada (véase TE: Tomografía computada).
- Oscilometrías y arteriografías para valorar el estado de la circulación en el nivel afectado.
- Exploración con técnica Doppler (véase TE: Ecografía).
- Termografía.

Observaciones

Preoperatorio

- Deben investigarse los cambios de temperatura, color y pulsos en ambas extremidades. La

exploración debe realizarse tanto con la extremidad elevada como colgando.
- En la gangrena se producen cambios de coloración (de rojo a negro), pudiendo aparecer la piel seca y arrugada, sobre todo en la diabetes y en la enfermedad vascular periférica (véase EMQ: Cardiovascular, enfermedad arterial oclusiva de los miembros inferiores).

Postoperatorio

- Obsérvese la presencia de signos de hemorragia, infección y edema; posteriormente, vigílese la aparición de signos de irritación del muñón (los muñones de los pacientes diabéticos o con problemas vasculares periféricos presentan fácilmente dislaceración de la herida y formación de úlceras de decúbito).
- La piel puede presentar efracciones en los talones, ya que el paciente los emplea para empujarse hacia arriba en la cama cuando está en decúbito.

Tratamiento

- Amputación cerrada (método del colgajo): el colgajo cutáneo cubre el muñón.
- Amputación abierta: el muñón se deja abierto con el fin de favorecer el drenaje, sobre todo cuando se produce afectación vascular. Puede aplicarse tracción cutánea. La herida se cierra al cabo de unos días o pasadas algunas semanas.
- Prótesis provisional inmediata. Puede emplearse en este caso una técnica de vendaje rígido.
  1. Se aplica un molde de yeso sobre el muñón antes de salir del quirófano, después de la intervención. Se incorpora al yeso un dispositivo de poste (una extensión protésica) con un pie artificial.
  2. Esta técnica permite una movilización y deambulación inmediata, evitando el edema y reduciendo el dolor.
- La altura de la amputación vendrá determinada por la indemnidad de la circulación, por las consideraciones referentes a la prótesis a emplear y por la futura utilidad de la extremidad.

Consideraciones de enfermería

Preoperatorio

- Si se dispone de tiempo, es importante la preparación psicológica del paciente enfocada a lo que será capaz de hacer por sí mismo tras la amputación. Es necesario brindar un adecuado soporte emocional.
- El protésico (quien realiza y supervisa el empleo de la prótesis) puede visitar al paciente si el cirujano lo considera conveniente.
- Ejercicios. Los comienza y supervisa el fisioterapeuta.
  1. Reforzamiento de la musculatura, en especial del tríceps, para prepararse para la utilización de muletas.
  2. Empleo del trapecio.
  3. Ejercicios isométricos del abdomen.
  4. En la amputación de una extremidad superior: ejercicios musculares y movilización de las articulaciones de ambos hombros.
  5. Prácticas de movilización desde la cama a la silla.

Postoperatorio

- El principal riesgo es la hemorragia.
  1. Examinar con frecuencia los vendajes en busca de derrames. En el postoperatorio inmediato puede emplearse un sistema de aspiración y drenaje por vacío.
  2. *Precaución*: la aparición de una supuración rojo brillante no es normal. Debe aplicarse presión sobre la zona y elevar la extremidad afecta. Debe comunicarse este hecho al cirujano inmediatamente.
  3. Manténgase un manguito de tensión arterial de tamaño grande a punto para su empleo como torniquete de emergencia en caso de hemorragia repentina.
  4. Deben comprobarse las constantes vitales con frecuencia, sobre todo durante las primeras 48 horas, en busca de evidencias de hemorragia o de shock (véase EMQ: Aproximación general, postoperatorio).
- Debe prevenirse la aparición de edema, que puede presentarse en las primeras 24 horas del postoperatorio. Tras la intervención se aplica vendaje compresivo o de yeso.

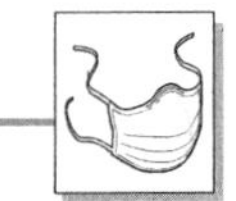

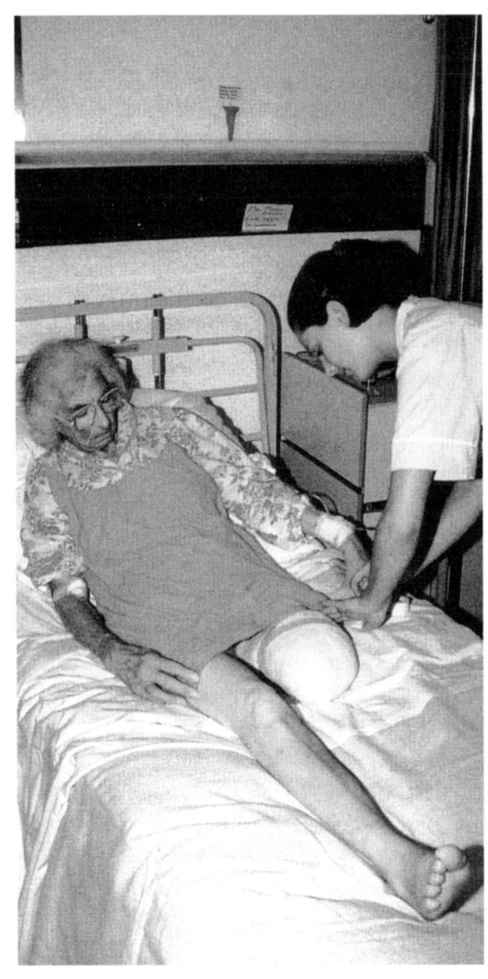

Amputación. *La extirpación de una extremidad o parte de la misma requiere unos intensos cuidados de enfermería, tanto en lo que se refiere a las curaciones y el tratamiento de rehabilitación como también al oportuno apoyo psicológico que necesita el paciente.*

1. Elévese el muñón, manteniendo levantados los pies de la cama. Deben evitarse las contracturas. Nunca se colocan almohadas en la amputación por encima de la rodilla, y sólo si ésta está extendida en caso de amputación por debajo de dicho nivel.
2. Puede aplicarse una bolsa de hielo en la zona, pero sólo si se ha prescrito.

- Alivio del dolor.
  1. Es frecuente la sensación de «miembro fantasma»; ésta disminuye con la actividad, el ejercicio y el apoyo de cargas.
  2. No es tan frecuente el «dolor en el miembro fantasma», que el paciente describe como una sensación de quemazón o presión. Puede aliviarse con el levantamiento de cargas, en caso de que esto le esté permitido al paciente. Otros tratamientos pueden ser la piscina de remolinos, los masajes, la inyección local de anestesia, la simpatectomía y la estimulación nerviosa eléctrica transcutánea (ENET).
  3. Los neuromas, con formación de cicatrices en el extremo seccionado del nervio, pueden producir dolor importante y requerir su exéresis.
  4. Con frecuencia, los pacientes que han padecido gangrena sienten muy poco dolor tras la amputación.
- Infección.
  1. Debe sospecharse infección si se percibe mal olor de un drenaje húmedo o del yeso, o en el caso de que la temperatura corporal del paciente aumente.
  2. El tratamiento será a base de antibióticos, elevación del muñón, apósitos calientes, incisión y drenaje y, en ocasiones, reamputación a un nivel superior.
- Apoyo psicológico: debe preverse el sentimiento de pérdida, en especial cuando la amputación es debida a traumatismo.
- El programa de rehabilitación suele iniciarse bajo la guía de un fisioterapeuta. Suele perseguir los siguientes objetivos:
  1. Prevenir las contracturas, en especial de la cadera, rodilla y codo.
     a. Decúbito prono con la cabeza hacia el lado contralateral durante 3 minutos, tres o cuatro veces al día.
     b. Tracción. Debe evitarse la abducción de la cadera.
     c. El paciente no debe permanecer en posición sentada durante mucho rato; no deben colocarse almohadones bajo la rodilla o bajo una amputación por encima de la rodilla.
     d. Rehabilitación articular (véase TE: Fisioterapia articular).
  2. Debe prepararse el paciente para el empleo de prótesis o muletas, así como enseñarle a sentarse en una silla de ruedas si no va a utilizar prótesis.
  3. Debe ayudarse al paciente a desarrollar un nuevo sentido del equilibrio.

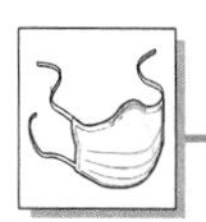

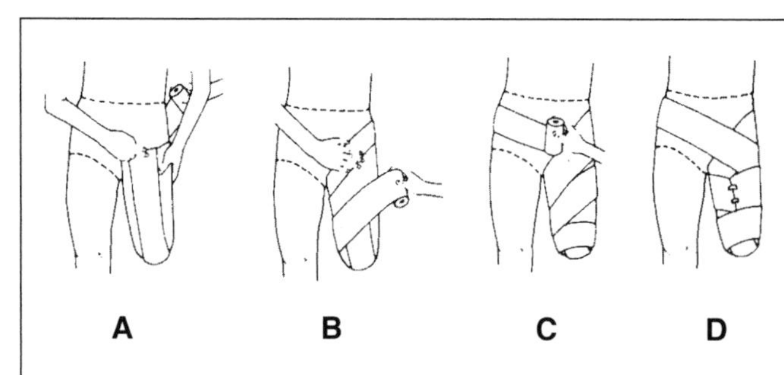

Cuidados del muñón. Para efectuar el vendaje del muñón debe mantenerse extendida la articulación situada por encima del punto de amputación y hacer los pases con suavidad, aplicando una tensión uniforme y sin ejercer demasiada presión. El dibujo muestra el método utilizado para el vendaje del muñón en una amputación por encima de la rodilla.

- Cuidados del muñón.
  1. Dependerá del estado del paciente, así como de la necesidad de una prótesis. Existen diversas formas:
     a. Vendaje compresivo con vendas elásticas.
     b. Tracción cutánea en la amputación abierta con posterior cierre.
     c. Prótesis temporal de implantación postoperatoria, consistente en un yeso con una extensión y un pie artificial.
  2. Después de que la herida cicatrice, se venda el muñón con el fin de que adopte una forma redondeada, lisa y firme para poder adaptar la prótesis.
     a. Debe emplearse un vendaje limpio cada día.
     b. El vendaje se realiza suavemente, teniendo extendida la articulación por encima de la amputación, aplicando tensión uniforme. Si es necesario, repítase el vendaje hasta conseguir una presión homogénea. Debe evitarse el efecto torniquete por demasiada presión sobre el muñón o en el vendaje circular. Pueden emplearse un vendaje en ocho o el vendaje en espiral, según sea el tipo de muñón (véase TE: Vendajes).
  3. Preparación del muñón (según orden médica).
     a. El muñón debe examinarse a diario en busca de pequeñas irritaciones o edema, lo que indicaría que el vendaje no es correcto.
     b. Debe hacerse un masaje suave para aumentar la circulación. Puede empezarse a realizar a los 5-7 días de la intervención.
     c. Hágase presión sobre el muñón (en dirección hacia la pierna) con el fin de endurecerlo y prepararlo para la prótesis.
  4. Los protocolos para el cuidado del muñón varían de centro a centro, aunque por lo general incluyen las siguientes instrucciones para el paciente:
     a. El muñón debe lavarse con agua y jabón cada noche. Debe secarse bien, pero sin frotar. Compruébese el estado de la incisión con la ayuda de un espejo. Obsérvese la posible aparición de irritación o edema. Siempre que sea posible, déjese al aire y al sol.
     b. El cobertor del muñón debe lavarse cada noche, dejándolo secar al aire.
     c. Los vendajes deben cambiarse por otros limpios cada día. Deben lavarse y dejarse secar planos. El cobertor debe ser de lana. Debe disponerse de varios para permitir que siempre haya uno limpio y seco. Nunca debe llevarse un cobertor zurcido.
     d. Debe evitarse llevar zapatos con tacones desgastados irregularmente.
     e. El muñón puede seguir encogiéndose durante dos años, por lo que será necesario reajustar la prótesis.
  5. Prótesis temporal de implantación postoperatoria con vendaje rígido.
     a. El yeso se cambiará cada dos o tres meses antes de tomar medidas del muñón para una prótesis definitiva.
     b. El apoyo de excesivo peso sobre el muñón puede retrasar la cicatrización; no obstante, se permiten realizar deambulaciones progresivas, aunque bajo control médico.
     c. *Precaución*: si el yeso del muñón cae, véndese éste inmediatamente con una venda elástica y avísese al cirujano. Puede desarrollarse edema muy rápidamente.

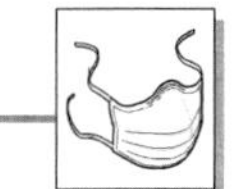

d. La extensión protésica puede retirarse mientras el paciente está en la cama.
e. Compruébese el estado de la piel alrededor del yeso.
f. Debe notificarse la aparición de dolor o mal olor importante o progresivo.

Artritis

Descripción

La artritis es la inflamación de una articulación, cursa con afectación de la membrana sinovial de la misma y da lugar a dolor, hinchazón y cambios morfológicos. La mayoría de las veces se debe a uso excesivo o traumatismos, a procesos infecciosos, a factores autoinmunes o bien a problemas metabólicos, vasculares o neoplásicos. Dada la elevada variedad de causas y sintomatología, es difícil clasificar las artritis y los trastornos reumatológicos relacionados con las mismas. A continuación se considerarán la artritis infecciosa, la artritis gotosa y la artritis reumatoide, que son las más frecuentes. Independientemente de su etiología, los cuidados de enfermería de estas patologías tienen muchas cosas en común.

Artritis infecciosa

Descripción

La inflamación de las articulaciones puede deberse a una infección por diversos gérmenes, ya sea bacterias, virus u hongos. Los microorganismos patógenos pueden alcanzar la articulación por vía hematógena, por contigüidad o por heridas penetrantes.

Pruebas diagnósticas habituales

- Analítica sanguínea. Se observa leucocitosis y aumento de la velocidad de sedimentación globular.
- Pruebas serológicas para detectar alguna enfermedad sospechosa de causar la infección articular (*p.e.*, brucelosis, sífilis).
- Radiografías de la articulación afectada.
- Gammagrafía ósea (puede ofrecer signos de inflamación articular infecciosa).
- Resonancia magnética nuclear.
- Punción articular con aspiración de líquido sinovial. El líquido es purulento y en su análisis se determina un incremento importante del contenido de leucocitos y disminución de la concentración de glucosa; en ocasiones se detecta el germen causal.
- Cultivo de una muestra de líquido sinovial y antibiograma.
- Hemocultivos y antiobiogramas.

Observaciones

- Dolor intenso en la articulación afectada y zonas adyacentes, que se intensifica ante cualquier roce o mínimo movimiento.
- Tumefacción articular, enrojecimiento y calor.
- Manifestaciones generales: malestar, astenia, anorexia, fiebre y escalofríos.
- En ocasiones las manifestaciones tienen un comienzo súbito, pero en otros casos se instauran progresivamente en el curso de días o incluso semanas, según sea el germen causal.
- Suele estar afectada una sola articulación, pero es posible la infección simultánea de varias. Las más afectadas son las caderas, los hombros, los codos, las rodillas, la columna vertebral y la pelvis. La tuberculosis ósea se localiza preferentemente en la columna vertebral (mal de Pott).
- Sin tratamiento, la artritis infecciosa suele tener una evolución desfavorable y puede dar lugar a graves complicaciones (osteomielitis, sepsis).

Tratamiento

- Reposo articular, con utilización de férulas, tracción u otros procedimientos ortopédicos de inmovilización.
- Antibioticoterapia de inicio precoz, a dosis altas y generalmente por vía EV. Inicialmente se elige un fármaco en función del diagnóstico etiológico de presunción, y posteriormente se modifica, si es preciso, en función de los resultados del antibiograma.
- Analgésicos.
- Punciones articulares evacuatorias.

Consideraciones de enfermería

- La artritis infecciosa es un proceso grave que requiere la hospitalización del paciente, tratamiento intensivo y un control exhaustivo, ya que puede comportar graves complicaciones.
- Explíquese la naturaleza del problema al paciente y sus familiares, brindando el adecuado soporte emocional y psicológico.
- El dolor de la articulación afectada puede intensificarse de manera notoria ante el más leve roce con las sábanas: utilícese una férula de protección (*p.e.*, marco balcánico) para evitar el roce de los cobertores.
- Contrólese con regularidad el estado del paciente para detectar precozmente posibles signos de shock o septicemia. Comuníquese de inmediato al médico cualquier hallazgo anormal que sugiera complicaciones.
- Adminístrese la medicación siguiendo estrictamente las pautas indicadas. El tratamiento antibiótico suele continuarse hasta una o dos semanas después de la desaparición de los síntomas locales, a fin de garantizar la total erradicación del germen causal.
- Contrólense las características y cantidad del líquido obtenido en las punciones articulares. Generalmente se practican punciones diariamente hasta comprobar que el proceso infeccioso se ha detenido.

ARTRITIS GOTOSA

Descripción

La artritis gotosa se debe al acúmulo de excesivas cantidades de uratos en la articulación. Suele cursar con elevación de los niveles séricos de ácido úrico (hiperuricemia). La hiperuricemia puede ser primaria (debido a un defecto congénito del metabolismo de la purinas), pero también puede ser secundaria a otras situaciones en las que existe una producción excesiva o una disminución de la eliminación del ácido úrico (*p.e.*, leucemia, mieloma múltiple o psoriasis), uso prolongado de diuréticos (sobre todo de tiacidas), así como en determinadas quimioterapias del cáncer.
La aparición de síntomas articulares está directamente relacionada con la duración y el grado de hiperuricemia. La gota suele evolucionar con crisis o ataques caracterizados por una inflamación aguda, generalmente de una sola articulación, debido a una acumulación de cristales de uratos en su interior. Las crisis repetidas dan lugar a la formación de tofos (depósitos de uratos subcutáneos) y posteriormente provocan una artritis crónica deformante. El 90% de los pacientes con gota son varones, normalmente mayores de 30 años. También puede producirse la formación de cálculos renales, que conlleva una enfermedad renal crónica.

Pruebas diagnósticas habituales

- Examen del líquido sinovial aspirado de la cavidad articular, donde se encuentran cristales de urato.
- Las radiografías de las articulaciones afectas por la enfermedad crónica permiten apreciar la presencia de tofos y signos de destrucción articular.
- El análisis de sangre generalmente permite detectar niveles de ácido úrico en el suero elevados, a menos que el paciente esté tomando fármacos uricosúricos.

Observaciones

- La crisis de gota tiene un inicio abrupto, con dolor agudo severo acompañado de enrojecimiento, calor, inflamación y sensibilidad en una o más articulaciones (sobre todo en el dedo gordo o en la rodilla). Con el tratamiento, revierte en pocos días.
- Puede haber fiebre, dolor de cabeza, malestar, anorexia y taquicardia, así como descamación y prurito en la zona afectada después del ataque.
- Después del ataque agudo inicial suelen seguir períodos asintomáticos (intervalos intercríticos).
- Se pueden encontrar tofos en el oído externo, manos, pies y bolsas prepatelares, aunque, por lo general, sólo después de varios ataques de artritis aguda.
- En pacientes con gota crónica se puede observar deformidad permanente, con impotencia funcional.
- Pueden haber signos y síntomas de cálculos renales (véase EMQ: Genitourinario, cálculos urinarios).

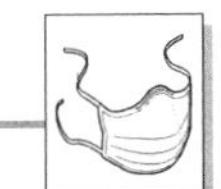

Tratamiento

Ataques agudos

- Debe administrarse colchicina por vía oral o EV ante los primeros signos de ataque e impotencia funcional, repitiendo cada 1 o 2 horas hasta que ceda el dolor o hasta que aparezcan náuseas, vómitos y diarrea.
- Se pueden administrar fármacos antiinflamatorios no esteroides (*p.e.*, indometacina, fenilbutazona e ibuprofén).
- Pueden prescribirse corticosteroides.
- Pueden requerirse narcóticos y analgésicos.
- Debe hacerse reposo en cama durante las 24 horas siguientes tras remitir el ataque agudo. Debe proporcionarse una plataforma para mantener elevada la articulación afecta.
- La elevación de la articulación y la aplicación de compresas frías o calientes puede producir alivio de las molestias.
- Adminístrense líquidos, para favorecer la excreción de uratos.

Tratamiento profiláctico (entre los ataques)

- El alopurinol inhibe la síntesis de ácido úrico.
- Los medicamentos uricosúricos incrementan la excreción de ácido úrico (*p.e.*, probenecid, sulfinpirazona, benzobromarona).
  1. Los salicilatos antagonizan los efectos uricosúricos del probenecid y la sulfinpirazona; no deben utilizarse a la vez. Se puede emplear acetaminofén.
  2. Adminístrense líquidos para evitar altas concentraciones de uratos en orina.
  3. Se puede prescribir bicarbonato sódico para mantener alcalinizada la orina.

Consideraciones de enfermería

- Durante un ataque agudo, alíviese el dolor, administrando la medicación según se prescriba. Monitorícense los efectos de la colchicina (si se ordena), protéjanse las articulaciones afectas y fuércese la ingesta de líquidos.
- Inclúyanse los consejos siguientes al enseñar al paciente a evitar las recurrencias:
  1. Se recomienda a los pacientes obesos que disminuyan su peso lentamente para reducir el esfuerzo sobre las articulaciones, pero debe evitarse que este proceso sea rápido, ya que esto aumenta el ácido úrico.
  2. El paciente debe evitar aquellas comidas o situaciones que puedan precipitar los ataques. En lo posible, se deben evitar los alimentos con alto contenido en purinas (*p.e.*, vísceras, mariscos, anchoas, sardinas y extractos de carnes).
  3. Normalmente se aconseja limitar la ingesta de bebidas alcohólicas a una o dos copas a la semana.
  4. El paciente debe llevar zapatos cómodos, que no aprieten los dedos.
  5. El paciente debe conocer la importancia de tomar las medicaciones según se prescriban. También debe estar enterado de los posibles efectos secundarios y qué precauciones especiales debe tomar.

Artritis reumatoide

Descripción

La artritis reumatoide (AR) es una enfermedad sistémica crónica que por lo general se manifiesta por una afectación sistémica de las articulaciones periféricas. Se caracteriza por presentar períodos de exacerbaciones y otros de remisiones. Comienza con una inflamación del tejido sinovial (revestimiento de la articulación), que en ocasiones evoluciona hasta destruir la articulación. También puede haber síntomas generales.

La etiología se desconoce, pero se piensa que se trata de un trastorno autoinmune, posiblemente con determinantes genéticos hereditarios. Es una enfermedad que suele afectar a adultos y jóvenes (sobre los 35 a 40 años de edad), siendo tres veces más frecuente en las mujeres que en los hombres. Cuando la AR se manifiesta en niños, se conoce como enfermedad de Still o artritis reumatoide juvenil.

Pruebas diagnósticas habituales

- Análisis de sangre, con hemograma completo:
  a. Disminución de la hemoglobina (en general por debajo de 10 g/100 ml).
  b. Recuento leucocitario elevado.
  c. Velocidad de sedimentación elevada.

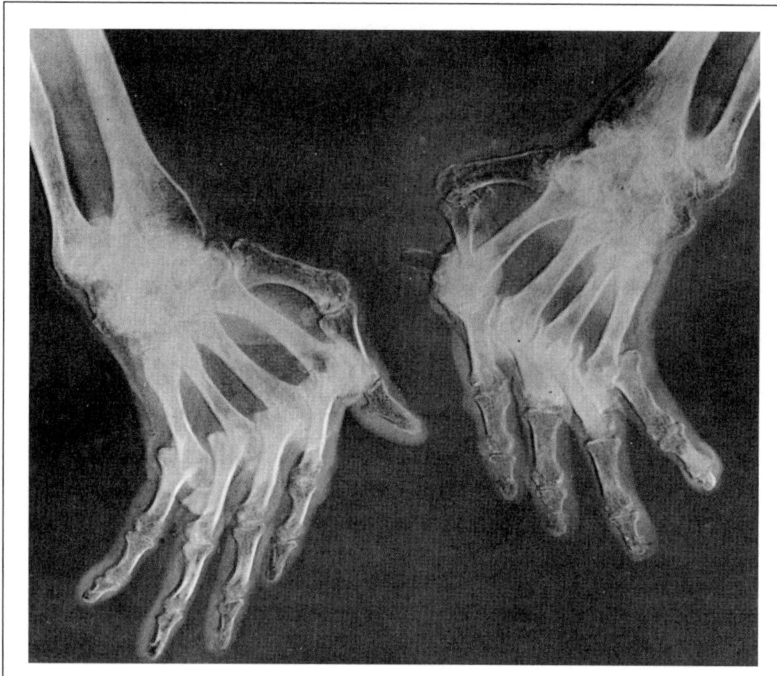

La artritis reumatoide afecta las articulaciones de las extremidades, con una distribución simétrica. En las manos, localización habitual del trastorno, ataca las articulaciones interfalángicas proximales y las metacarpofalángicas, provocando deformidades (dedos en cuello de cisne) y una progresiva desviación cubital de los dedos. Las radiografías orientan el diagnóstico, ya que ponen de manifiesto la erosión del cartílago y los extremos óseos. En la ilustración, imagen radiológica de unas manos con artritis reumatoide en fase avanzada.

- Prueba de fijación de látex (prueba de Waaler-Rose) para el factor reumatoide (FR): la presencia de FR ayuda a confirmar el diagnóstico si está presente el cuadro clínico. Determinación de otros marcadores (proteína C reactiva, anticuerpos antinucleares).
- Punción articular con aspiración de líquido sinovial: baja viscosidad, leucocitos elevados.
- Aspecto morfológico característico de nódulos de AR de las articulaciones y de los tejidos subcutáneos.
- Radiografía de las articulaciones.
- Gammagrafías, sobre todo con tecnecio; para un estudio más profundo se puede emplear la gammagrafía con galio (véase TE: Gammagrafía).
- Artroscopia, incluyendo biopsia sinovial (véase TE: Artroscopia).

Observaciones

- Generalmente hay una historia de inicio de inflamación en múltiples articulaciones, o bien de afectación gradual progresiva de la articulación. El cuadro articular puede estar acompañado de febrícula, fatiga, anorexia y pérdida de peso. Por lo general suele haber antecedentes familiares.

1. Rigidez matutina que disminuye de forma gradual con la actividad.
2. Dolor y sensibilidad de las articulaciones, generalmente con afectación simétrica.
3. Inflamación articular, con tumefacción, enrojecimiento y calor.
4. Nódulos subcutáneos (nódulos reumatoides), sobre todo en zonas de relieves óseos.
5. Las manos suelen mostrar una afectación de las articulaciones interfalángicas proximales o metacarpofalángicas (nudillos), o de ambas, con deformidad de los dedos en cuello de cisne, y desviación cubital de los dedos (los dedos se alejan del dedo gordo).
6. También es típica la afectación de muñecas, pies, tobillos y codos, aunque pueden afectarse así mismo otras articulaciones.

- Si el proceso de la enfermedad continúa, el resultado final puede ser la inestabilidad y la subluxación (dislocación incompleta o parcial) de las articulaciones.
- Pueden producirse cambios sistémicos, a nivel pulmonar (*p.e.*, derrame pleural, fibrosis, nódulos, que deben distinguirse del carcinoma), pericardio, piernas (úlceras producidas por vasculitis), aumento del tamaño del bazo y síndrome del túnel carpiano.

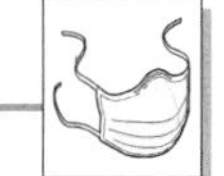

1. En la AR avanzada puede aparecer el síndrome de Sjögren (ojos secos debido a un lagrimeo insuficiente, boca seca).

Tratamiento

- El objetivo es prevenir la deformidad y la incapacidad.

Farmacológico

- Fármacos antiinflamatorios no esteroides.
  1. El ácido acetilsalicílico en dosis altas debe seguir administrándose incluso durante los períodos de remisión. Para los períodos de reposo se puede prescribir ácido acetilsalicílico con recubrimiento entérico.
  2. Se pueden emplear ibuprofén, naproxén, indometacina y fenilbutazona.
- Fármacos específicos.
  1. Sales de oro (*p.e.*, tiomalato sódico).
  2. Penicilamina.
  3. Agentes antipalúdicos (*p.e.*, la hidroxicloroquina y el fosfato de cloroquina).
  4. Fármacos inmunosupresores (*p.e.*, azatioprina).
  5. Agentes citotóxicos: ciclofosfamida o metotrexato, que se prueba a veces como último recurso.
  6. Corticoesteroides. Se emplean de forma sistémica sólo en brotes agudos y no son para uso a largo plazo. Las inyecciones intraarticulares pueden aliviar el dolor y mejorar la movilidad en las articulaciones afectadas.

Fisioterapia

- El fisioterapeuta diseña un programa de ejercicios basado en la situación del paciente. El programa evitará esfuerzos en las articulaciones, haciendo énfasis en ejercicios isométricos y en la hidroterapia.
- Calor: se prefiere el calor húmedo. Puede incluir compresas calientes húmedas, baños en bañera con agua caliente y aplicaciones de parafina caliente (generalmente antes de los ejercicios).
- Cuando el calor aumenta el dolor, se pueden intentar las aplicaciones frías.

Reposo de las articulaciones inflamadas; reposo general

- El reposo en cama puede estar indicado en las fases agudas, aunque deben seguirse los ejercicios. Deben prevenirse las contracturas en flexión evitando la colocación de almohadas bajo las rodillas del paciente y también la de una almohada grande bajo la cabeza. Procúrese que el paciente adopte la posición prono varias veces al día.
- Las férulas o la tracción pueden proporcionar reposo a las articulaciones inflamadas y dar lugar a una alineación adecuada.
- Los zapatos ortopédicos pueden ayudar a disminuir el dolor de la articulación metatarsofalángica, al servir de apoyo al peso.

Cirugía

- La sinovectomía puede dar lugar a alivio del dolor y evitar la destrucción tisular.
- La artrodesis (fusión de una articulación) puede ser útil para proporcionar estabilidad.
- Puede recurrirse a la sustitución articular protésica (*p.e.*, prótesis total de la cadera) (véase EMQ: Musculoesquelético, prótesis articular).

Consideraciones de enfermería

- Préstese apoyo moral al paciente que presente dolor y cambios corporales potencialmente deformantes e incapacitantes. Adóptese una actitud positiva, trabajando con las esperanzas del paciente de llevar una vida lo más normal posible.
- Anímese al paciente a seguir un plan para evitar esfuerzos y a descansar antes de que se canse. El dolor articular que se prolonga más de una hora después de una actividad indica que debe limitarse o eliminarse esa actividad.
- Un terapeuta ocupacional puede dar consejos específicos en lo que respecta a las formas de proteger las articulaciones mientras se llevan a cabo actividades de la vida cotidiana, incluyendo el uso de dispositivos de autoayuda.
- Edúquese al paciente en lo que se refiere a la medicación prescrita y sus efectos secundarios.

Artrosis

Descripción

La artrosis es una enfermedad articular degenerativa caracterizada por la destrucción del cartílago articular y neoformación ósea, con alteración funcional. Esta enfermedad se ha denominado osteoartritis o artritis hipertrófica, pero tales denominaciones se consideran incorrectas, puesto que en la artrosis no existe ningún componente inflamatorio. En general se asocia con el envejecimiento, pero puede ser secundaria a traumatismos o a otras artropatías. La enfermedad articular degenerativa afecta sobre todo a las articulaciones que soportan más peso.

Pruebas diagnósticas habituales

- La radiografía muestra un estrechamiento característico del espacio interóseo, con signos de destrucción articular y formación de osteofitos (excrescencias óseas).
- El análisis de sangre no ofrece datos característicos; la velocidad de sedimentación suele ser normal.
- Si se efectúa una punción articular, el líquido aspirado suele ser normal.

Observaciones

- Dolor articular:
  1. Inicialmente leve y cada vez más intenso a medida que las lesiones evolucionan.
  2. Tiene relación con el reposo y el movimiento: aparece cuando la articulación ha estado en reposo y comienza a moverse, y desaparece a medida que se continúa con el movimiento.
  3. Si el movimiento es muy intenso o prolongado, el dolor reaparece, y entonces cede con el reposo.
- Rigidez articular: se presenta al pasar del reposo al movimiento.
- Limitación de movimientos (impotencia funcional): sólo cuando las lesiones degenerativas están muy avanzadas, por osteofitos voluminosos o cuerpos libres intraarticulares.
- Crujidos: ruidos articulares durante el movimiento, producidos por el roce de los huesos desprovistos del revestimiento cartilaginoso normal.
- Deformidad articular, por la formación de osteofitos. No afecta necesariamente la funcionalidad de la articulación afectada.
- Nódulos en las manos:
  1. Nódulos de Heberden, duros y anchos, en las articulaciones interfalángicas distales.
  2. Nódulos de Bouchard, en las articulaciones interfalángicas proximales.
- La afectación articular tiende a ser localizada en una o unas pocas articulaciones. Las articulaciones que están afectadas más a menudo son las articulaciones distales de los dedos, las caderas, las rodillas y la columna vertebral.

Tratamiento

- Reposo de las articulaciones afectas. Esto puede suponer el uso de muletas, tracción, férulas o bastón.
- Reducción del peso en los pacientes obesos.
- Calor húmedo en la articulación afecta; fisioterapia.
- Fármacos antiinflamatorios no esteroides (*p.e.* salicilatos).
- Analgésicos suaves para aliviar el dolor.
- Corticosteroides intraarticulares: son muy eficaces para uso ocasional en los episodios inflamatorios agudos.
- Cirugía, sustitución de la articulación (véase EMQ: Musculoesquelético, prótesis).
- Las osteotomía o fusión articular puede ser beneficiosa en el paciente anciano cuya lesión articular es moderada.

Consideraciones de enfermería

- Favorézcase la actividad y la fisioterapia (véase TE: Fisioterapia articular). Recomiéndese al paciente evitar los esfuerzos sobre las articulaciones o las actividades que precipiten los ataques agudos (*p.e.*, levantar pesos).
- Préstese apoyo emocional y aquellas medidas que se prescriban para aliviar el dolor crónico (véase EMQ: Aproximación general, dolor).
- Anímese al paciente para que cumpla el tratamiento prescrito.

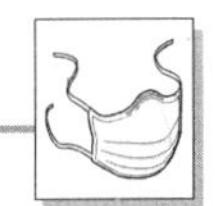

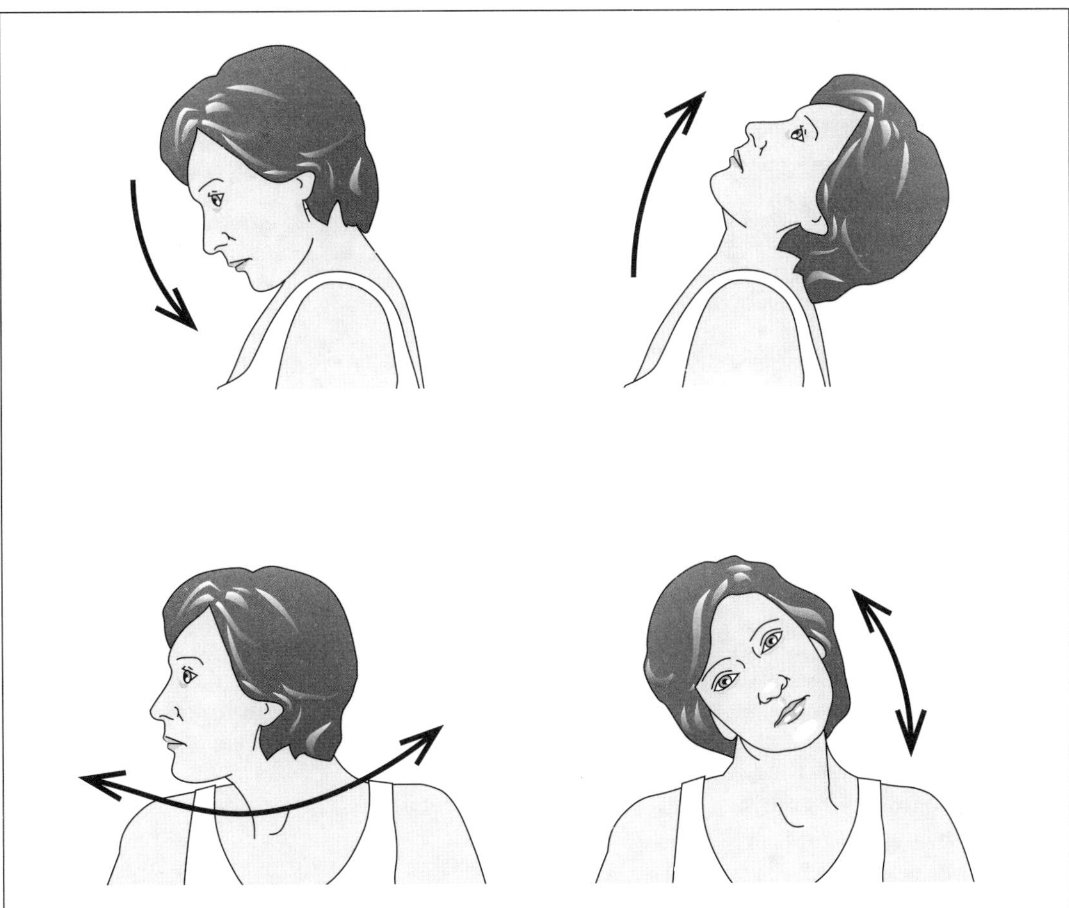

***La artrosis** se caracteriza por la progresiva destrucción de los cartílagos articulares y el desarrollo de puntos de neoformación ósea, con la consecuente alteración funcional. Se recomienda procurar suficiente descanso a las articulaciones afectadas, pero también llevar a cabo una adecuada fisioterapia para evitar alteraciones de las posturas y favorecer la movilidad articular. En la ilustración, ejercicios útiles en la artrosis cervical, siempre bajo control del fisioterapeuta.*

- Una plataforma de cama puede ser de utilidad para mantener los cobertores separados de la articulación afecta.
- Consideraciones específicas de cuidados tras el tratamiento quirúrgico, tales como el reemplazo de las articulaciones (véase EMQ: Musculoesquelético, prótesis articular).

Embolia grasa

Descripción

Tras una lesión de los huesos, sobre todo de los huesos largos y de la pelvis, es posible que penetren células grasas en el torrente sanguíneo, produciendo la oclusión de vasos sanguíneos de pequeño calibre en órganos distantes, especialmente en pulmones, cerebro y riñones. Este accidente es más frecuente en adultos jóvenes y su inicio puede darse de 12 a 36 horas después de un traumatismo o al cabo de más de dos semanas.

Pruebas diagnósticas habituales

- Gasometrías (véase TE: Gasometría arterial; Gasometría capilar).
- Radiografía de tórax.
- Análisis de orina.

- Análisis de sangre (disminución de hemoglobina y plaquetas; elevación de lipasa en suero.
- ECG (véase TE: Electrocardiograma).

Observaciones

- Aumento súbito regular del pulso, la frecuencia respiratoria y la temperatura corporal.
- Distrés respiratorio y disnea.
- Síntomas mentales: confusión, desorientación, agitación leve y coma.
- Petequias sobre la cara anterior del tórax, sacos conjuntivales y membranas bucales.
- Debilidad marcada.

Tratamiento

- Oxigenoterapia (véase TE: Oxigenoterapia).
- Elevación de la cabecera de la cama si no hay signos de shock.
- Ventilación controlada con presión positiva al final de la espiración.
- Administración de esteroides.
- Dextrano de bajo peso molecular (véase Farmacología: Tratamiento endovenoso).
- Anticoagulantes (heparina).
- Hipolipemiantes.
- Líquidos EV, transfusión de sangre (véase Farmacología: Tratamiento endovenoso).

Consideraciones de enfermería

- Inténtese evitar el embolismo graso manipulando con suavidad la zona lesionada.
- Nunca deben hacerse masajes en la extremidad afecta.

Esguince

Descripción

El esguince corresponde a un desgarro, una rotura o una desinserción de los ligamentos articulares o de la cápsula sinovial que cubre la articulación. Se produce por una distensión excesiva de los ligamentos y estructuras que estabilizan la articulación, generalmente como consecuencia de un traumatismo o una caída.

Pruebas diagnósticas habituales

- Radiografía, para descartar afectación ósea (los ligamentos articulares son transparentes a los rayos X, y sus lesiones no se observan en la radiografía).

Observaciones

- La articulaciones más afectadas son las que soportan en mayor parte el peso corporal: tobillos, rodillas y columna vertebral.
- Inicialmente se produce un dolor intenso, que provoca incapacidad funcional, para disminuir progresivamente.
- En poco tiempo se produce una reacción de tipo inflamatorio. La articulación se vuelve tumefacta, con la piel que la recubre enrojecida y caliente, y el dolor reaparece, se hace continuo y se exacerba con los movimientos.
- La inestabilidad articular consecuente a la desinserción o rotura de ligamento da lugar al signo de bostezo articular.

Tratamiento

- Reposo e inmovilización de la articulación mediante vendajes, férulas o yeso (véase TE: Vendajes; férulas, yeso).
- Administración de analgésicos y antiinflamatorios.
- Cirugía, cuando hay desinserción o rotura de un ligamento importante.

Consideraciones de enfermería

- Ante la sospecha de esguince, siempre debe efectuarse una exploración radiológica para descartar una lesión ósea o un arrancamiento ligamentoso.
- Tras la lesión, la aplicación de compresas frías o hielo sobre la zona afectada disminuye la inflamación y las posibles hemorragias internas, pero la práctica no debe prolongarse más de treinta minutos. La aplicación de calor está contraindicada.
- La inmovilización suele mantenerse durante un período máximo de 15 días. Vigílese la aparición de signos vasculares o nerviosos por compresión excesiva del vendaje.

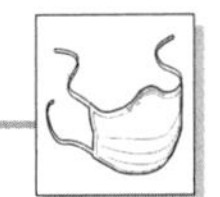

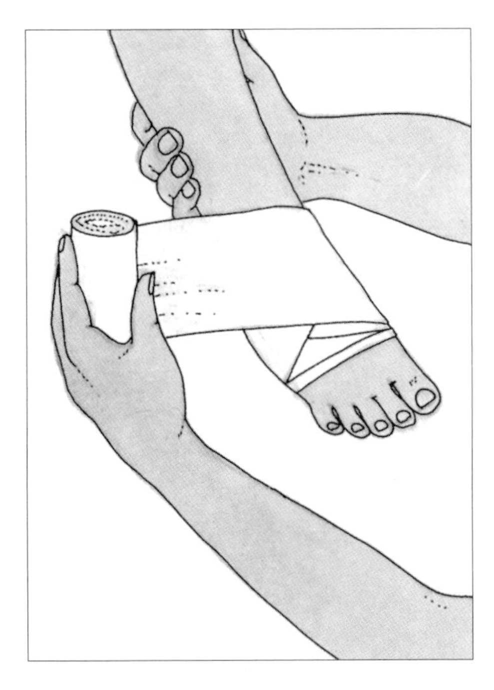

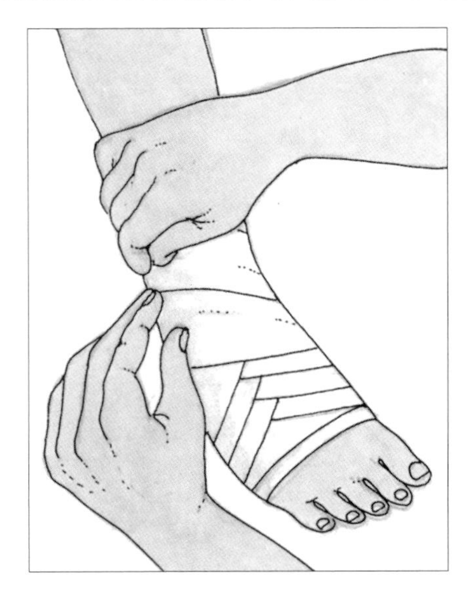

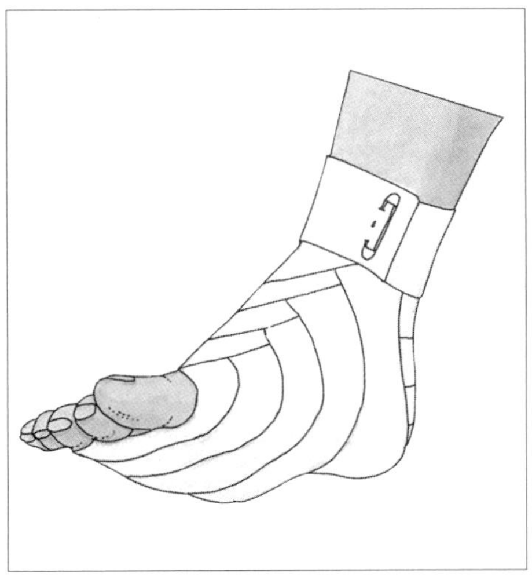

El esguince es debido a una distensión exagerada de los ligamentos y estructuras que estabilizan la articulación y corresponde a un desgarro, una rotura o una desinserción de los ligamentos articulares o de la cápsula sinovial. Generalmente se debe a un movimiento violento, una caída o un traumatismo que fuerza la articulación. Pueden sufrir un esguince prácticamente todas las articulaciones, pero las más afectadas son aquellas que soportan el peso corporal, especialmente el tobillo. El tratamiento se basa en el reposo de la articulación, para favorecer la cicatrización y recuperación de los tejidos lesionados, recurriéndose a una inmovilización mediante vendajes o férulas durante una o dos semanas. Los dibujos muestran los diversos pasos de la colocación de un vendaje para inmovilizar el tobillo.

- Véase TE: vendajes; férulas; yeso, cuidados de enfermería.

Fracturas

Descripción

Una fractura corresponde a la rotura de un hueso. Cuando se trata de fractura abierta o complicada, existe continuidad directa entre la lesión y una abertura en la piel, debido a lo cual se considera siempre infectada, por lo que se tratará separadamente (véase EMQ: Musculoesquelético, fracturas abiertas).

Pruebas diagnósticas habituales

- Radiografías.
- Tomografía computada (véase TE: Tomografía computada).

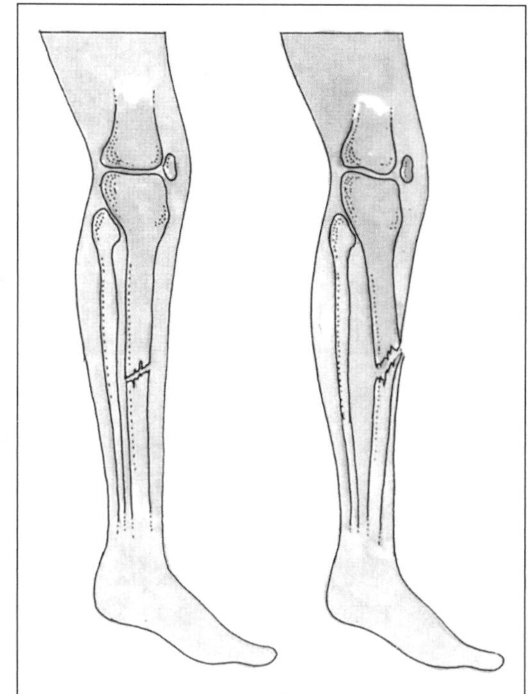

Fractura. Esquema de dos tipos básicos de fracturas: a la izquierda, fractura cerrada; a la derecha, fractura abierta o complicada, en la que existe continuidad directa entre la lesión ósea y una abertura en la piel.

- Resonancia magnética nuclear (véase TE: Resonancia magnética nuclear)
- Análisis de orina y sangre de rutina preoperatoria; puede incluir el tipaje y pruebas cruzadas.
- Generalmente se repite la hemoglobina y el hematocrito a los 3-4 días en el postoperatorio.
- Puede solicitarse calcio en suero.

Observaciones

- Dolor o sensibilidad en la zona, que aumenta con la presión o el movimiento.
- Deformidad de la zona.
  1. El espasmo muscular puede producir un acortamiento de la extremidad con fractura.
  2. Cambios del contorno habitual o de la alineación.
- Inflamación: generalmente rápida sobre la fractura; posibilidad de existencia de contusiones.
- Entumecimiento, hormigueo y, en ocasiones, parálisis.
- Impotencia funcional.
- Movilidad anormal.
- Crepitación: ruido áspero a la palpación porque los extremos óseos rozan uno contra el otro.
- Signos de lesión visceral (interna).
  1. Hemoptisis (esputo sanguinolento): puede ser el resultado de la lesión de los pulmones producida por las fracturas costales.
  2. La oliguria, la anuria o la hematuria pueden deberse a lesión de la uretra o de la vejiga urinaria por fractura de la pelvis (la oliguria o la anuria también se ven en el shock).
- Signos y síntomas de complicaciones.

Tratamiento

- Reducción: recolocación de los fragmentos óseos en su posición normal.
  1. Tracción: puede ser provisional antes de la fijación interna de la fractura o bien puede ser el tratamiento definitivo; la tracción esquelética requiere la colocación quirúrgica de un clavo o de un alambre (véase TE: Tracción).
  2. Reducción cerrada (sin cirugía).
  3. Reducción abierta: reducción quirúrgica con el uso de placas, clavos, tornillos, alambres y barras para la estabilización.
- Inmovilización (para mantener la reducción).
  1. Férulas (véase TE: Férulas).
  2. Yeso o férulas de yeso (véase TE: Yeso, cuidados).
  3. Tracción continua (véase TE: Tracción).
  4. Fijación interna con plataforma, agujas, tornillos, etcétera.
  5. Dispositivos de fijación externa (véase TE: Dispositivos de fijación externa).
  6. Vendajes elásticos (*p.e.*, vendajes de Velpeau para la fractura de escápula, clavícula y húmero).
- Rehabilitación, incluyendo fisioterapia y entrenamiento para llevar a cabo actividades de la vida cotidiana.
- La falta de unión o el retraso de la consolidación (una complicación que se observa después de meses o incluso de años) se puede tratar mediante:
  1. Injertos óseos.

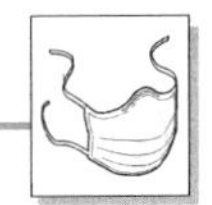

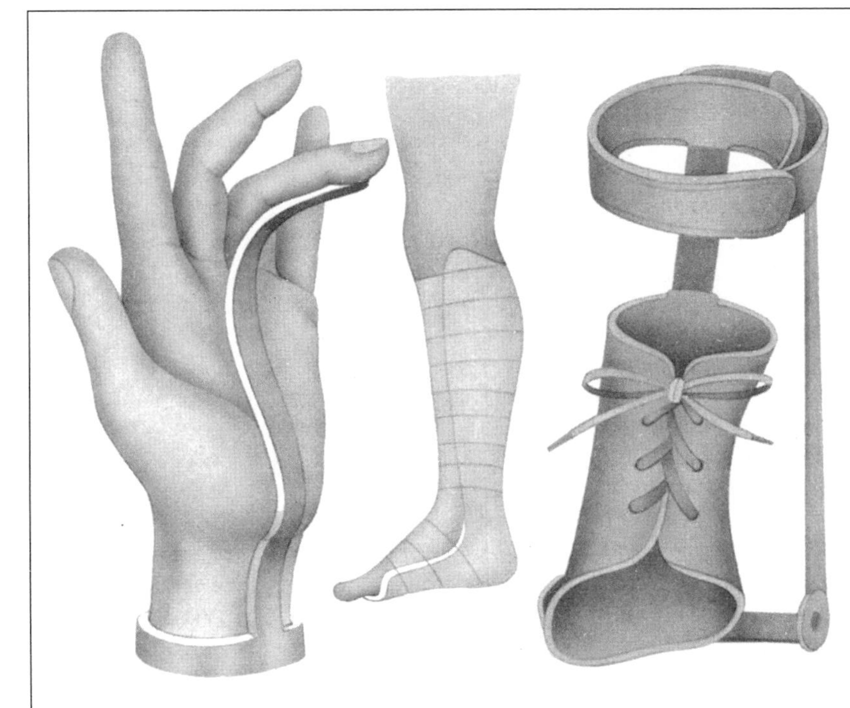

Férula digital de Böhler utilizada en fracturas de las falanges

Férula dorsal para inmovilización del pie, fijada con vendas de gasa

Férula nocturna de pierna para niños con pie zambo congénito

El tratamiento de las fracturas no complicadas se basa en la reducción o recolocación de los fragmentos óseos a su posición normal y la posterior inmovilización para mantener la reducción y asegurar la consolidación. El método seleccionado para lograr la inmovilización depende de la localización y características de las fracturas, contándose con una gran diversidad de dispositivos para tal finalidad. En la ilustración se muestran diversos tipos de férulas utilizadas en el tratamiento de fracturas o luxaciones en los miembros.

2. Estimulación eléctrica ósea.
   a. La formación de hueso se estimula dirigiendo electricidad en el punto donde no existe unión y mediante la colocación de electrodos negativos (cátodos) cerca del mismo.
   b. Los dispositivos actuales pueden ser no invasivos, semiinvasivos o totalmente invasivos (implantados quirúrgicamente).
   c. La extremidad se inmoviliza mediante un yeso.
   d. Se coloca una placa ánodo sobre la piel del paciente cerca del yeso.
   e. Las órdenes deben especificar la responsabilidad de enfermería en el cuidado del paciente y el tipo específico de estimulación a utilizar.
3. Estimuladores magnéticos.
   a. Se aplica un yeso de inmovilización total.
   b. Un trozo de plástico en el yeso indica la localización de las espirales magnéticas utilizadas por un tiempo total específico al día, normalmente 10 horas.
   c. Con la evidencia de curación durante meses se incrementa la carga de pesos.

- Puede ser necesaria la sustitución de la cabeza del fémur en caso de necrosis avascular (muerte del tejido ocasionado por un aporte sanguíneo disminuido), complicación bastante frecuente en las fracturas intracapsulares de fémur (véase EMQ: Musculoesquelético, fracturas de cadera).

Consideraciones de enfermería

- Véase también TE: Tracción; férulas; yesos; dispositivos de fijación externa; EMQ: Musculoesquelético, embolia grasa; fracturas abiertas.

Preoperatorio

- Pueden prescribirse preparados a base de antibacterianos tópicos. El rasurado generalmente se hace en el quirófano.
- Infórmese al paciente sobre el equipo de tracción que se utilice.

- Hágase que el paciente se acostumbre a orinar en una posición acostada, de forma que sepa cómo hacerlo en el postoperatorio.

Postoperatorio

- Véase EMQ: Aproximación general, postoperatorio.
- Gírese el paciente hacia el lado no afecto, a menos que se ordene otra cosa.
- Siempre que se prescriba, es aconsejable la deambulación precoz. Sin embargo, esto lo debe ordenar el médico.
- Debe estarse alerta para detectar precozmente una posible retención de orina.
- Debe estarse alerta por si se presentan las complicaciones siguientes, tratando de evitarlas:
  1. Shock y hemorragia (véase EMQ: Aproximación general, postoperatorio).
     a. Valórense a menudo las contantes vitales hasta que se estabilicen.
     b. Compruébense los vendajes o el yeso en busca de signos de hemorragia y pásese la mano por debajo para asegurarse de que no se acumula sangre allí.
     c. Vigílense los cambios de la circunferencia de la extremidad (*p.e.*, por inflamación).
     d. La pérdida de sangre puede ser importante, sobre todo en los casos de fractura de fémur. El volumen de sangre se debe sustituir de forma adecuada.
  2. Deterioro circulatorio: si existe, puede deberse a una obstrucción arterial o inflamación en un espacio cerrado. Este cuadro, denominado *síndrome compartimental*, constituye una urgencia médica, puesto que, si no se alivia, puede dar lugar a una incapacidad permanente (contracción de Volkmann) en el curso de pocas horas.
     a. Explórese cada dedo de la extremidad afecta valorando el color, el pulso y la temperatura cutánea cada dos horas o bien según se prescriba, sobre todo durante las primeras 24 horas tras el traumatismo o en el postoperatorio. Si existe alguna duda sobre la presencia de los pulsos, compruébese mediante Doppler.
     b. El dolor general disminuye tras la reducción de la fractura. Cualquier aumento debe notificarse de inmediato.
     c. Se debe comunicar de inmediato la aparición de: dolor; parestesias (entumecimiento, hormigueos, diferencia de sensibilidad); palidez (generalmente indica una afectación arterial; cianosis (suele indicar una afectación venosa); disminución de los pulsos periféricos; frialdad anormal o parálisis (dificultad en el movimiento).
     d. La cascada de acontecimientos que tiene lugar en el síndrome compartimental y que deben reconocerse antes de que se produzca una lesión permanente son:
        - Dolor en aumento, con función motora intacta.
        - Dolor severo con función motora disminuida.
        - Dolor severo sin función motora y con disminución de la sensibilidad, aunque los pulsos en las extremidades pueden estar todavía intactos (tanto la extensión pasiva como la flexión/extensión de los dedos de las manos o de los dedos de los pies es muy dolorosa).
        - Desaparición de la sensibilidad.
        - Pérdida de pulsos distales a la fractura (en este momento el músculo probablemente ya esté muerto, a menos que el comienzo haya sido dentro de las 4 horas anteriores).
  3. Deterioro neurológico.
     a. Explórense las alteraciones de la sensibilidad y la pérdida de movimiento.
     b. La zona situada sobre el nervio peroneo no debe soportar ninguna presión.
  4. Espasmo muscular.
     a. Evítese el espasmo cambiando con frecuencia la posición del paciente y manteniendo la extremidad libre de presión.
     b. Se pueden prescribir relajantes del músculo esquelético.
     c. También puede ser de ayuda algún antihistamínico a la hora de acostarse.
  5. Anemia.
     Las pruebas de hemoglobina y hematocrito suelen ordenarse a los 3 o 4 días tras la intervención. Pueden prescribirse transfusiones de sangre o suplementos de hierro.

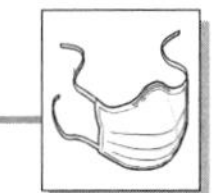

6. Embolismo graso (véase EMQ: Musculoesquelético, embolia grasa).
7. Infección (muy frecuente tras las fracturas abiertas).
   a. Manténgase una técnica estéril cuando se venden las heridas.
   b. Cuando el paciente tiene una tracción esquelética o fijación externa, adminístrense cuidados regulares del tornillo según prescripción.
8. Tromboflebitis (véase EMQ: Aproximación general, postoperatorio; Cardiovascular, tromboflebitis).
   Todo signo de distrés respiratorio en los pacientes con lesiones en las extremidades inferiores debe considerarse como posible embolismo pulmonar hasta que no se demuestre lo contrario.
9. Coagulación intravascular diseminada (CID).
10. Problemas de la inmovilización.
    a. Es posible que haya cálculos renales e infecciones del tracto urinario (véase EMQ: Genitourinario, infecciones del tracto urinario).
    b. Puede haber problemas respiratorios (*p.e.*, neumonía de estasis) (véase EMQ: Respiratorio, neumonía; TE: Fisioterapia respiratoria).
    c. Deben prevenirse las úlceras de decúbito. Protéjanse los talones del paciente de forma que no se apoyen en la cama (véase EMQ: Dermatología, úlceras de decúbito).
    d. Pueden aparecer contracturas.
       —En las fracturas de cadera, bájese la cabecera de la cama varias veces al día para permitir la extensión de la cadera.
       —La rodilla tiende a flexionarse cuando hay dolor en la cadera. No debe apoyarse la rodilla sobre una almohada.

Fracturas abiertas (complicadas)

Descripción

Una fractura se considera abierta cuando hay una herida contigua a la fractura a través de la cual puede protruir un fragmento óseo. Siempre se considera que la herida está infectada y que existe el peligro adicional de osteomielitis, gangrena gaseosa y tétanos.

Pruebas diagnósticas habituales

- Radiografías y tomografías.
- Las determinaciones de rutina en sangre y orina preoperatorias pueden incluir el tipaje de grupo sanguíneo y pruebas cruzadas.
- Cultivo de muestras de la herida para buscar la presencia de bacterias y determinar su sensibilidad (antibiograma).

Tratamiento

- La herida se limpia y se desbrida en el quirófano.
- Para reducir y estabilizar la herida suele emplearse más la fijación externa (véase TE: dispositivos de fijación externa).
- Se puede dejar la herida abierta mientras no haya signos de infección.
  1. Puede ser necesario cambiar con frecuencia los apósitos estériles.
  2. Hay que tomar precauciones con la herida y la piel (véase TE: Infección, aislamiento, técnicas y prevenciones).
  3. La herida se cerrará posteriormente mediante sutura o grapas.
- Se recomienda la prevención del tétanos.
- Se pueden prescribir antibióticos EV.

Consideraciones de enfermería

- Valórense los pulsos distales a la fractura. Vigílese el deterioro de la circulación y el estado neurológico (véase EMQ: Musculoesquelético, fracturas, consideraciones de enfermería).
- Valórense las constantes vitales cada 4 horas. Vigílese la subida de la temperatura, ya que es un signo de infección.
- Véase EMQ: Musculoesquelético, fracturas; TE: Dispositivos de fijación externa, tracción.

Fracturas de cadera (de fémur)

Descripción

Se denominan fracturas de cadera las que se producen en la extremidad proximal del fé-

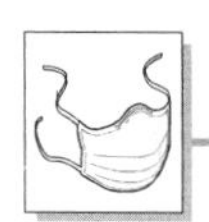

mur. Las fracturas intracapsulares tienen lugar dentro de la articulación de la cadera o cápsula, cerca de la cabeza (fracturas subcapitales) o a través de cuello del fémur (fracturas transcervicales). Las fracturas extracapsulares son aquellas que tienen lugar fuera de la articulación y de la cápsula, en la zona del trocánter mayor o del trocánter menor (fracturas trocantéreas).

Estas fracturas, que se presentan con mayor frecuencia en los ancianos, requieren una manipulación y cuidados especiales, debido a la posible existencia de problemas médicos o físicos concomitantes y a los propios de la edad. En el tratamiento se da gran prioridad a la deambulación precoz y la reanudación de las actividades normales tan pronto como sea posible.

Pruebas diagnósticas habituales

- Véase EMQ: Musculoesquelético, fracturas, pruebas diagnósticas habituales.
- Tipaje y pruebas cruzadas. En general, se recomienda solicitar concentrado de hematíes.

Observaciones

- El miembro afectado suele estar acortado, en rotación externa y aducción.
- Hay dolor e incapacidad para mover la pierna.
- El dolor ligero en la ingle y en la cara interna de la rodilla pueden ser los únicos síntomas de una fractura enclavada.

Tratamiento

Preoperatorio

Para reducir el dolor y el espasmo muscular

- Tracción-extensión de Buck, sobre todo para las fracturas subcapitales (véase TE: Tracción).
- Tracción de Russell en las fracturas intertrocantéreas o subtrocantéreas (véase TE: Tracción).
- Fijadores de trocánter para mantener la alineación de la pierna.
- Puede indicarse tratamiento anticoagulante.

Quirúrgico

- Fijación interna de la fractura reducida con agujas, tornillos, placas y clavos.
- Sustitución de la cabeza del fémur por una prótesis; se lleva a cabo frecuentemente en las fracturas intracapsulares, en las que las complicaciones frecuentes de las técnicas de fijación interna son el fallo de consolidación y la necrosis avascular.
- En ocasiones se recurre a la sustitución total de cadera (véase EMQ: Musculoesquelético, prótesis, prótesis total de cadera).

Consideraciones de enfermería

- Véase EMQ: Musculoesquelético, fracturas, consideraciones de enfermería; TE: Tracción.
- El cirujano debe ordenar el tratamiento específico. Por lo común, los principios ge-

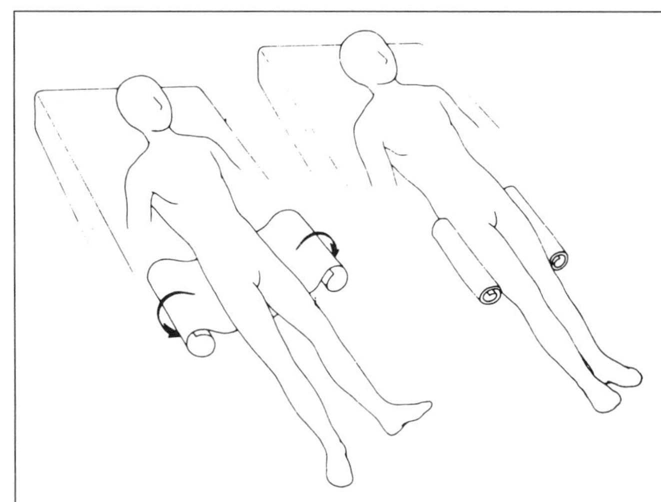

Las fracturas de cadera son aquellas que se producen en la extremidad proximal del fémur, ya sea dentro de la articulación de la cadera o cápsula (fracturas intracapsulares) o bien fuera de tal localización (fracturas extracapsulares). El tratamiento depende de las características de cada caso. Los cuidados postoperatorios deben incluir una serie de medidas destinadas a evitar movimientos o posturas que dificulten la recuperación, como es el mantenimiento de una correcta alineación del miembro. La ilustración muestra un método para hacer fijadores de trocánter que sostienen las piernas y previenen la rotación externa.

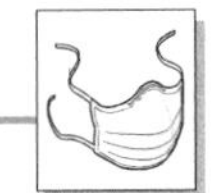

nerales del cuidado del paciente sometido a una fijación interna de una fractura de cadera son los siguientes:

1. Vendaje elástico o medias antiembolismo.
2. Cambios de posición.
   Al principio el paciente generalmente puede ser girado suavemente hacia el lado no afecto, con una almohada entre las piernas para mantener la pierna afecta en abducción. En ocasiones puede permitírsele girar hacia el lado afecto.
3. Colocación de la pierna afecta según se prescriba.
   Utilícese un fijador de trocánter o bolsas de arena para mantener la alineación. Evítense las deformidades en flexión de la cadera y la rodilla bajando la cabecera de la cama varias veces al día; no debe colocarse ninguna almohada bajo las rodillas. Generalmente debe evitarse flexionar la cadera afecta en el postoperatorio inmediato.
4. Ejercicio.
   En general se anima al paciente a realizar ejercicios de cuádriceps, brazos y hombros (recurriendo al uso de un trapecio sobre la cabeza), ejercicios en toda amplitud de movimientos, ejercicios musculares isométricos del abdomen y de los músculos glúteos.
5. Traslado de forma temprana a la silla, con apoyo sobre la pierna no afecta.
   La rodilla debe flexionarse en un ángulo de 90° mientras el paciente está en la silla.
6. Deambulación precoz con ayuda de caminadores, en general sin soportar peso o con apoyo parcial.
7. Véase EMQ: Musculoesquelético, prótesis total de cadera.

- Vigílese la aparición de complicaciones (véase EMQ: Musculoesquelético, fracturas, consideraciones de enfermería).
  1. La hemorragia es bastante frecuente.
     a. Puede dejarse una aspiración con drenaje cerrado durante las primeras 24 o 48 horas.
     b. Se debe repetir la determinación del hematocrito y la hemoglobina.
     c. Generalmente se reserva una unidad de concentrado de hematíes.
  2. La confusión es un signo de afectación neurológica frecuente, sobre todo en los pacientes ancianos.
     a. Antes de la intervención, valórese la orientación y consciencia mental del paciente.
     b. El aumento del estado de confusión puede ser consiguiente a una reacción de estrés, pero también puede indicar una pérdida de sangre, embolismo, apoplejía o reacción ante la medicación (véase EMQ: Trastornos del comportamiento, desorientación).

Laminectomía, fusión raquídea, exéresis discal

Descripción

- La laminectomía o exéresis quirúrgica de la lámina vertebral (porción plana que se halla a ambos lados del arco de la vértebra) puede realizarse cuando esté indicada la exploración de los nervios espinales, incluidos los casos de traumatismo, sospecha de neoplasia, hematoma o hernia del disco intervertebral.
- La fusión raquídea puede llevarse a cabo junto con la laminectomía para estabilizar la columna vertebral. Se consigue mediante la fusión de los elementos posteriores remanentes de la columna con un injerto óseo que se suele tomar de la cresta ilíaca, aunque en ocasiones se extrae de la tibia.
- La exéresis o extirpación de un disco intervertebral se lleva a cabo en caso de hernia o rotura discal que provoque compresión de un nervio espinal o la médula, cuando no responde a otros tratamientos.

Observaciones

Preoperatorio

- Puede haber dolor, parestesias y espasmo muscular.
- Revísese la historia clínica del paciente para obtener una valoración basal que sea de utilidad en la evaluación postoperatoria.

- Se debe observar el funcionalismo y el movimiento de las extremidades, así como la actividad de la vejiga y del intestino.

Postoperatorio

- Tras la exéresis de un disco intervertebral cervical puede aparecer voz ronca e incapacidad para toser de forma eficaz como consecuencia de la lesión del nervio recurrente laríngeo. Es normal que haya una ligera ronquera, pero si aumenta debe comunicarse de inmediato al cirujano. A menudo se produce una inflamación de garganta y aparece dificultad para tragar (disfagia).
- Si vuelve a aparecer el dolor de una forma brusca, puede significar que hay inestabilidad de la columna vertebral.
- Después de la exéresis de un disco lumbar deben valorarse frecuentemente las constantes vitales. Deben comprobarse los vendajes en busca de signos de una hemorragia. Valórense a menudo las extremidades inferiores en lo que respecta a sensibilidad, movimiento, color y temperatura. Investíguese si existe una retención urinaria, fallo de control intestinal o bien algún trastorno sensitivo. Las alteraciones en el control de la vejiga urinaria e intestinal representan una urgencia quirúrgica y se deben comunicar de inmediato.

Consideraciones de enfermería

Escisión de disco cervical con o sin laminectomía cervical

- A menudo se prescribe un vaporizador de *espray* frío.
- Cuando el paciente se levante, sosténgase la cabeza. Si se ordena, colóquese un collarín cervical o bien un collar blando para sostener la cabeza y el cuello.

Laminectomía lumbar con o sin fusión vertebral

Preoperatorio

- Enséñese al paciente a girar el cuerpo en bloque, como una unidad.
- Enséñense los principios de la fisioterapia respiratoria (véase TE: Fisioterapia respiratoria).
- Rehabilitación.

Postoperatorio

- Se debe girar el paciente como una unidad, flexionando las rodillas con una almohada colocada entre ellas. Puede utilizarse una sábana plegada.
- Colóquese el paciente según ordene el cirujano, en general con una almohada debajo de la cabeza y una flexión ligera de las rodillas mientras el paciente está echado sobre su espalda. Ésta debe mantenerse alineada en todas las posiciones.
- Debe aliviarse el dolor y la ansiedad mediante la administración de los fármacos prescritos.
- Debe animarse al paciente sometido a laminectomía a una deambulación precoz. El paciente puede requerir ayuda para mantener la espalda recta y también para levantarse poco a poco. La cama se debe mantener elevada. Los pacientes sometidos a una fusión vertebral no deben levantar pesos hasta que el médico lo ordene.
- Deben examinarse los apósitos en busca de signos de una hemorragia o bien de pérdida de líquido cefalorraquídeo, frecuente tras una fusión vertebral. Debe examinarse cualquier drenaje de líquido claro y ante su hallazgo valorar la presencia de glucosa (mediante tira reactiva de Dextrostix): el LCR contiene glucosa, mientras que la orina, normalmente, no. Cualquier fuga aparente de LCR debe informarse de inmediato; mientras tanto, manténgase el paciente en reposo en la cama.
- Muchas veces se prescribe un refuerzo lumbar.
- La recuperación tras una fusión vertebral suele requerir más tiempo que la recuperación tras una laminectomía o exéresis del disco, siendo precisos los siguientes cuidados adicionales:
  1. Monitorización de las constantes vitales con frecuencia durante el período postoperatorio.
  2. Se suele dejar a menudo un drenaje con aspiración. Si el líquido de drenaje es su-

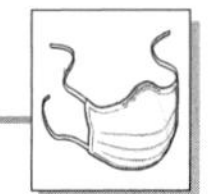

perior a 100 ml cada 3 a 4 horas, debe comunicarse al cirujano.
3. Cuidados del área donde se ha extirpado el injerto.
4. En el postoperatorio se suelen prescribir de dos a tres días de reposo en cama. Hay que evitar que el paciente se siente durante períodos prolongados.

Lumbago y ciática

Descripción

El lumbago es una crisis aguda de dolor en la región lumbar, generalmente desencadenada por un movimiento brusco de la columna vertebral y muchas veces consecuente a degeneración y hernia del disco intervertebral. En la ciática, por compresión de las raíces nerviosas que forman el nervio ciático, el dolor se extiende unilateralmente por la nalga y el borde externo del muslo, la pierna y el pie.

Los discos intervertebrales son las estructuras cartilaginosas situadas entre cada par de vértebras, formadas por un núcleo pulposo de consistencia gelatinosa rodeado por un anillo fibroso. En la hernia discal, se produce un desplazamiento del núcleo pulposo y protrusión del anillo fibroso, con la consiguiente irritación mecánica o compresión directa de las raíces nerviosas o nervios sensitivos adyacentes.

Otras posibles causas orgánicas de lumbociática son: osteoporosis, osteomalacia y enfermedad de Paget ósea, espondilolistesis, espondilosis, espondilitis anquilosante, fracturas vertebrales y traumatismos lumbares, malformaciones congénitas de la columna vertebral, infecciones de la región lumbar, tumores vertebrales y metástasis en la columna vertebral.

Pruebas diagnósticas habituales

- Maniobra de Lasègue positiva (limitación de la elevación de las piernas en extensión).
- Radiografías.
- Tomografía axial computada.
- Resonancia magnética nuclear.
- Mielografía.

Observaciones

- La crisis de lumbago tiene un inicio súbito, generalmente tras la realización de un esfuerzo o un movimiento brusco del tronco, con un dolor muy intenso localizado en la zona inferior de la espalda, a veces irradiado hacia pelvis y nalgas. La irritación de los nervios espinales provoca una contractura de defensa de los músculos de la zona. El dolor disminuye con el reposo y mientras el enfermo mantiene la postura adoptada espontáneamente, pero se acentúa con los movimientos y la tos.
- Si está afectado el nervio ciático, el dolor se extiende también por la nalga, la cara posterior y lateral del muslo, la cara externa de la pierna, el borde externo y el dorso del pie, aunque la localización exacta depende de las raíces nerviosas irritadas en cada caso. Puede haber parestesias, pérdida de sensibilidad de la piel y pérdida de fuerza muscular en la zona inervada por las raíces afectadas.

Tratamiento

- Reposo.
- Relajantes musculares y aplicación local de calor.
- Analgésicos, infiltraciones anestésicas.
- Inmovilización (corsé ortopédico).
- Quimionucleólisis (véase EMQ: Musculoesquelético, quimionucleólisis)
- Cirugía (véase EMQ: Musculoesquelético, laminectomía, fusión raquídea y exéresis discal).

Consideraciones de enfermería

- Tranquilícese al paciente, teniendo presente que el dolor se incrementa con la ansiedad.
- Respétese la posición antiálgica que adopte espontáneamente el paciente, excepto indicación médica. Cuando las molestias ceden, procúrese mantener una correcta alineación corporal.

- Alíviese el dolor con la pauta de medicación indicada y solicítense instrucciones cuando la medicación no alivie suficientemente las molestias, ya que puede ser preciso recurrir a una infiltración anestésica.
- El dolor mejora con la aplicación de calor en la región lumbar mediante compresas calientes, onda corta, infrarrojos, etcétera.
- Contrólese la fuerza muscular y la función motora de los miembros inferiores. La detección de signos de parálisis constituye un motivo de alerta y debe ser comunicada inmediatamente al médico.
- Bríndese al paciente una educación sanitaria dirigida a preservar la higiene postural y prevenir la repetición de la crisis:
  1. Dormir sobre superficies duras.
  2. No dormir en decúbito prono.
  3. Agacharse con la espalda recta, flexionando las piernas.
  4. No forzar la extensión de la columna.
  5. Girar con todo el cuerpo, en vez de hacerlo con la cintura.
  6. No cargar mucho peso en una sola mano: repartirlo y mantenerlo pegado al cuerpo.
  7. No empujar objetos pesados frontalmente.
  8. Evitar las actividades que requieran la flexión forzada de la columna.
  9. Practicar ejercicios que fortalezcan la musculatura lumbar y abdominal.

Luxación

Descripción

La luxación o dislocación corresponde al desplazamiento de las estructuras óseas que forman una articulación, con la pérdida de contacto de las superficies articulares. Se acompaña de lesiones en los ligamentos y la cápsula articular (véase EMQ: Musculoesquelético, esguince).

- En la *luxación parcial* o *subluxación*, la pérdida de contacto de las superficies articulares no es total.
- Las *luxaciones traumáticas* son consecuencia de traumatismos directos o indirectos.
- Las *luxaciones congénitas* (*p.e.*, la luxación congénita de cadera) son consecuencia de una malformación de los componentes articulares.

Pruebas diagnósticas habituales

- Radiografías.

Observaciones

- La localización más habitual de la luxación traumática corresponde al hombro, pero también pueden afectarse el codo, la columna vertebral, la cadera, el tobillo, la mano y el pie.
- Inicialmente aparece un dolor vivo e intenso, acompañado de sensación de que un hueso se ha desplazado. El dolor se acentúa ante cualquier movilización, suele disminuir al cabo de unos momentos y nuevamente se intensifica cuando se produce la respuesta inflamatoria.
- Tumefacción de la zona, con piel enrojecida y caliente.
- Contractura muscular refleja e impotencia funcional.
- Deformidad de la articulación afectada.
- En luxaciones de hombro o de cadera, acortamiento del miembro.

Tratamiento

- Administración de analgésicos y antiinflamatorios.
- Reducción de la luxación, manual (posiblemente bajo anestesia) o quirúrgica.
- Inmovilización externa o interna (ver TE: Tracción; férulas; yeso, cuidados de enfermería).
- Rehabilitación.

Consideraciones de enfermería

- Téngase presente que toda luxación comporta riesgo de lesión nerviosa o vascular por compresión o elongación. Vigílese la aparición de signos que indiquen lesión neurológica (paresias o parálisis, alteraciones de la sensibilidad) o hemorragia interna.
- Si se coloca vendaje o yeso, vigílese la aparición de signos por compresión excesiva (véase TE: vendajes; yeso, cuidados de enfermería).

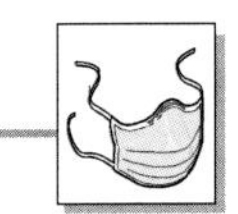

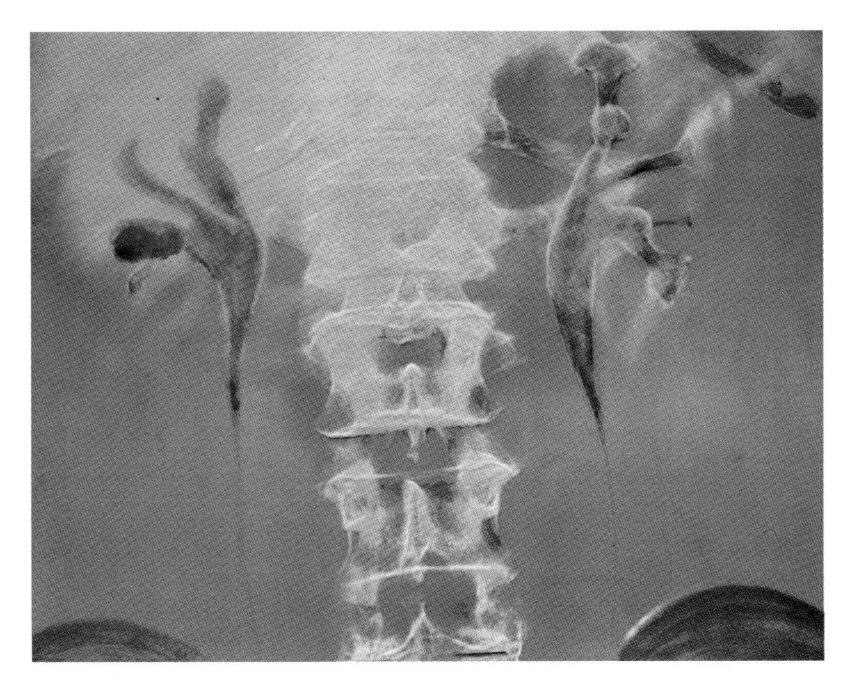

***La litiasis urinaria** se caracteriza por la formación de concreciones sólidas o cálculos en el interior de la pelvis renal, los uréteres o la vejiga. Sus manifestaciones dependen del tamaño y la localización de los cálculos: si se obstruye el flujo de la orina, podrá producirse un cuadro agudo de cólico nefrítico y, si la detención del flujo es crónica, se producirán alteraciones en la función renal. En la ilustración, pielografía intravenosa coloreada donde puede observarse la presencia de un cálculo en la pelvis del riñón derecho.*

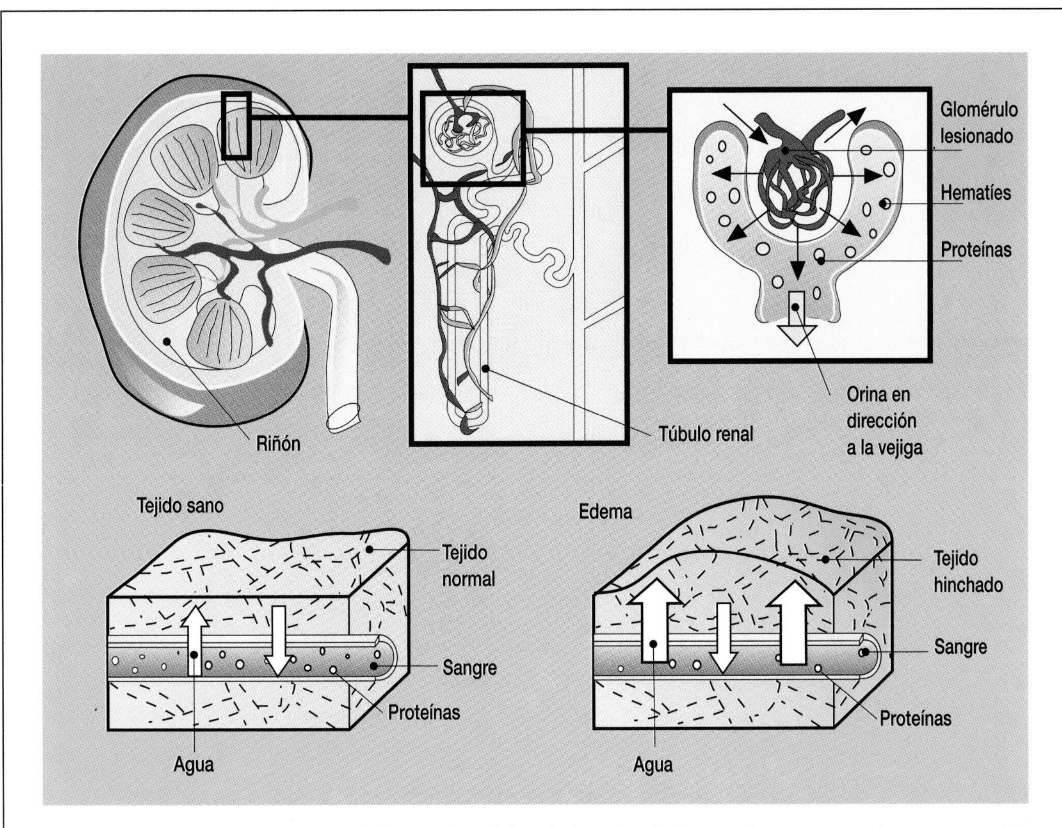

***La glomerulonefritis** es un proceso inflamatorio crónico de los glomérulos renales consecuente a una reacción inmunitaria anómala de diversos orígenes.*

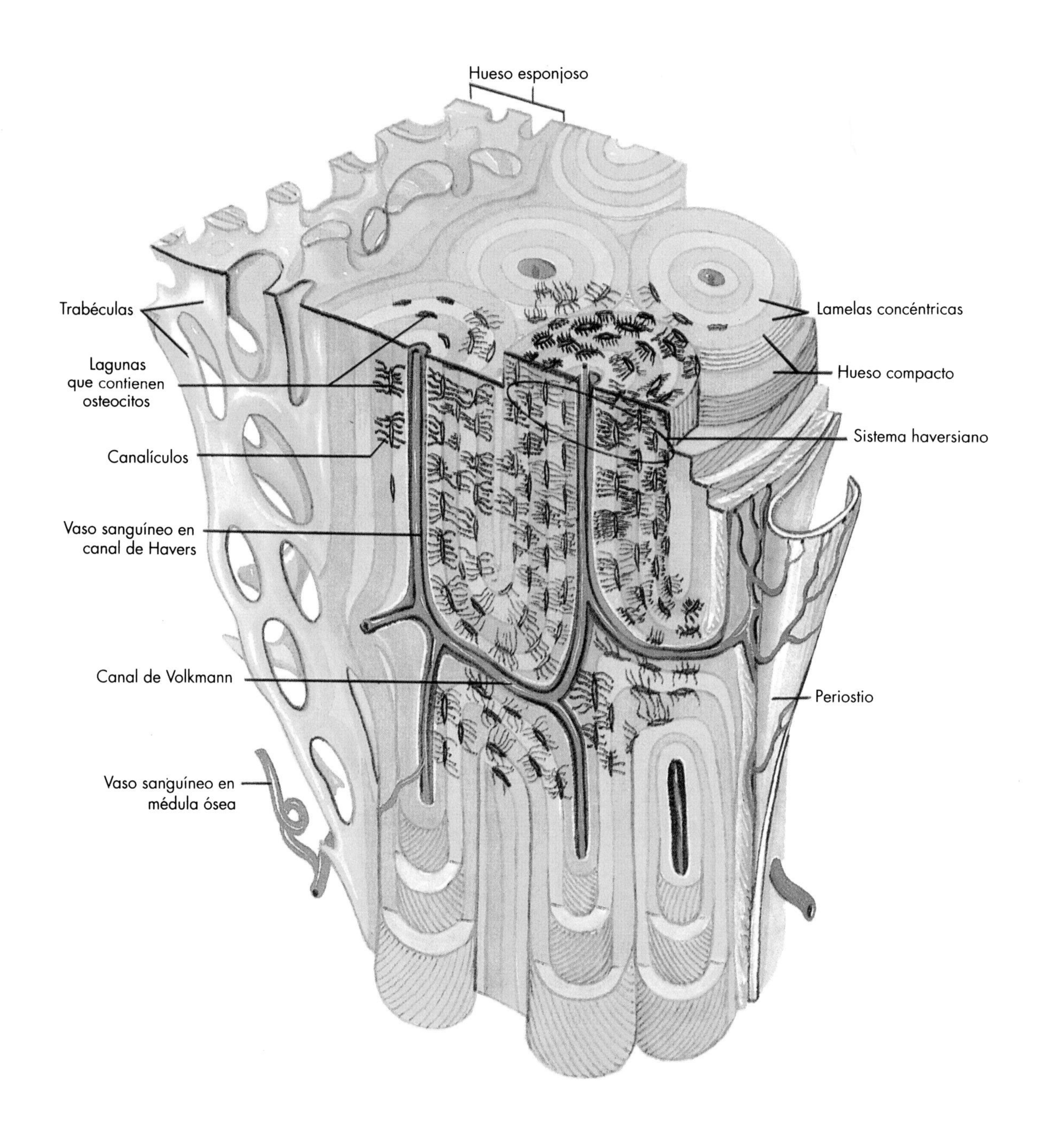

El tejido óseo está formado por infinidad de unidades (osteonas) y un intrincado sistema de canales que aseguran la llegada de sangre a todos los sectores de la matriz orgánica. El dibujo corresponde a un esquema tridimensional de un sector de tejido óseo compacto, donde se muestran varios sistemas de Havers, con las láminas concéntricas de sustancia osteoide, los canales de Havers, las lagunas y los canalículos; en la parte izquierda de la ilustración, esquema de tejido óseo esponjoso.

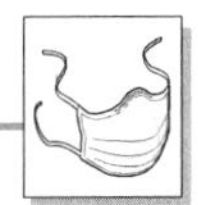

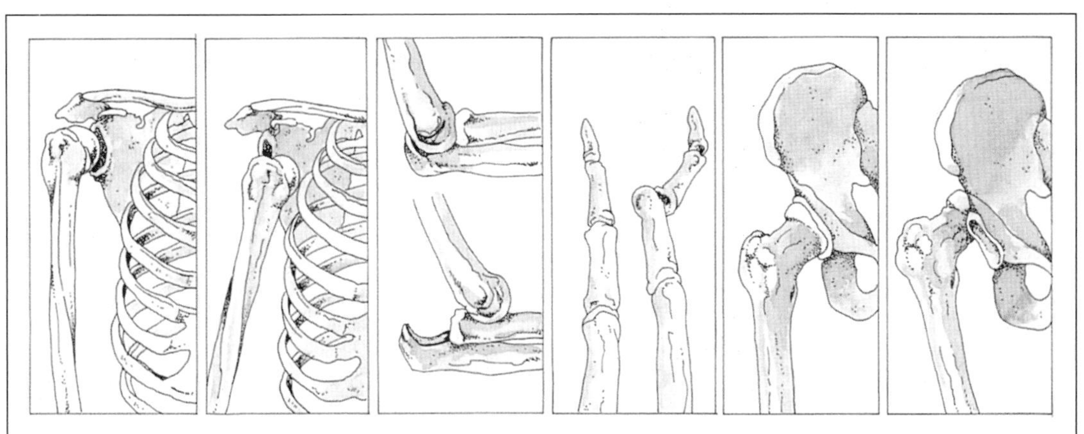

La luxación o dislocación corresponde al desplazamiento de las estructuras óseas que forman una articulación, con la consecuente pérdida de las relaciones normales de las superficies articulares. En estos dibujos se muestran de manera esquemática las luxaciones más frecuentes, ilustrando las características normales de la articulación y el resultado de la dislocación. De izquierda a derecha: luxación de hombro, luxación de codo, luxación interfalángica de un dedo de la mano y luxación de cadera.

- Véase EMQ: Aproximación general, postoperatorio; fracturas, consideraciones de enfermería.
- Véase TE: Tracción; yesos, cuidados de enfermería, dispositivos de fijación externa; férulas.

Meniscectomía y reparación ligamentosa de la rodilla

Descripción

Los meniscos son dos fibrocartílagos con forma de media luna interpuestos entre el fémur y la tibia que proporcionan una mayor estabilidad a la rodilla y distribuyen la presión de la carga del peso corporal en esta articulación. Los desgarros o roturas pueden producir bloqueo (limitación del movimiento) o inflamación persistente, y en estos casos puede ser necesaria una extracción parcial o total del menisco afectado. La meniscectomía puede acompañarse, o no, de la reparación de los ligamentos de la rodilla que también se hayan desgarrado. La intervención se realiza a menudo mediante una artroscopia, técnica que, por tanto, supone un procedimiento tanto de diagnóstico como de tratamiento quirúrgico (véase TE: Artroscopia).

Pruebas diagnósticas habituales

- Artroscopia (véase TE: Artroscopia).
- Resonancia magnética nuclear (véase TE: Resonancia magnética nuclear).
- Artrografía, empleando medio de contraste simple o doble.

Observaciones

En las lesiones del menisco:

- Tras la lesión hay dolor e inflamación, que al principio suele ser importante.
- Si la situación persiste, puede producirse la atrofia del cuádriceps.
- Se puede producir bloqueo o incapacidad para flexionar o extender por completo la rodilla, por presencia de un cuerpo libre intraarticular (menisco roto).

Consideraciones de enfermería

- Las órdenes referentes a la magnitud de flexión y al soporte de peso permitidos varían en dependencia del tipo de intervención quirúrgica. Se suelen dar las siguientes advertencias:
  1. Suele utilizarse un vendaje compresivo; sólo se debe volver a hacer la envoltura elástica. Se debe comunicar de inmediato al cirujano cualquier signo de derrame.

2. Puede aplicarse una férula de inmovilización o bien un yeso (véase TE: Férulas; vendajes; yeso).
3. En el postoperatorio se debe elevar la extremidad.
4. Se pueden hacer ejercicios para reforzar el cuádriceps. Muchas veces se ordena elevar la pierna en línea recta con pesos.
5. No es raro que el ejercicio postoperatorio ocasione dolor.
6. Debe vigilarse la aparición de complicaciones (*p.e.*, tromboembolismo, infección, disminución de la fuerza muscular y derrames frecuentes).

Osteomielitis

Descripción

La osteomielitis es una inflamación del hueso con afectación de la medula ósea, producida generalmente por el *Staphylococcus aureus*, aunque también puede ser originada por otros microorganismos. Los agentes que ocasionan la infección pueden penetrar en el hueso directamente a través de una herida abierta o proceder de una infección adyacente, y también pueden llegar hasta el hueso por vía hematógena. La osteomielitis crónica persiste meses o incluso años sin responder a los mecanismos de defensa fisiológicos o bien a la terapéutica antibiótica. En el curso de la infección se puede constituir una cavidad llena de pus entre el hueso y el periostio (*absceso óseo*). También puede producirse una isquemia que determine la formación de un área localizada de hueso muerto o necrótico (*secuestro*). Además, el periostio puede seguir generando un tejido óseo que rodea la lesión (*involucro*).

Pruebas diagnósticas habituales

- Análisis de sangre: casi siempre hay leucocitosis y puede estar elevada la velocidad de sedimentación globular.
- Hemocultivos: suelen resultar positivos en las primeras fases de la infección.
- Cultivo de muestras obtenidas del foco infeccioso mediante aspiración del hueso o de la articulación cercana.
- Radiografías: pueden evidenciar, o no, una afectación ósea y alteraciones de las partes blandas cercanas.
- Gammagrafía ósea: suelen revelar un marcado aumento de la captación de la sustancia radiactiva (véase TE: Gammagrafía).
- Tomografía axial computada (véase TE: Tomografía computada).

Observaciones

Osteomielitis aguda

- Fiebre y dolor de aparición brusca en el hueso afecto.
- Inflamación y sensibilidad sobre el hueso y movimientos de la articulación adyacente dolorosos.
- Aparición posterior de una inflamación sobre el hueso y la articulación.

Osteomielitis crónica

- Persistencia o recurrencia de abscesos óseos que «apuntan» y se rompen, para dar lugar a una fístula que supura de forma periódica.
- Aumentos bruscos de la temperatura y aparición de nuevas áreas dolorosas en los huesos o articulaciones, lo que indica la extensión o bien la formación de abscesos secundarios.

Tratamiento

- Suele ordenarse reposo absoluto en cama a los pacientes con osteomielitis aguda, así como inmovilización mediante férulas.
- Se puede prescribir una terapéutica antibiótica inmediata y a largo plazo dirigida contra el microorganismo causal. Normalmente se administra por vía EV o bien IM antes de que tenga lugar la necrosis ósea, pero también se puede instilar directamente en la herida.
- Debe comprobarse de forma periódica la sensibilidad del microorganismo responsable frente al antibiótico.
- La osteomielitis crónica puede requerir, además, el siguiente tratamiento:

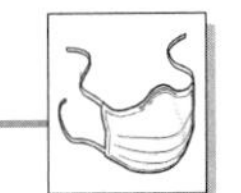

1. Puede hacerse una secuestrectomía o extracción del secuestro y del hueso neoformado alrededor (involucro), a veces en cantidades suficientes como para dejar una cavidad con forma de platillo volante. Pueden practicarse injertos con piel, hueso o músculo para llenar la cavidad.
2. Después de la incisión pueden dejarse en la herida tubos de succión o aspiración cerrada (*p.e.*, el sistema de tubos de Jergesen) y un drenaje para administrar periódicamente antibióticos directamente en el área del hueso infectada.
3. Puede requerirse inmovilización con el fin de disminuir el dolor y los espasmos musculares.

Consideraciones de enfermería

- Los huesos y las articulaciones requieren una manipulación cuidadosa, porque sus lesiones pueden resultar muy dolorosas.
- Puede que los cambios de los vendajes tengan que ser frecuentes. Es necesario llevar a cabo una técnica escrupulosamente aséptica.
- Muchas veces se requiere tomar precauciones de aislamiento de la herida y de la piel.

Politraumatismos

Descripción

Se trata de un cuadro consecuente a un accidente grave (accidentes de tráfico y laborales, precipitaciones y catástrofes), con lesiones en diversos órganos y sistemas, afectación del estado general y compromiso de las funciones vitales. Incluye fracturas y heridas y también alteraciones neurológicas, respiratorias y cardiocirculatorias que ponen en peligro la vida del paciente y requieren una atención de urgencia.

Pruebas diagnósticas habituales

El proceso diagnóstico puede incluir diversas pruebas (análisis de sangre y orina, radiología completa, ECG, etc.), pero los puntos clave a valorar son:

- Sistema nervioso: nivel de consciencia (respuesta verbal y reflejos pupilares), inspección de cabeza, cara, nariz y oídos (en busca de derrames de LCR), compromiso de nervios (alteraciones de la sensibilidad, parálisis).
- Aparato locomotor: heridas, luxaciones y fracturas simples, abiertas y complicadas.
- Función respiratoria: frecuencia y ritmo respiratorios, permeabilidad de las vías aéreas, expansión torácica, búsqueda de deformidades y heridas torácicas, sincronía de los movimientos respiratorios, signos de neumotórax a tensión.
- Función cardiovascular: actividad cardiaca, determinación de pulsos central y periféricos, presión arterial, búsqueda de hemorragias externas, signos de hemorragias internas y shock.

Observaciones

- Las posibles lesiones que presente el paciente politraumatizado son muy variadas, por lo que siempre debe darse prioridad a todas aquellas alteraciones críticas que comporten un peligro vital inmediato (fallo cardiaco o respiratorio, shock, etc.), postergando la atención de aquellas que no requieran un tratamiento tan urgente (heridas, fracturas, quemaduras).
- Antes de cualquier intento de traslado, en el lugar del accidente debe garantizarse la oxigenación de los pulmones y el mantenimiento de una perfusión sanguínea adecuada de los órganos vitales.
- Siempre debe pensarse en una posible lesión de columna vertebral antes de cualquier intento de movilización (movimiento en bloque).
- Es preciso efectuar una inmovilización provisional de las zonas afectadas para proceder al traslado, cubriendo las heridas con apósitos estériles para una posterior evaluación.
- Deben vigilarse permanentemente las constantes vitales durante todo el traslado, sin interrumpir la reanimación cardiopulmonar en caso de aplicarse.

Tratamiento

- Tratamiento de complicaciones inmediatas: paro cardiorrespiratorio, shock, hemorragias, neumotórax a tensión.

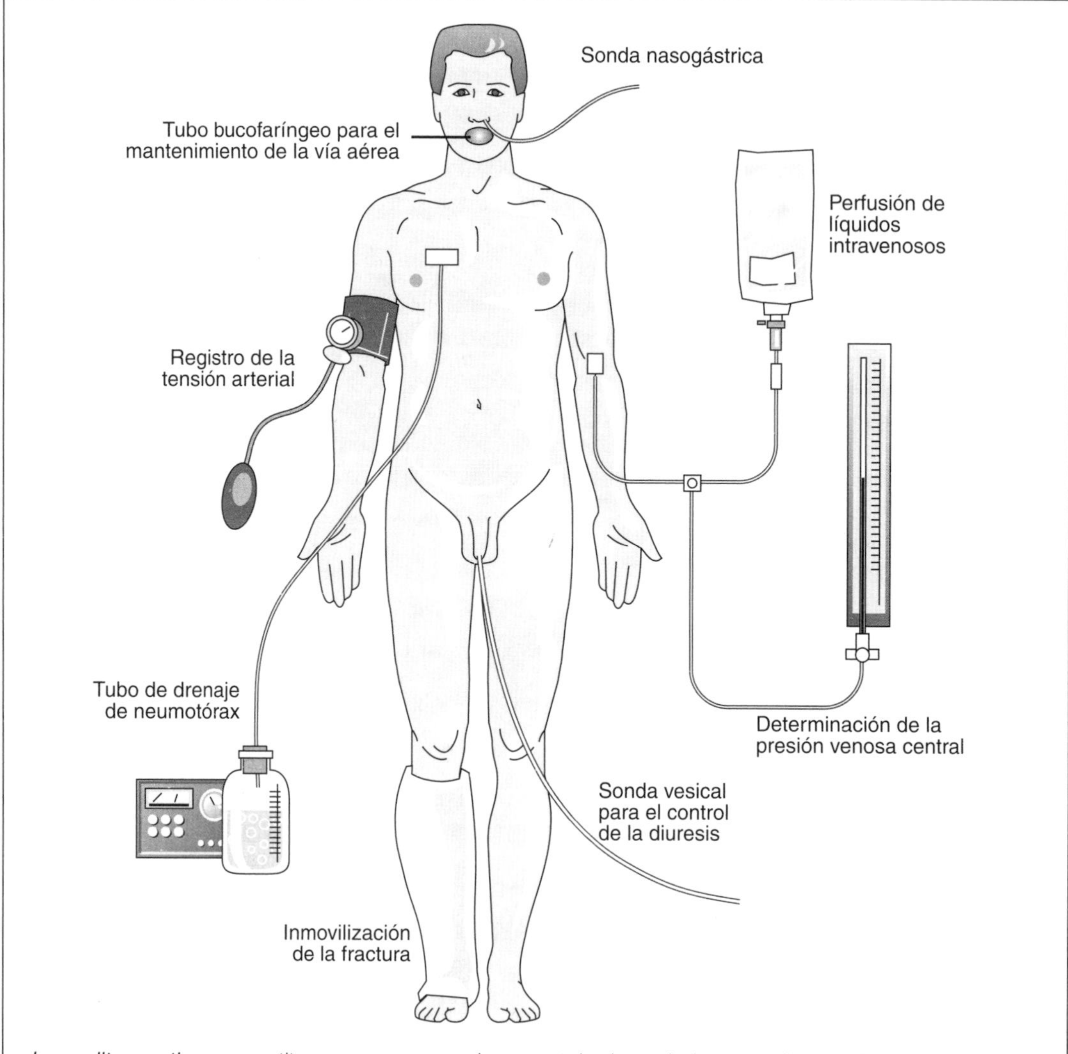

Los politraumatismos constituyen un severo cuadro caracterizado por lesiones en diversos órganos y sistemas, con afectación del estado general y compromiso de las funciones vitales, por lo que se requiere una actuación de urgencia que incluya diversas medidas asistenciales para que el paciente pueda superar la situación crítica. En la ilustración se señalan algunas de las principales actuaciones necesarias en el control y atención del paciente politraumatizado.

- Mantenimiento de la permeabilidad de las vías aéreas, oxigenoterapia y ayuda ventilatoria.
- Perfusión endovenosa.
- Inmovilización de fracturas.
- Tratamiento de heridas y lesiones, incluyendo cirugía cuando sea preciso.

Consideraciones de enfermería

- Si el enfermo está inconsciente, muévase con las debidas precauciones para evitar posibles lesiones medulares, vasculares o nerviosas en caso de fracturas. Hasta hacer una evaluación completa, y si no hay contraindicaciones, procúrese la inmovilización del paciente en decúbito supino con fijación de la cabeza, el cuello y las extremidades.
- Contrólense permanentemente las constantes vitales, incluyendo monitorización cardiaca y valoración neurológica.
- Aplíquense las medidas oportunas para asegurar la ventilación y oxigenación: oxigenoterapia,

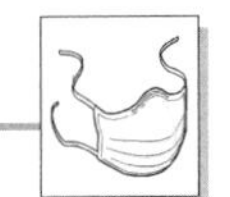

aspiración de secreciones, intubación endotraqueal o traqueotomía, ventilación mecánica.
- Instáurense vías venosas para perfusión EV, transfusiones y administración de medicamentos.
- Obténganse muestras de sangre venosa y solicítese hemograma, iones, glucemia, etc., así como tipificación y pruebas cruzadas.
- Obténganse muestras de sangre arterial para gasometrías.
- Practíquese un control regular de la presión venosa central (PVC) y monitorícense los signos de shock.
- Instáurense los sondajes oportunos: sondaje digestivo, para descompresión; sondaje vesical, para control de diuresis y detección de hematuria.

Prótesis articular

Prótesis total de cadera

Descripción

En la prótesis total de la cadera se implantan en el área del acetábulo y de la cabeza y cuello femorales dos partes unidas firmemente, generalmente mediante cemento óseo. Se realiza sobre todo para aliviar el dolor, pero se puede emplear así mismo para restaurar la función en los pacientes que presentan una afectación o lesión de la articulación de la cadera (*p.e.*, por una artritis o una necrosis aséptica de la cabeza femoral). Entre las complicaciones graves de la prótesis total de cadera cabe destacar la infección y la luxación de la cadera afecta.

Pruebas diagnósticas habituales

- Radiografías.
- Los análisis preoperatorios de sangre y orina incluyen el tipaje, pruebas cruzadas y tiempo de protrombina.
- ECG.

Tratamiento

- La cirugía consiste en la sustitución de la articulación de la cadera por elementos protésicos de material inerte, de distinto tipo.
- Veinticuatro horas antes de la intervención se puede indicar la administración de antibióticos por vía EV, que se continúan administrando durante varios días en el postoperatorio.
- Se pueden administrar anticoagulantes de forma profiláctica, para prevenir un embolismo pulmonar.

Consideraciones de enfermería

Preoperatorio

- La infección es una complicación de extrema gravedad:
  1. Se debe comunicar de inmediato cualquier signo de posible infección (*p.e.*, una infección respiratoria alta o del tracto urinario).

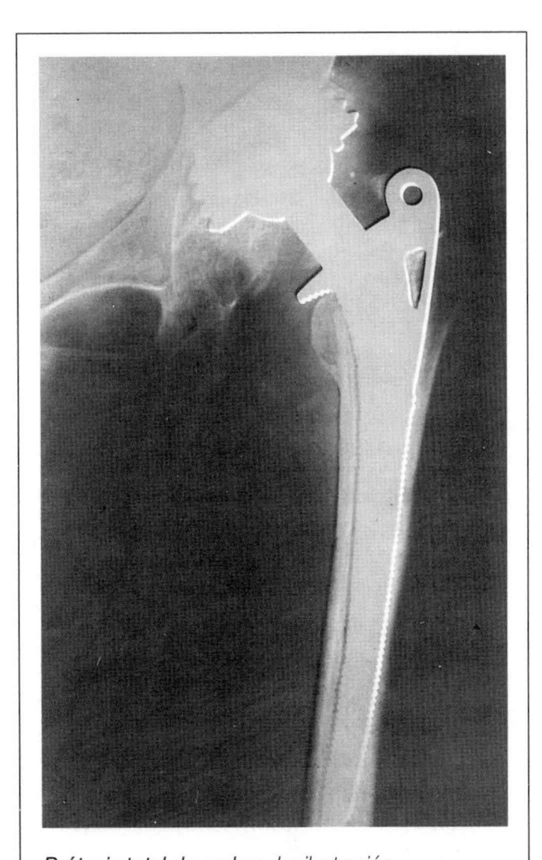

Prótesis total de cadera. *La ilustración corresponde a una radiografía practicada tras la intervención, donde se aprecian los dos componentes de la prótesis ya implantados en el acetábulo y en el fémur.*

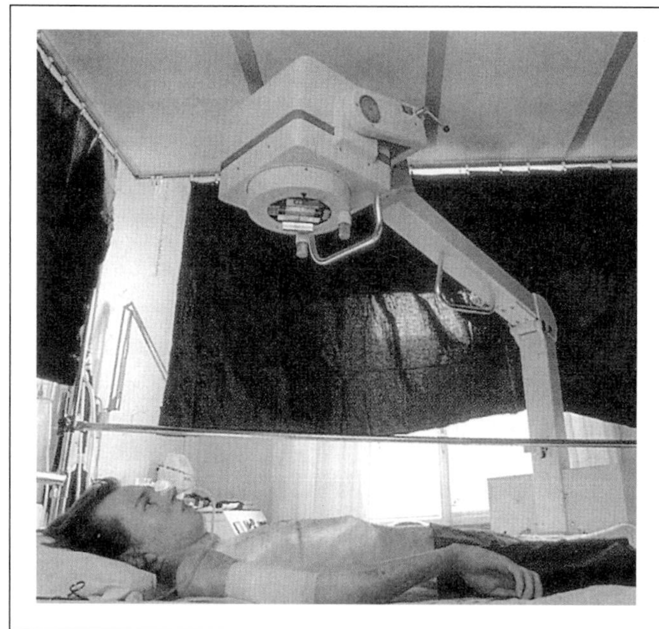

La sustitución de cadera tiene diversas indicaciones, entre las que destacan las fracturas de fémur graves y la artrosis de cadera en estado tan avanzado que dificulte o prácticamente impida la deambulación. La mayor parte de los pacientes que se someten a esta técnica son personas mayores, quienes pueden beneficiarse de la misma mejor que los individuos jóvenes, cuya mayor actividad no permite establecer la utilidad de la prótesis. En el postoperatorio, además de controlar la ausencia de complicaciones, es preciso seguir las indicaciones del cirujano sobre la limitación de los movimientos y las posiciones que puede adoptar el paciente en cada caso. En la fotografía, estudio radiológico efectuado para chequear la posición de la prótesis de cadera tras la intervención.

2. Si aparece una infección, se debe posponer la intervención quirúrgica.

- Debe limpiarse la piel y mantenerla en buenas condiciones. En general se prescriben aplicaciones antibacterianas en la zona a intervenir. A menos que se ordene otra cosa, el rasurado se suele realizar en el quirófano.
- El entrenamiento preoperatorio se debe acompañar de una preparación específica en lo que se refiere a lo que debe esperarse en el postoperatorio. (Véase EMQ: Aproximación general, preoperatorio.)

Postoperatorio

- Proporciónense los cuidados generales del postoperatorio (véase EMQ: Aproximación general, postoperatorio).
- La pérdida de sangre suele ser bastante importante; lo usual es efectuar una reposición. Asegúrese de que existe sangre de reserva, en caso de prescribirse. Con frecuencia se ordena una determinación de hematocrito y hemoglobina en la tarde del postoperatorio y a la mañana siguiente.
- Con frecuencia se deja un dispositivo de drenaje-aspiración en la proximidad de la herida. Monitorícese con detenimiento. Si el drenaje es superior a 100 ml en 4 horas, debe comunicarse al cirujano.
- Se deben comprobar a menudo los apósitos para determinar la cantidad de drenaje. Para tener una referencia de base, señálese el área del drenaje que se observa y anótese la hora en el vendaje con un rotulador indeleble.
- En el postoperatorio inmediato se pueden prescribir bolsas de hielo.
- Durante el primero y segundo días del postoperatorio se pueden administrar analgésicos para calmar el dolor. Si pasado este tiempo aparece un dolor importante, se considera signo indicativo de la existencia de algún problema.
- Se suele prescribir el uso de vendajes o medias antiembolismo, así como la utilización de un armazón elevado y un trapecio.
- Se debe proteger el talón de la pierna afecta, ya sea mediante un protector del talón o bien con un dispositivo que mantenga la pierna en posición colgante y el talón separado de la cama.
- El cirujano indicará de forma individual para cada paciente la limitación de los movimientos y las posiciones que puede adoptar. El objetivo es evitar la luxación de la cadera afecta manteniéndola en una posición de abducción (alejada de la línea media); de este modo se evita la rotación y la flexión de la cadera. Se suelen dar las siguientes indicaciones:

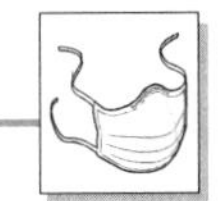

1. Suele colocarse una almohadilla de abducción entre las piernas del paciente. Las correas se deben colocar lo suficientemente flojas como para que no presionen el nervio peroneo (a unos 8 cm por debajo de la rodilla, en la cara externa). Otras formas de mantener la abducción son la tracción y la colocación de almohadas entre las piernas (véase TE: Tracción).
2. Utilícense unos fijadores de trocánter para evitar la excesiva rotación externa del fémur. Los dedos de los pies se deben dirigir hacia arriba.
3. La flexión de la cadera debe ser siempre inferior a 90°.
   a. Al principio, la cama se debe mantener plana durante la mayor parte del tiempo; la cabecera se puede elevar 45° a la hora de las comidas.
   b. Cuando se permite sentarse (durante poco rato al principio), el asiento de la silla o de la silla de ruedas debe elevarse con una almohada.
   c. Proporciónese un asiento inodoro elevado.
4. Debe ayudarse al paciente cuando se coloque sobre la cuña en la cama; procúrese que utilice el trapecio y mantenga la cadera parcialmente flexionada.
5. Para evitar la abducción de la cadera operada al trasladar al paciente desde la cama a la silla, ayúdese al paciente a salir de la cama con el lado intervenido por delante. No debe permitirse al paciente girar hacia el lado intervenido. Cuando vuelva a la cama, debe hacerlo con la pierna del lado intervenido por delante.
6. En la actualidad es una práctica frecuente girar hacia el lado afecto (aunque es discutible). La consideración primordial es que se debe mantener la abducción. Se necesitan dos enfermeras, puesto que una debe sostener toda la longitud de la pierna en una posición de abducción. Se debe utilizar una férula abductora o bien dos almohadas.
7. Al cuarto o quinto día del postoperatorio el cirujano puede ordenar mantener al paciente echado boca abajo con los pies en el borde de la cama varias veces al día o bien por la noche (para evitar la tensión o flexión de la cadera).

- Los programas de ejercicios en el período preoperatorio y postoperatorio suelen estar supervisados por el fisioterapeuta.
  La cantidad de peso a soportar se prescribe de forma individual. El paciente debe llevar unos zapatos que ajusten bien o zapatillas que lleven suelas que no resbalen.
- Las indicaciones que se dan al paciente al darle de alta para las primeras seis semanas son:
  1. Avanzar sobre el lado intervenido.
  2. No se debe abducir la cadera más allá de la línea media del cuerpo.
     a. No se deben cruzar las piernas.
     b. Dormir con una almohada entre las piernas.
  3. No se permite flexionar la cadera más de 90°.
     a. Se debe continuar elevando el asiento de la silla, el del inodoro y el del coche.
     b. No se permitirá conducir un coche hasta que el médico lo consienta.
  4. Apórtense al paciente consejos referentes a las relaciones sexuales.
  5. Se debe comunicar al cirujano ortopédico cualquier intervención quirúrgica que se haya programado, inclusive las extracciones dentales.

Complicaciones postoperatorias

Además de los signos de complicaciones generales postoperatorias (véase EMQ: Aproximación general, postoperatorio; postoperatorio, complicaciones) debe vigilarse lo siguiente:

1. Signos indicativos comunes de infección: elevación de la temperatura y enrojecimiento o supuración en el punto de la herida.
2. Signos de luxación de la prótesis: incapacidad de rotar la cadera hacia el interior y el exterior, incapacidad para soportar pesos, acortamiento de la pierna afecta y aumento del dolor.

PRÓTESIS TOTAL DE RODILLA

Descripción

La sustitución total de la rodilla está indicada cuando existe dolor crónico, limitación de la función articular y deformidad, en general como resultado de una enfermedad articular

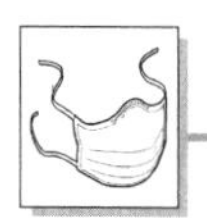

degenerativa o bien de artritis reumatoide (véase EMQ: Musculoesquelético, artritis; artrosis).

Consideraciones de enfermería

Preoperatorio

- Véase EMQ: Aproximación general, preoperatorio.
- En general, el programa preoperatorio, que a menudo se realiza bajo la supervisión del fisioterapeuta, incluye lo siguiente:
  1. Contracciones isométricas del cuádriceps, inmovilización y elevación de la pierna estirada.
  2. Movilizaciones de dorsiflexión y flexión plantar, así como de circunducción (derecha e izquierda).
  3. Instrucción en el cuidado y en el uso de caminador, muletas y bastón.

Postoperatorio

- Véase EMQ: Aproximación general, postoperatorio.
- Los protocolos en cuanto al tratamiento postoperatorio de la rodilla varían. Se puede utilizar cualquiera de los métodos que siguen:
  1. Puede colocarse un yeso ligero que permita la extensión para aliviar la presión (véase TE: Yesos, cuidados de enfermería).
  2. Puede emplearse un inmovilizador de la rodilla fabricado con material de lienzo fuerte, un soporte de metal duro y tiras de velcro con hebillas que se puedan ajustar.

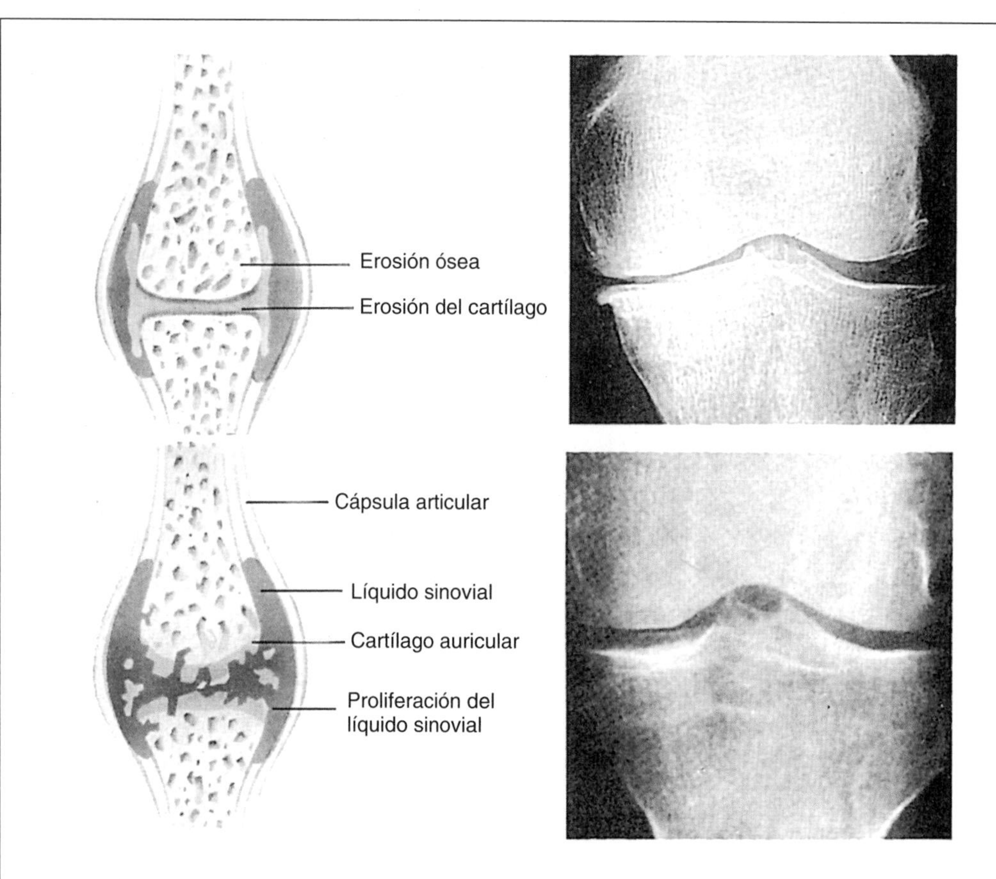

La prótesis total de rodilla *suele implantarse en personas mayores que padecen dolor crónico, limitación de los movimientos y deformidad de la articulación como consecuencia de una artrosis (dibujo y radiografía de arriba) o de una artritis reumatoide (dibujo y radiografía de abajo), que son las principales indicaciones para la sustitución total de la rodilla.*

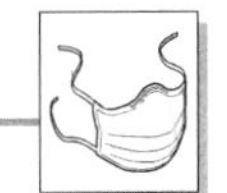

Pueden establecerse períodos de tiempo para retirarlo (véase TE: Férulas).

3. Tras la cirugía puede usarse una máquina de movimiento pasivo continuo, para flexionar y extender la nueva articulación de la rodilla de una forma automática.
   a. La pierna debe estar correctamente alineada con la máquina.
   b. Evítese un compromiso de la circulación con las tiras de velcro que fijan la rodilla en posición.
   c. Debe estarse alerta a posibles signos de una pérdida de continuidad de la piel; en caso de advertir erosiones, debe comunicarse.

- Elévese la rodilla, para reducir la inflamación, mediante la elevación de los pies de la cama. Los pies deben estar al mismo nivel o bien a un nivel más alto que la rodilla. La rodilla debe estar más alta que el corazón. Debe protegerse el talón de la presión.
- Aspiración cerrada de la herida. Durante las primeras 24 horas se pueden recoger más de 500 ml de drenaje. En general, el sistema se retira aproximadamente a las 48 horas o bien cuando el drenaje ha cesado.
- A menudo se prescribe colocar bolsas de hielo a los lados de la rodilla.
- Suele prescribirse de forma rutinaria una media elástica para la pierna indemne.
- Se deben seguir las líneas guía para la deambulación y la práctica de ejercicios según se ordene. Para obtener el mayor éxito es sumamente importante realizar un programa de ejercicios como el que se inició en el preoperatorio.
- Se debe recomendar a los pacientes evitar la obesidad y la actividad excesiva, ya que ambos son factores que contribuyen al fracaso de la prótesis.

Quimionucleólisis

Descripción

La quimionucleólisis consiste en la inyección de un agente enzimático (quimopapaína) en el disco intervertebral, procedimiento empleado en el tratamiento de la hernia discal. La enzima disuelve el núcleo pulposo del disco y con ello disminuye su volumen, con lo cual también disminuye la presión que puede ejercer el disco herniado sobre los nervios espinales o el canal raquídeo. Esta técnica se utiliza como tratamiento alternativo a la laminectomía en aquellos pacientes con hernia discal que no responden al tratamiento conservador (véase EMQ: Musculoesquelético, laminectomía, fusión raquídea, exéresis discal). La inyección se realiza en el quirófano, bajo control fluoroscópico. Aproximadamente en el 75% de los pacientes se aprecia una mejoría de los síntomas.

La quimionucleólisis está contraindicada en los niños, cuando hay un aumento rápido del déficit neurológico, ante cualquier trastorno intestinal o de la vejiga urinaria, en el embarazo y/o si existe una velocidad de sedimentación globular superior a 20 en las mujeres, si hay antecedentes de alergia a los derivados de la papaya en un tratamiento previo con quimopapaína y si hay una espondilosis lumbar extensa o cirugía previa en esta zona.

Pruebas diagnósticas habituales

- Radiografía; a veces con mielografía de contraste.
- Tomografía computada.
- Electromiografía.
- Test hematológico para detectar una posible reacción alérgica a la enzima.

Observaciones

- La historia de alergia a cualquier derivado de la papaya es una contraindicación para este tratamiento.

Preinyección

- El paciente con hernia discal puede presentar los siguientes síntomas:
  1. Dolor de pierna severo que no cede (ciática).
  2. Dolor de espalda que se exacerba por la presión intraabdominal: tos, movimientos y estornudos.
  3. Falta de respuesta al tratamiento conservador: reposo en cama, tracción, analgesia, fisioterapia y colchón duro.

4. Signos continuos de irritación de la raíz nerviosa (*p.e.*, prueba positiva al levantar la pierna en extensión).

Postinyección

- A pesar de que los espasmos de la espalda mejoran desde el décimo día a las 3 semanas tras la inyección, a menudo el dolor de espalda y la rigidez tardan varias semanas en remitir.
- Pueden aparecer signos de reacción alérgica a la quimopapaína, que incluyen desde rash, urticaria, edema, náuseas y vómitos y diarrea hasta anafilaxis con insuficiencia respiratoria y shock vascular (hipotensión profunda, arritmias, pérdida de conciencia y paro cardiaco). Las primeras dos horas y media se consideran las más críticas, aunque los síntomas pueden aparecer después de 24 horas de la inyección.
- Puede haber déficits neurológicos, sobre todo incapacidad para defecar, pérdida del control intestinal y vesical o insensibilidad y hormigueo en las extremidades.

Consideraciones de enfermería

Preoperatorio

- Deben disponerse los medicamentos habituales para el tratamiento de una posible reacción anafiláctica. Solicitar instrucciones.

Postoperatorio

- Es de esperar una amplia variedad en las respuestas a la quimionucleólisis. La rigidez y la inflamación pueden continuar durante varias semanas.
- En general se prescribe reposo en cama de 4 a 48 horas, dependiendo de la preferencia del médico y de la comodidad del paciente y su capacidad para la micción.
- Suele resultar más cómodo para el paciente adoptar la posición de semi-Fowler o que se tienda de lado inmediatamente después de la inyección.
- Generalmente se requieren analgésicos narcóticos para calmar el dolor.
- Se pueden prescribir relajantes musculares.
- La deambulación puede postergarse hasta que ceda el dolor severo y los espasmos musculares.
- El calor, las duchas calientes, o los masajes con hielo pueden aliviar las molestias.
- Técnicas saludables para el cuerpo.
  1. Debe enseñarse a los pacientes a salir de la cama desde una posición de lado y con las rodillas juntas.
  2. Cuando el paciente esté de pie, debe descansar la pierna afecta lo máximo posible.
  3. Debe limitarse el estar sentado de 20 a 30 minutos cada vez, en una silla dura y con el respaldo recto.
  4. Durante varias semanas el paciente debe evitar levantar pesos e inclinarse.
  5. Se puede prescribir un tirante de espalda o un corsé.
  6. Pueden prescribirse ejercicios después de 3 semanas.
- El alivio puede darse de 48 a 72 horas después de la inyección.

Tejido conjuntivo, enfermedades del

Diversas enfermedades se caracterizan por una alteración inflamatoria del tejido conjuntivo y cursan con múltiples trastornos en diferentes sectores del organismo, provocando una amplia sintomatología en el aparato locomotor, motivo habitual de consulta médica. Entre las mismas, cabe destacar el lupus eritematoso sistémico, la esclerodermia y la dermatomiositis

Lupus eritematoso sistémico

Descripción

El lupus eritematoso sistémico (LES) es una enfermedad inflamatoria crónica del tejido conjuntivo que provoca lesiones y manifestaciones en articulaciones, piel, pulmones, riñones, aparato digestivo, aparato cardiovascular y sistema nervioso. Su etiología se desconoce, aunque al parecer existe cierta predisposición genética hereditaria. Se considera un trastorno autoinmune, con la formación de inmunocomplejos que lesionan los tejidos. En ocasiones la reacción inflamatoria se desencadena tras una exposición a radiaciones

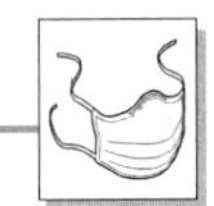

ultravioletas o por la administración de diversos medicamentos (*p.e.*, hidralacina, procainamida, isoniacida, difenilhidantoína).

Pruebas diagnósticas habituales

- Análisis de sangre. Los hallazgos habituales son: anemia, disminución de leucocitos y plaquetas, VSG elevada.
- Pruebas inmunológicas específicas: pruebas de fijación de complemento, cuantificación de inmunoglobulinas y de anticuerpos antinucleares (anti-ADN), determinación de células LE.

Observaciones

- Cursa con períodos de exacerbación, de duración variable, y períodos de remisión, a veces muy prolongados. La sintomatología es muy diversa y de evolución impredecible.
- En las crisis se desarrollan síntomas generales inespecíficos: astenia, anorexia, fiebre, pérdida de peso, etcétera.
- A nivel del aparato locomotor, el LES provoca una artritis, principalmente en manos, muñecas y tobillos, que puede pasar de una localización a otra. El dolor puede ser muy intenso y comportar impotencia funcional.
- En la piel, se producen erupciones eritematosas de inicio súbito en áreas expuestas al sol (cara, cuello, extremidades), siendo característico el «eritema en alas de mariposa», sobre la nariz y las mejillas. Durante las fases agudas se produce una alopecia reversible.
- Otras posibles manifestaciones corresponden a la afectación de los distintos sistemas orgánicos:
  1. Sistema nervioso: neuropatía periférica, con parestesias, paresias y parálisis transitorias; convulsiones epileptoides; trastornos psíquicos.
  2. Riñón: glomerulonefritis, con hipertensión y edemas.
  3. Aparato respiratorio: pleuritis y derrame pleural; neumonitis.
  4. Corazón: episodios de dolor torácico; pericarditis.
  5. Aparato digestivo: dolor abdominal, náuseas y vómitos.

Tratamiento

- Administración de ácido acetilsalicílico, antiinflamatorios no esteroideos y corticoides.
- Administración de antipalúdicos.
- Administración de inmunosupresores.

Consideraciones de enfermería

- En los períodos de agudización, adminístrese la medicación prescrita y elabórese un plan de fisioterapia articular para prevenir atrofias y rigideces (véase TE: Fisioterapia articular).
- Alíviese el dolor mediante la administración de medicación analgésica y antiinflamatoria y adóptense todas las medidas oportunas para favorecer el bienestar del paciente, brindando un adecuado apoyo emocional.
- Trátense todas las lesiones cutáneas que presente el paciente, según prescripción. Límpiese las zonas afectadas con agua fría y jabón neutro, actuando con cuidado para no provocar lesiones cutáneas.
- Instrúyase al paciente sobre los hábitos de vida más favorables para controlar la evolución de la enfermedad. Insístase en la necesidad de evitar esfuerzos físicos exagerados y en mantener un buen reposo, con un mínimo de diez horas de descanso nocturno y otros períodos de inactividad durante el día (siesta). Destáquese la importancia de evitar exposiciones prolongadas al sol y de usar filtros solares.
- Insístase en la importancia de respetar las indicaciones del tratamiento farmacológico durante los períodos de remisión, advirtiendo que la interrupción brusca de la medicación puede desencadenar nuevos brotes. Explíquese al paciente la necesidad de consultar al médico antes de administrarse cualquier fármaco no prescrito, advirtiendo que numerosos medicamentos pueden precipitar una agudización.

ESCLERODERMIA

Descripción

La esclerodermia es una enfermedad crónica de origen desconocido, posiblemente producida por un trastorno autoinmune, que pro-

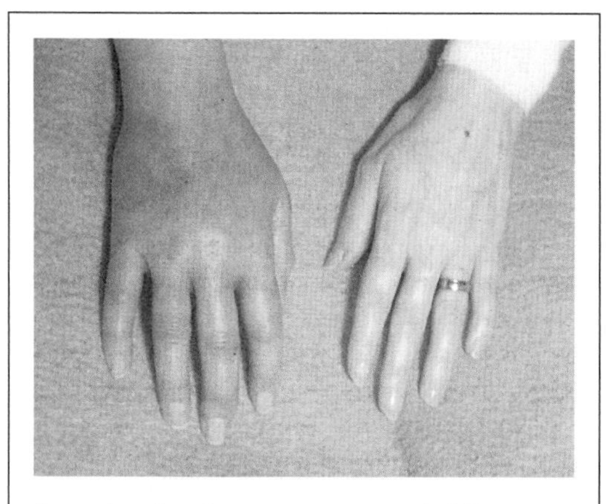

La esclerodermia provoca una característica alteración en la piel (especialmente en cara y manos), que adquiere una tonalidad brillante y se vuelve más gruesa, como puede verse en la mano de la izquierda, junto a una mano normal.

voca inflamación difusa y posterior fibrosis, endurecimiento y atrofia del tejido conjuntivo, con afectación de piel, músculos y articulaciones, y también del aparato digestivo, pulmones, corazón y riñones.

Pruebas diagnósticas habituales

- Análisis inmunológicos.
- Biopsia de piel.
- Capilaroscopia (estudio microscópico de los vasos periungueales).

Observaciones

- La enfermedad puede cursar con períodos alternantes de exacerbación y remisión o bien tener una evolución progresiva.
- A nivel articular, la esclerosis del tejido conjuntivo provoca dolor y rigidez, especialmente en los dedos de las manos y en las rodillas, con progresivo deterioro de la movilidad.
- La afectación muscular provoca pérdida de fuerza, especialmente en brazos y piernas.
- En la piel se produce una inflamación difusa que se sigue de una fase de endurecimiento o acartonamiento y posterior atrofia cutánea. La esclerosis de la piel provoca contracturas en los dedos y da lugar a una fascies de inexpresividad característica.
- Suele estar presente el fenómeno de Raynaud, con la aparición súbita de sensación de hormigueo o dolor y palidez en los dedos de las manos tras la exposición al frío o contacto con agua fría.
- La afectación del aparato digestivo (esófago, intestino) se manifiesta con disfagia, pirosis, dolor y distensión abdominal, desaceleración del tránsito intestinal y malabsorción.
- La afectación pulmonar se caracteriza por disnea de esfuerzo; en fases avanzadas aparece una infiltración fibrosa del tejido pulmonar.
- La afectación cardiaca se traduce en alteraciones electrocardiográficas leves, pero en fases avanzadas origina un fallo funcional global.
- La afectación renal provoca hipertensión arterial.

Tratamiento

- Administración de antiinflamatorios, corticoides, antipalúdicos y otros medicamentos, según la evolución particular en cada caso.
- El fenómeno de Raynaud se trata con vasodilatadores.
- Fisioterapia.
- Tratamiento sintomático y de complicaciones.

Consideraciones de enfermería

- Adviértase al paciente que debe protegerse del frío y evitar el contacto directo de las manos con agua fría (utilización de guantes).
- Indíquese que el tabaquismo y las situaciones de estrés pueden empeorar el curso de la enfermedad.
- Destáquese la importancia de efectuar ejercicio físico moderado para mantener una adecuada movilidad de las articulaciones afectadas. Elabórese un plan de ejercicios físicos.
- Aconséjese el respeto del seguimiento y los controles periódicos, con estricto cumplimiento de las indicaciones médicas.

Dermatomiositis

Descripción

La dermatomiositis es una enfermedad crónica de tipo autoinmune caracterizada por

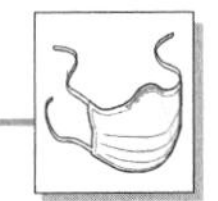

inflamación del tejido conjuntivo y lesiones en piel y músculos, especialmente los de pelvis y hombros.

Pruebas diagnósticas habituales

- Análisis de sangre (elevación de creatininfosfoquinasa o CPK).
- Biopsias de piel y músculo.
- Electromiografía (véase TE: Electromiograma).

Observaciones

- Puede haber un inicio súbito, con fiebre elevada, debilidad muscular y dolores articulares, o bien un comienzo lento y progresivo, con desarrollo paulatino de las lesiones.
- La afectación de los músculos es simétrica, primero los de pelvis y piernas, y después los de hombros y brazos, con debilidad progresiva y, a veces, dolor. En fases avanzadas pueden producirse depósitos de calcio en los músculos afectados (calcinosis).
- En la piel se producen lesiones inflamatorias eritematosas en la cara (párpados) y descamación en codos, rodillas y tobillos.
- Pueden afectarse los músculos del esófago (disfagia), así como el corazón, los riñones y los pulmones.
- Puede haber inflamación y dolor en articulaciones de la mano, rodillas y tobillos.

Tratamiento

- Administración de antiinflamatorios, corticoides e inmunosupresores.
- Fisioterapia.

Consideraciones de enfermería

- Elabórese un plan de fisioterapia con el asesoramiento del especialista.
- Bríndese un adecuado apoyo emocional al paciente e insístase en la importancia de seguir el plan de ejercicios para evitar secuelas (retracciones musculares).
- Aconséjese el cumplimiento de las pautas terapéuticas indicadas por el médico, cuyo seguimiento permite controlar los síntomas del trastorno en la mayor parte de los casos.

Cambios producidos por la edad en el sistema musculoesquelético

- El envejecimiento de los huesos se caracteriza por una desmineralización y pérdida de matriz ósea. El tejido óseo pierde calcio, mineral que pasa al torrente sanguíneo. La masa ósea total disminuye y el hueso se hace cada vez más poroso y frágil (osteoporosis). La pérdida de hueso es superior en las mujeres que en los hombres.
- Se produce cierto grado de colapso de los huesos de la columna vertebral, lo que ocasiona una disminución de altura en el individuo anciano. Es posible que se produzca una encorvamiento de la columna (cifosis), y esto puede dar lugar a una modificación del centro de gravedad. Las piernas y los brazos pueden aparentar ser más largos en relación con el tronco, que se ha acortado o encorvado.
- Con el envejecimiento se produce una pérdida progresiva de masa muscular. Disminuye el diámetro y número de fibras musculares, y además las fibras musculares son sustituidas por grasa y colágeno.
- La mayor parte de las enzimas reducen su actividad con el envejecimiento, sobre todo las que intervienen en la liberación de energía durante la contracción muscular.
- En las articulaciones, el cartílago se vuelve más amarillo, frágil, y se puede desgastar, permitiendo que un hueso friccione con el otro. Puede producirse neoformación ósea, lo cual facilita la propensión a las fracturas.
- La membrana sinovial se hace más rígida, como resultado del depósito de calcio y de colágeno, y se reduce la nutrición de la zona. El líquido sinovial se hace menos viscoso y más acuoso.
- Los ligamentos pierden elasticidad y, debido a ello, las articulaciones se hacen menos estables. Como consecuencia de la relajación de los ligamentos se puede producir una ligera flexión de la rodilla y del codo.

Consecuencias

- Los cambios que se producen con el envejecimiento predisponen el individuo a sufrir

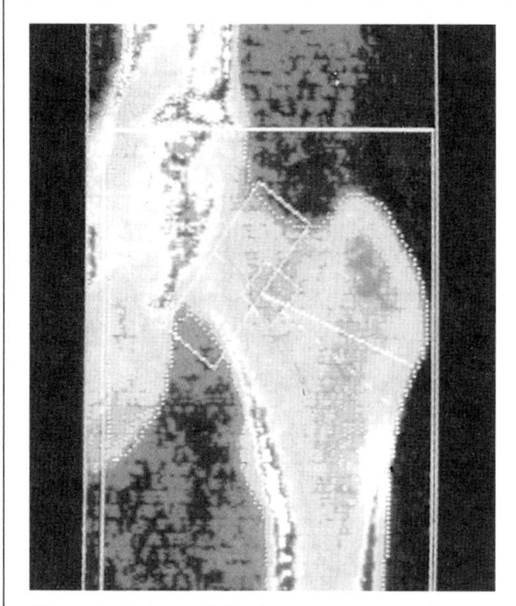
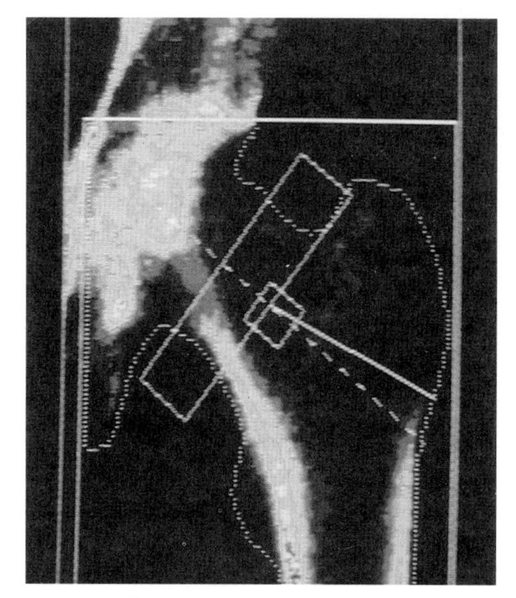

El envejecimiento de los huesos se caracteriza por una desmineralización y pérdida de matriz ósea, con una disminución de la masa ósea total (osteoporosis). Las ilustraciones corresponden a una densitometría ósea: a la izquierda, puede observarse una cabeza de fémur normal; a la derecha, imagen de una cabeza de fémur con osteoporosis, donde se evidencia la reducción de la masa ósea.

fracturas incluso tras una caída que en apariencia sea de «poca importancia». Las consecuencias de la inmovilidad derivada del tratamiento de fracturas son muy importantes, dado que otros sistemas del organismo (*p.e.*, el aparato circulatorio o el respiratorio) pueden tener una capacidad de reserva mínima para tolerar las limitaciones que se requieren en el período de rehabilitación. Además, la privación sensorial y el aislamiento pueden dar lugar a alteraciones del comportamiento y de la alerta mental. La pérdida de la independencia funcional puede ser devastadora para el paciente anciano, lo que puede requerir un cambio temporal o permanente de residencia al domicilio de un pariente o bien a un centro geriátrico donde puedan brindarle cuidados de enfermería.

- En los individuos ancianos existe una pérdida de la fuerza muscular progresiva y también de la velocidad de los movimientos. Se alarga el tiempo de reacción (que se produce también como consecuencia de los cambios que tienen lugar en el sistema nervioso con el envejecimiento), y por ello la persona anciana puede experimentar fatiga muscular y flaccidez. Así mismo, el deterioro de la coordinación muscular puede aumentar el riego de sufrir accidentes y lesiones.
- Para toda persona resulta de importancia vital el ejercicio, sea cual sea su edad, pero una adecuada actividad física puede ser crucial para el paciente anciano. El ejercicio regular puede ayudar a mantener la movilidad articular y a retrasar la atrofia muscular. Muchas comunidades tienen un programa de ejercicios en grupo para los ancianos, lo que proporciona, además del ejercicio necesario, una interacción social muy valiosa.
- La persona anciana puede aceptar o dar poca importancia a las molestias y dolores, como si fueran un problema normal relacionado con la edad, puesto que son frecuentes los comentarios en este sentido de sus compañeros. Además, las molestias pueden instaurarse de forma insidiosa y se tienden a subestimar. Sin embargo, tales molestias pueden corresponder a un problema patológico tratable, que requiere ser valorado. Por ello, se debe alentar a las personas mayores a que comenten sus problemas y se realicen chequeos con regularidad.

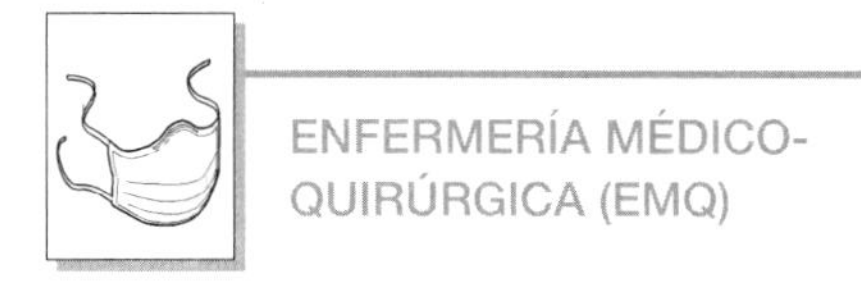

15

Respiratorio

Diagnósticos de enfermería asociados a las enfermedades del sistema respiratorio

Véase capítulo Diagnóstico de enfermería:

- Deterioro del intercambio gaseoso.
- Limpieza ineficaz de las vías aéreas.
- Patrón respiratorio ineficaz.
- Dificultad para mantener la ventilación espontánea.
- Respuesta disfuncional al destete respiratorio.
- Alto riesgo de asfixia.
- Alto riesgo de broncoaspiración.
- Alteración de la comunicación verbal.
- Fatiga.

Atelectasia

Descripción

La atelectasia consiste en la ausencia de aire en los alvéolos de un sector del parénquima pulmonar como consecuencia de una obstrucción o de una compresión de las vías aéreas (bronquios o bronquiolos) que ventilan la zona afectada. Entre las causas probables, cabe destacar la acumulación de secreciones mucosas intrabronquiales en el postoperatorio, la impactación de un cuerpo extraño, el asma bronquial, la bronquitis crónica y los tumores broncopulmonares. Las consecuencias dependen de la extensión del área pulmonar privada de ventilación. Si la zona afectada mantiene su perfusión, pero sin ventilación, la sangre que pasa por los correspondientes vasos sanguíneos no se oxigena y vuelve a la circulación con el mismo contenido de oxígeno y dióxido de carbono, constituyéndose un cortocircuito derecha-izquierda que puede comportar cierto grado de hipoxemia. Cuando la atelectasia se debe a una compresión que también impide la perfusión sanguínea de la zona, se habla de *colapso pulmonar*; en este caso, las consecuencias dependen de la extensión de la zona privada de ventilación y perfusión, pero no se produce cortocircuito derecha-izquierda. Habitualmente, la atelectasia comporta el progresivo desarrollo de colapso pulmonar, ya que ante la disminución de la ventilación se produce un reflejo de vasoconstricción que reduce la perfusión en la zona; en estos casos, pasado un tiempo de evolución mejora la hipoxemia.

Pruebas diagnósticas habituales

- Radiografía de tórax
- Broncoscopia (véase TE: Endoscopia).
- Gasometría arterial (véase TE: Gasometría arterial).

Observaciones

- Las manifestaciones dependen de la rapidez con que se instaure la atelectasia (aguda o crónica) y de la extensión de la zona afectada.
- La atelectasia aguda significativa se manifiesta con disnea, respiración rápida y superficial, posible dolor torácico y taquicardia. Si la zona privada de ventilación es muy extensa, puede aparecer cianosis.
- La atelectasia postoperatoria suele ser masiva y presentarse durante las 24 horas siguientes a la intervención, aunque también puede desarrollarse durante los tres días siguientes, precedida de signos de bronquitis (tos y expectoración).
- En los casos graves, se establece un cuadro de insuficiencia respiratoria.

Tratamiento

- Fisioterapia respiratoria y drenaje postural (véase TE: Fisioterapia respiratoria; drenaje postural).
- Oxigenoterapia (véase TE: Oxigenoterapia).
- Administración de antibióticos.
- Cirugía, en los casos necesarios.

Consideraciones de enfermería

- Deben adoptarse las precauciones oportunas para evitar el desarrollo de atelectasias postoperatorias, especialmente tras operaciones de tórax y abdomen:
  1. Aliviar el dolor, para que el paciente no inhiba la tos, pero evitando el uso de fármacos anestésicos que disminuyan el reflejo tusígeno.
  2. Potenciar la ingesta de líquidos, para fluidificar las secreciones bronquiales.
  3 Indicar al paciente que efectúe cambios posturales frecuentes, o practicar una movilización pasiva cuando no esté en condiciones de realizarlos por sus propios medios.
  4. Si conviene, emplear nebulizadores para fluidificar las secreciones bronquiales.
  5. Enseñar y controlar la práctica de ejercicios de fisioterapia respiratoria. Estimular la tos y la expectoración, así como la respiración profunda, mediante las técnicas oportunas (véase TE: Fisioterapia respiratoria)
  5. Potenciar la deambulación precoz.
  6. Si conviene, efectuar aspiración de secreciones (véase TE: Aspiración oro-naso-faringo-traqueal).
  7. Evitar, dentro de lo posible, los vendajes compresivos en el tórax o la parte alta del abdomen.
- La aparición de fiebre en un paciente con atelectasia es indicativa de infección de la zona pulmonar lesionada. Consúltese con el médico la conveniencia de instaurar un tratamiento antibiótico.
- Respétese la técnica estéril en la aspiración de secreciones de un paciente con atelectasia, teniendo en cuenta que las secreciones retenidas pueden infectarse con facilidad.
- Si aparecen cianosis o signos de insuficiencia respiratoria aguda, procédase a una inmediata oxigenoterapia.

Cáncer broncopulmonar

Descripción

El cáncer broncopulmonar es el tumor maligno más frecuente en el sexo masculino y uno de los más importantes en el femenino, y su incidencia en ambos sexos muestra un progresivo aumento en los últimos años. En el pulmón se pueden asentar tumores malignos primarios, siendo el bronquio el sitio de aparición más común (por lo que el cáncer broncopulmonar o de pulmón también se conoce como cáncer broncogénico), y también tumores secundarios (metástasis) procedentes de focos primarios en otros órganos. A su vez, el cáncer de pulmón frecuentemente metastatiza en hígado, hueso, cerebro y glándula suprarrenal. Los distintos tipos de cáncer broncopulmonar se clasifican según el tipo histológico que se identifica por examen microscópico de material de biopsia, y también se atiende a los distintos estadios según la extensión (clasificación TMN). Los cuatro tipos fundamentales son:

- Carcinoma de células escamosas o carcinoma epidermoide. Es el tipo más frecuente (50-

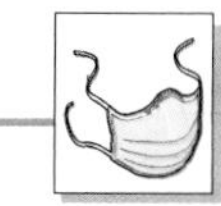

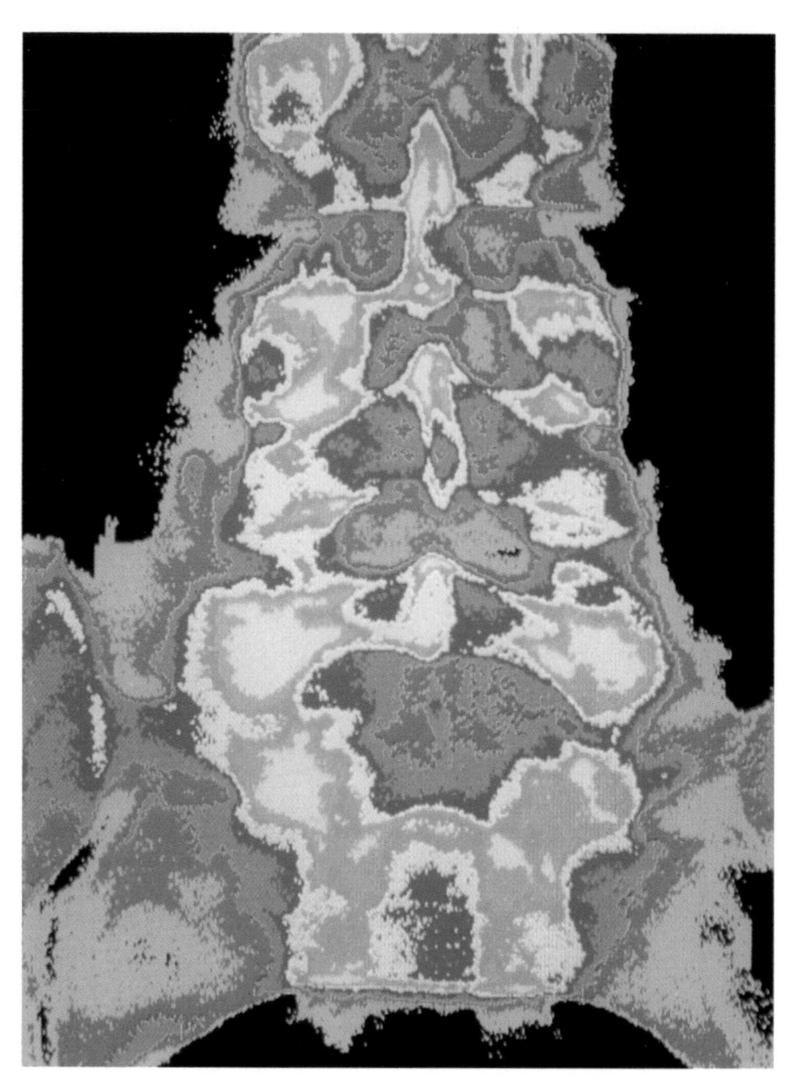

El hueso disminuye de densidad con el paso del tiempo, mediante un progresivo proceso de desmineralización y pérdida de matriz ósea conocido como osteoporosis, que depara una mayor fragilidad ósea y predisposición a las fracturas. Se calcula que, en condiciones normales, se pierde un 20% de masa ósea entre el final de la edad adulta y la vejez, proceso considerado como fisiológico. Si la pérdida supera este límite o se produce de forma muy acelerada, como suele ocurrir en las mujeres después de la menopausia, pueden originarse fracturas óseas ante traumatismos mínimos o colapsos vertebrales espontáneos. En la ilustración, imagen densitométrica de la columna vertebral.

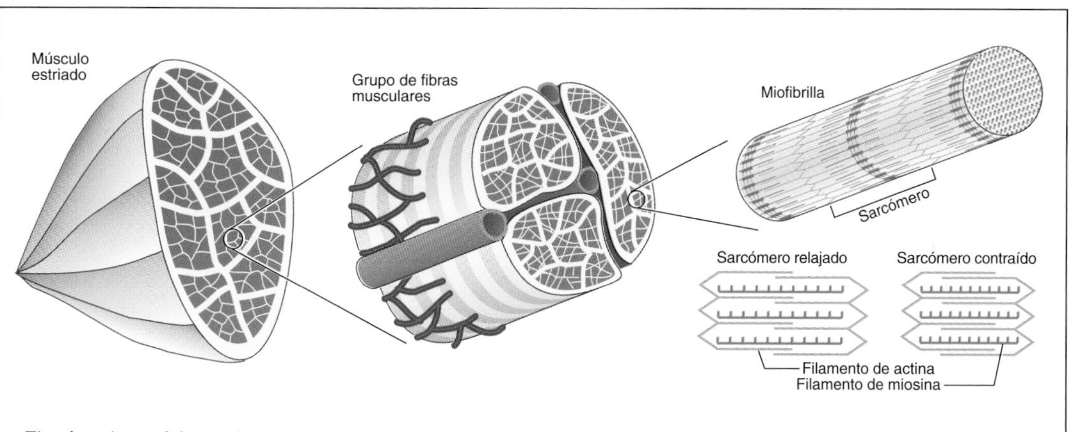

El músculo está formado por numerosos haces de fibras musculares, en cuyo interior se encuentran las microfibrillas responsables de la contracción muscular. En la ilustración, esquema de un músculo estriado.

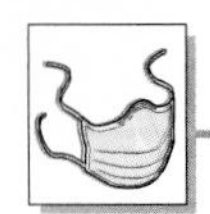

***Las fracturas de cadera**, es decir, las que se producen en el extremo proximal del fémur, por dentro o por fuera de la cápsula de la articulación de la cadera, suelen requerir un tratamiento quirúrgico de mayor o menor entidad según sean sus características y localización. Puede recurrirse a la fijación interna de la fractura mediante la utilización de agujas, tornillos, placas y clavos, aunque en ocasiones, cuando se trata de fracturas intracapsulares, se opta por la sustitución de la cabeza de fémur por una prótesis, debido a las frecuentes complicaciones de las técnicas de fijación interna. La ilustración corresponde a una radiografía coloreada artificialmente de una fractura de fémur y su reducción mediante diversos elementos de fijación interna (en rojo).*

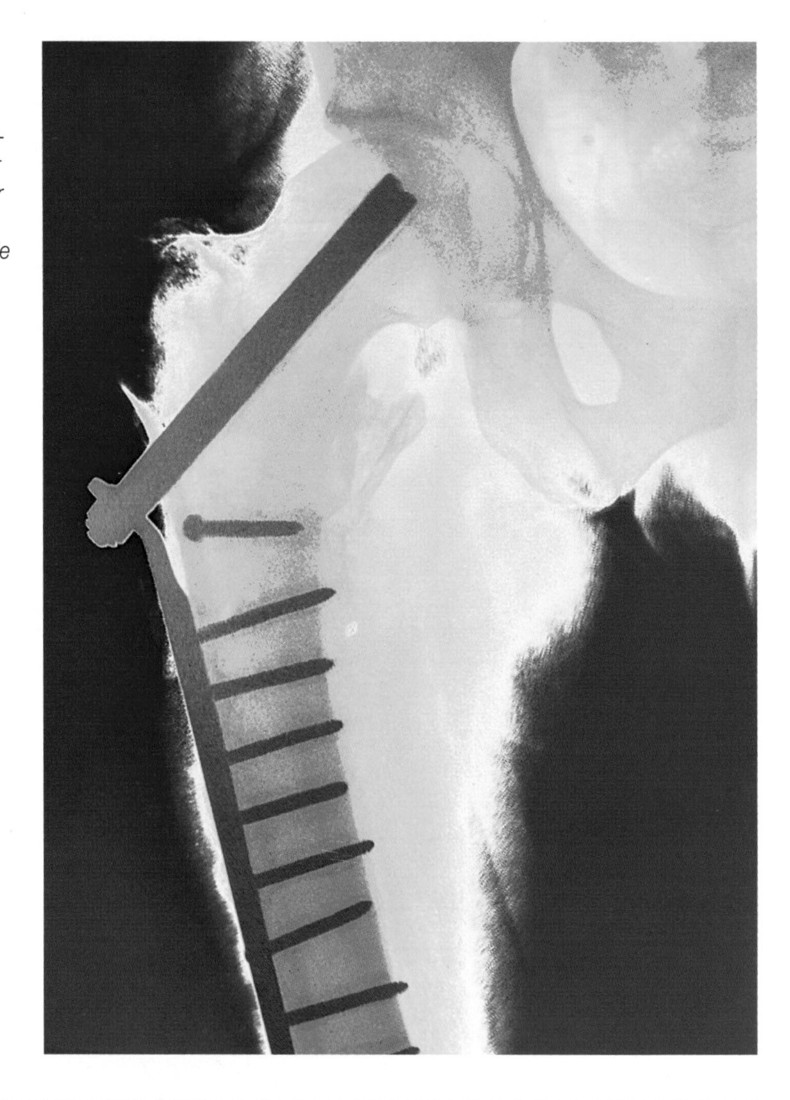

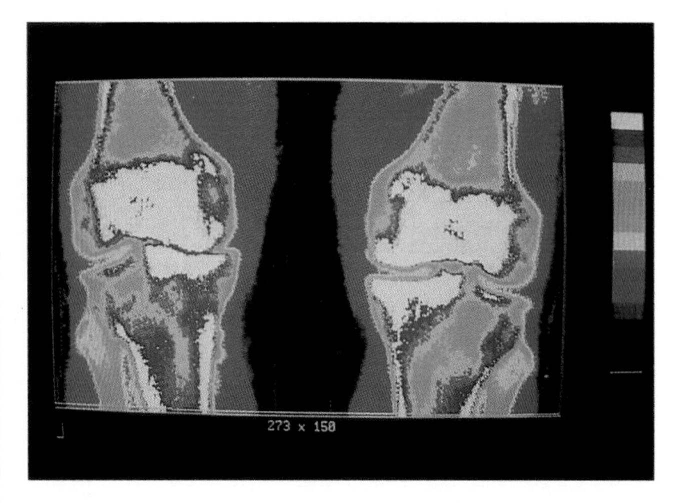

***La densitometría ósea** es un estudio que, a través de diversos procedimientos técnicos, permite determinar la densidad de la masa ósea en función de la cantidad de hueso calcificado. La principal aplicación de la densitometría es el diagnóstico y valoración de la osteoporosis, pero también se practican estudios densitométricos con otras múltiples finalidades. En la ilustración, densitometría colorimétrica de rodilla con una importante desviación en genu varo, donde puede apreciarse una marcada esclerosis subcondral y del resto de la meseta interna.*

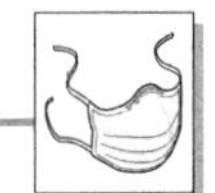

70 % del total). Suele crecer en el interior de algún bronquio de gran diámetro en la parte central del pulmón, y en su evolución, que es lenta, llega a obstruir la luz de la vía respiratoria afectada. Puede infiltrar los tejidos vecinos, ganglios linfáticos y vasos cercanos, pero es el tipo histológico que menos se disemina.

- Carcinoma de células pequeñas, cuya variedad más frecuente es el carcinoma en grano de avena (*oat cell*). Corresponde al 15-20 % del conjunto de cánceres broncopulmonares, siendo el más frecuente entre los menores de cuarenta años. Suele asentar en la zona central del pulmón, en los bronquios grandes, tiene un crecimiento rápido y produce metástasis precozmente. En algunos casos el tumor elabora sustancias que tienen efectos similares a los de algunas hormonas (ACTH, serotonina, calcitonina, hormona antidiurética), dando lugar a síndromes paraneoplásicos generales.
- Adenocarcinoma. Representa el 15-20 % del total y comprende diferentes subtipos. Está compuesto por células secretoras de moco y suele asentar inicialmente en broncos pequeños de las zonas periféricas del pulmón, muchas veces sobre lesiones pulmonares previas. No suele causar obstrucciones bronquiales y se disemina con facilidad a pleura, pericardio y otros órganos más alejados.
- Carcinoma de células gigantes. Representa el 10-15 % del total y su localización inicial es variable, muchas veces periférica. Produce metástasis tardías, pero con frecuencia se disemina tanto a órganos torácicos como a órganos extratorácicos.

Pruebas diagnósticas habituales

- Radiografías y tomografías de tórax.
- Se debe realizar un estudio broncoscópico, con raspado bronquial y obtención de muestras citológicas o biópsicas (véase TE: Endoscopia).
- Para el estudio citológico del esputo, la muestra debe ser tomada por la mañana temprano, tan pronto como sea posible tras despertarse. Normalmente se necesitan varias muestras.
- La elevación de las fosfatasas alcalinas sugiere metástasis en hígado y hueso.
- TAC torácico de huesos, hígado y cerebro. Se puede realizar para detectar signos de metástasis (véase TE: Tomografía computada).
- La mediastinoscopia se emplea para evaluar las metástasis a los ganglios linfáticos mediastínicos (véase TE: Endoscopia).
- La gammagrafía hepática, ósea y cerebral sirve para la detección de metástasis (véase TE: Gammagrafía).

Observaciones

- Tos persistente, productiva, en aumento.
- Aparición de disnea, o aumento de la misma en pacientes con broncopatías.
- Anorexia (pérdida de apetito).
- Pérdida de peso importante.
- Ronquera o disfonía, si resulta afectado el nervio recurrente laríngeo izquierdo.

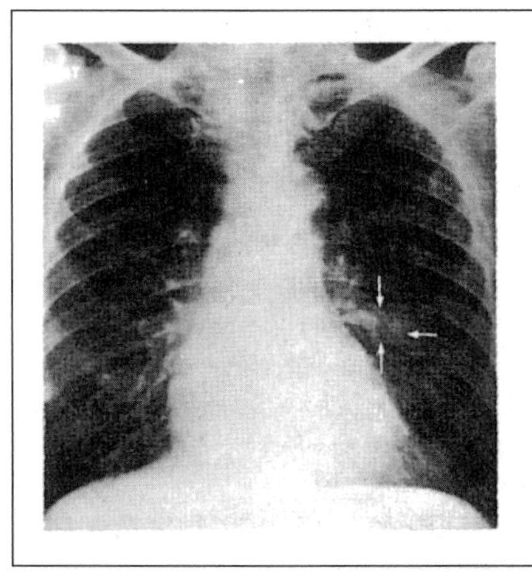
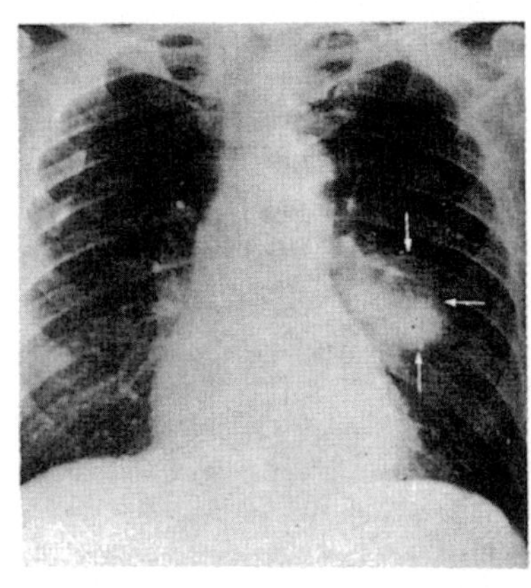

***El cáncer broncopulmonar**, con independencia del tipo histológico que presente, suele iniciarse en un bronquio, a partir del cual crece y se expande a los tejidos vecinos. Las radiografías reflejan el crecimiento y la evolución de un carcinoma broncogénico en el pulmón izquierdo (las flechas señalan el tumor).*

- Dolor de tórax, de características crónicas; en ocasiones aparece dolor en puntada de costado, por afectación de la pleura.
- Esputos hemoptoicos o hemoptisis.

Tratamiento

- La cirugía es el tratamiento de primera elección en los primeros estadios (estadios I y II) del carcinoma escamoso, el adenocarcinoma y el de células gigantes. No suele realizarse en el de células pequeñas, dado que este tipo ya suele estar extendido en el momento del diagnóstico.
  1. Se practica una resección segmentaria o una lobectomía si el cáncer está limitado a un segmento o un lóbulo.
  2. Se practica una neumonectomía si el cáncer afecta a más de un lóbulo y no es posible eliminar todo el tejido canceroso con las intervenciones ya mencionadas.
  3. Más de la mitad de los pacientes que tienen evidencias radiológicas de cáncer de pulmón se consideran inoperables. Para poder recurrir a la cirugía, el tumor debe estar situado a más de 2 cm de distancia del origen del bronquio (carina) para que sea posible la sutura después de la lobectomía o neumonectomía. Tampoco suele indicarse la cirugía cuando hay metástasis en los ganglios mediastínicos.
- Véase EMQ: Cirugía pulmonar, para más información.
- Radioterapia.
  La radioterapia suele emplearse como método paliativo, ya que puede ser útil para eliminar los síntomas de las metástasis de la pared torácica o aliviar el dolor resultante de las metástasis óseas o reducir la masa tumoral. La irradiación del tórax puede causar irritación de la mucosa de la tráquea o del árbol bronquial. La neumonitis postradioterapia es una complicación que puede ocurrir varias semanas después del tratamiento. Los pacientes presentan tos, aumento de secreciones y fiebre.
- La quimioterapia puede ser útil en el tratamiento del cáncer de células de pequeñas, dando como resultado la reducción del tumor.

Consideraciones de enfermería

- Véase EMQ: Sistema respiratorio, cirugía pulmonar.
- Véase EMQ: Aproximación general, enfermería oncológica.

Cirugía pulmonar

Descripción

La cirugía pulmonar incluye la toracotomía exploratoria y la resección de todo o de una parte del pulmón. La resección frecuentemente se realiza para la extirpación de un cáncer, pero también puede ser necesaria para tratar un absceso pulmonar o bronquiectasias (ver figura en la página siguiente).
Seguidamente se hace referencia a los principales tipos de cirugía pulmonar:

- La neumonectomía corresponde a la extirpación de todo un pulmón.
- La lobectomía es la extirpación de un lóbulo.
- La resección segmentaria es la extirpación de uno de los segmentos de un pulmón.
- La resección limitada es la extirpación de una pequeña cantidad de tejido pulmonar.

Pruebas diagnósticas habituales

- Radiografías y tomografías de tórax, para detectar otras lesiones posibles.
- Citología del esputo.
- Pruebas de función pulmonar y gases arteriales.
- Broncoscopia con biopsia (véase TE: Endoscopia).

Consideraciones de enfermería

Preoperatorio

- Los fumadores deben dejar de fumar al menos dos semanas antes de la operación, para disminuir la producción de secreciones mucosas y aumentar la saturación de O_2 de los pulmones.
- Los pacientes y los miembros de la familia deben ser informados sobre el equipo de oxíge-

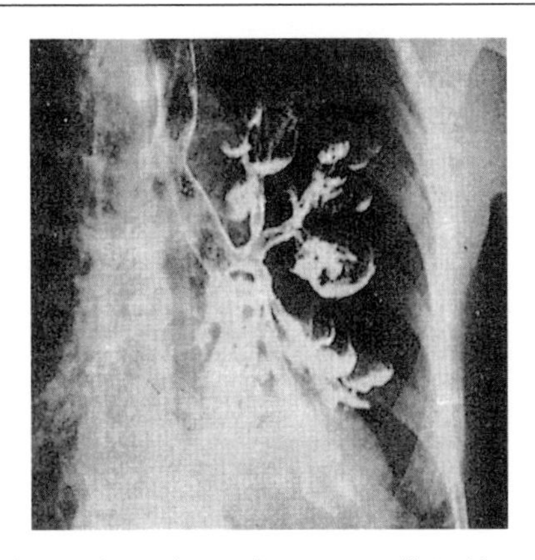

La ***bronquiectasia*** *consiste en una dilatación permanente de un bronquio, que constituye un saco de tamaño y formas variadas. La radiografía muestra una bronquiectasia quística, donde pueden apreciarse niveles hidroaéreos.*

no, el posible uso de ventilación artificial, la colocación de sondas nasogástricas, la aplicación de vía EV y la colocación de tubos torácicos, así como acerca de la frecuencia de los controles de la constantes vitales por parte del personal de enfermería.

- El paciente deberá aprender previamente a la operación las formas más adecuadas para girarse y movilizarse, así como las técnicas de fisioterapia respiratoria (toser, respiración profunda). Explíquesele que la tos y la respiración profunda son más efectivas en posición sentada (véase TE: Fisioterapia respiratoria). Comuníquese que el esputo probablemente sea sanguinolento al principio, para evitar la alarma del paciente. Durante las primeras 24 horas después de la operación será necesario mantener una circulación y respiración eficientes.

Postoperatorio

- El cambio de la respiración es un indicador importante del estado físico del paciente. La falta de sueño, la desorientación o las modificaciones en el nivel de conciencia pueden indicar distrés respiratorio.
- Entre las posibles complicaciones debe tenerse en cuenta la insuficiencia cardiaca congestiva y el edema pulmonar
- Si se produce una hemorragia, los primeros signos evidentes pueden corresponder a una caída de la presión sanguínea, taquicardia y una gran cantidad de sangre en el drenaje pleural.
- Los tubos de drenaje deben ser limpiados cada hora. Cuando hay colocados dos tubos, el anterior extrae aire y el posterior extrae líquido serosanguinolento. No se suelen utilizar tubos de drenaje torácico después de una neumonectomía (véase TE: Drenaje torácico).
- La oxigenoterapia es crítica después de la cirugía pulmonar, dada la posibilidad de perfusión alveolar inadecuada y el aumento de la demanda de O_2 (véase TE: Oxigenoterapia).
- La aspiración es importante para mantener abierta la vía aérea si el paciente es incapaz de expectorar (véase TE: Aspiración nasofaríngea).
- Se puede utilizar la presión venosa central para monitorizar la función cardiaca y establecer la frecuencia de perfusión después de la cirugía pulmonar (véase TE: Presión venosa central).
- Debe valorarse el drenaje torácico cada hora durante las primeras 24 horas.
- El paciente no debería estar tumbado sobre el lado no operado tras una neumonectomía, dada la necesidad de máxima expansión del pulmón restante.
- Conviene movilizar al paciente y hacerle toser y respirar profundamente cada hora durante las primeras 24 horas. Después, la fisioterapia respiratoria se puede hacer cada 2-4 horas. El color del esputo puede ser una indicación temprana de infección (*p.e.*, si cambia de sanguinolento a mucosidad poco clara).
- Cuando se ordena al paciente que tosa o respire profundamente, se debe hacer presión ligera sobre el tórax colocando una mano en la línea de incisión frontal y la otra en la línea de incisión posterior.
- Los ejercicios de movimientos pasivos (con ayuda) del brazo y el hombro del lado afectado deben iniciarse tan pronto como el paciente recupere la conciencia. Se deben hacer cada 4 horas. Gradualmente deben pasarse a movimientos activos (independientes). Anímese al enfermo a utilizar el brazo del lado afectado colocando la mesita de cama en ese lado.

- El dolor suele ser fuerte y continuo durante 24 o 48 horas y puede continuar después de que se retiren los tubos de drenaje torácico. Medíquese al paciente para mantenerlo cómodo y cooperativo cuando deba hacer ciertos movimientos. Compruébese la calidad de la respiración antes y después de la administración de calmantes.
- Compruébese el drenaje y el tejido de alrededor cada hora durante las primeras 24 horas y después tantas veces como esté indicado. El enfisema subcutáneo se hace evidente inicialmente como tejido edematoso que crepita a la presión.

Derrame pleural

Descripción

El derrame pleural corresponde a la acumulación de líquido en la cavidad pleural (entre la pleura visceral y la pleura parietal), que en condiciones normales constituye un espacio virtual y sólo contiene una fina película de líquido lubricante para facilitar el deslizamiento de las dos partes de la serosa. El líquido acumulado puede tener diferentes características, lo que da nombre específico a los diversos derrames:

- El *hidrotórax* corresponde a la acumulación de líquido trasudado de naturaleza no inflamatoria.
- El *hemotórax* corresponde a la acumulación de sangre o líquido hemático.
- El *quilotórax* corresponde a la acumulación de líquido linfático.
- El *empiema* corresponde a la acumulación de pus o líquido purulento.

Pruebas diagnósticas habituales

- Radiografía simple de tórax en diferentes proyecciones.
- Toracocentesis (punción pleural) con aspiración y examen macroscópico del líquido obtenido, análisis citológico, bioquímico y bacteriológico (véase TE: Toracocentesis).
- Gasometría arterial.
- En determinados casos se recurre a pruebas más agresivas: biopsia pleural, pleuroscopia, toracotomía exploratoria.

Observaciones

- La acumulación en la cavidad pleural de trasudados (líquido plasmático con poca concentración de proteínas, inferior a 2,5 g%) puede producirse por un aumento de la presión hidrostática capilar, como ocurre en el curso de la insuficiencia cardiaca congestiva, una pericarditis o una obstrucción venosa a nivel torácico, así como en aquellas patologías que comportan una disminución de la presión oncótica plasmática, por ejemplo a raíz de una hipoalbuminemia, como ocurre en caso de insuficiencia hepática, síndrome nefrótico o insuficiencia renal.
- La acumulación en la cavidad pleural de exudados (líquido seroso con un contenido proteico superior a 3 g%) suele producirse a consecuencia de una alteración de la permeabilidad capilar debida a un proceso inflamatorio de la pleura. Las posibles afecciones causales son muy variadas, entre otras: procesos pleurales cancerosos, neumonía, embolia pulmonar, tuberculosis, cáncer broncopulmonar, pancreatitis, absceso hepático, absceso subfrénico, sepsis, enfermedades del tejido conjuntivo (lupus eritematoso sistémico), artritis reumatoide.
- La acumulación en la cavidad pleural de líquido hemático suele ser consecuente a traumatismos torácicos, aunque también puede darse en ciertas inflamaciones pleurales, como complicación de infartos pulmonares o carcinomatosis.
- Todos los derrames tienen una sintomatología semejante, con independencia a su origen. Las principales manifestaciones son:
  1. Dolor torácico tipo puntada de costado, intensificado con la tos y la respiración profunda. La intensidad del dolor es mayor cuando el derrame es pequeño, atenuándose a medida que la acumulación de líquido en la cavidad aumenta, ya que entonces disminuye el roce entre ambas hojas pleurales (sólo es sensible la pleura parietal), para ser reemplazado por un dolor sordo o una sensación opresiva.

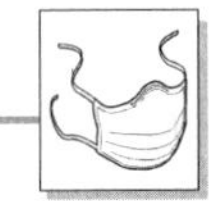

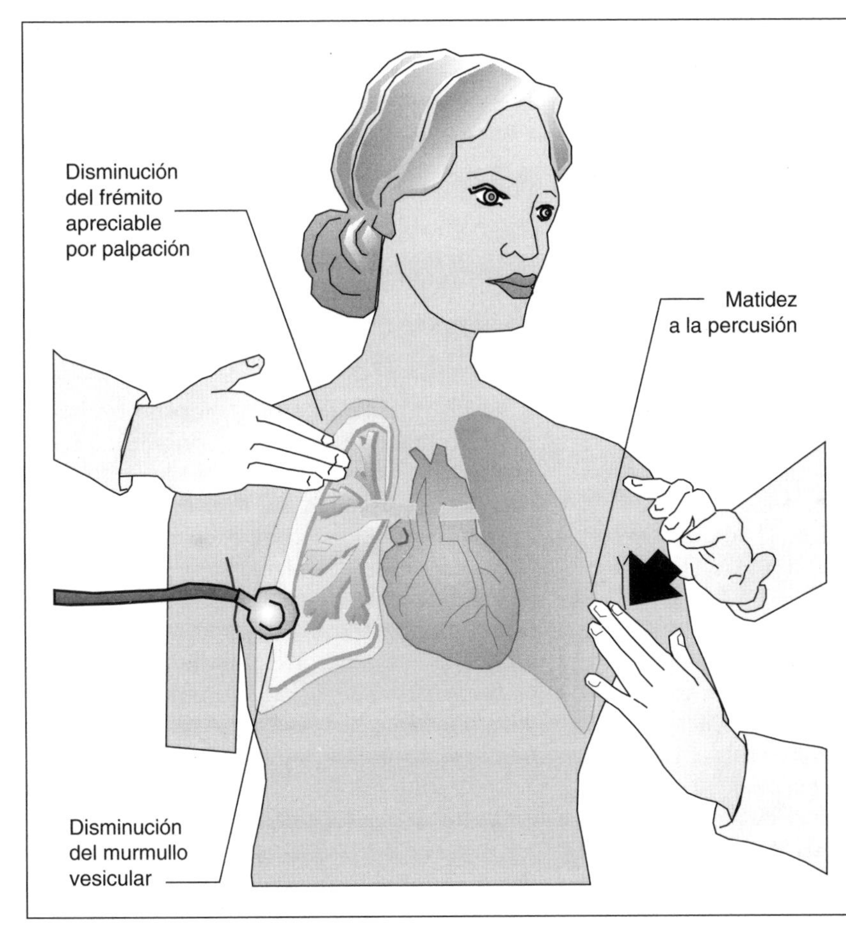

El derrame pleural corresponde a la acumulación de líquido en la cavidad pleural, es decir, entre la membrana que tapiza la superficie de los pulmones (pleura visceral) y la que cubre la pared interna del tórax (pleura parietal). La orientación diagnóstica puede establecerse a través de la sintomatología típica del trastorno (dolor torácico tipo puntada de costado, disnea que se incrementa a medida que aumenta el derrame y tos seca irritativa), pero fundamentalmente depende de los hallazgos de la exploración física, ya que tanto la auscultación como la palpación y la percusión proporcionan datos que ponen en evidencia la alteración.

2. Disnea, por limitación de la expansión pulmonar, que se intensifica a medida que aumenta el derrame.
3. Tos seca, irritativa y paroxística.

Tratamiento

- Evacuación del líquido acumulado mediante toracocentesis o drenaje torácico (véase TE: Drenaje torácico).
- Oxigenoterapia cuando la situación lo requiera.
- Tratamiento de la enfermedad de base.
- En derrames recidivantes puede recurrirse a la esclerosis de la cavidad pleural o a la cirugía (toracotomía y extirpación de la hoja parietal).

Consideraciones de enfermería

- Tranquilícese al paciente, generalmente con gran angustia debido al dolor y la dificultad respiratoria que comporta el derrame pleural, teniendo en cuenta que el propio nerviosismo puede empeorar la situación. Explíquese de manera clara y sencilla la naturaleza del problema, indicando la razón de las medidas diagnósticas y terapéuticas que se apliquen y solicitando toda su colaboración.
- Indíquese al paciente que intente permanecer en posición semisentada para favorecer la expansión pulmonar y mejorar la ventilación. Adviértase que para atenuar un dolor agudo conviene que se tienda momentáneamente sobre el lado afectado, así como que se sujete el tórax con las manos para toser o respirar profundamente.
- Contrólense con regularidad las constantes vitales y la aparición de signos que indiquen alguna complicación, como disnea, taquipnea, cianosis, dolor torácico, etcétera.
- Instrúyase al paciente sobre las prácticas de fisioterapia respiratoria (tos, respiración pro-

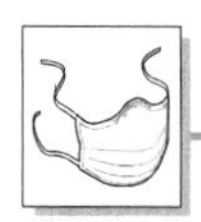

funda), supervisando su ejecución (véase TE: Fisioterapia respiratoria).

- Si se administra medicación antiálgica, evítense los fármacos que deprimen el reflejo tusígeno o el centro respiratorio.
- Evítense los fármacos antitusígenos, que sólo deben administrarse bajo estricta prescripción médica.
- Si se administra oxigenoterapia, vigílese que se mantenga el flujo de oxígeno y practíquense los debidos controles gasométricos (véase TE: Oxigenoterapia; gasometría arterial).
- Si se practica una toracocentesis, contrólese el estado del paciente durante la práctica y después de la misma. Obténgase una muestra del líquido extraído y envíese al laboratorio con su oportuna identificación (véase TE: Toracocentesis).
- Si se efectúa un drenaje torácico, contrólese con regularidad el estado general del paciente, evalúese su capacidad respiratoria y vigílese la aparición de signos indicativos de complicaciones. Contrólese el sistema de drenaje, vigilando que los recipientes permanezcan por debajo del nivel del tórax del paciente y que los tubos sean permeables. Regístrense las características del material drenado, su cantidad, aspecto y color, informando al médico si aparece líquido hemático o purulento (véase TE: Drenaje torácico).

Embolismo pulmonar

Descripción

El embolismo pulmonar generalmente es consecuencia del desprendimiento de un trombo formado en el sistema venoso (más frecuentemente en las venas profundas de las piernas o pelvis) o en el corazón. La embolia grasa se produce tras la fractura de un hueso largo; la embolia séptica es consiguiente a la endocarditis infecciosa o sepsis venosa; la embolia metastásica es una complicación del cáncer. El trombo desprendido constituye un émbolo, que avanza por el sistema venoso y, tras pasar por la aurícula y el ventrículo derechos, alcanza la circulación arterial pulmonar y se impacta en un vaso, obstruyendo parcial o totalmente su luz y privando de irrigación el área pulmonar correspondiente. Debido a la interrupción del aporte sanguíneo, tiene lugar un infarto, con necrosis del tejido pulmonar. Si el aporte de sangre arterial que llega a los pulmones es obstruido totalmente por un émbolo, se produce la muerte repentina.

Pruebas diagnósticas habituales

- TAC pulmonar (véase TE: Tomografía computada).

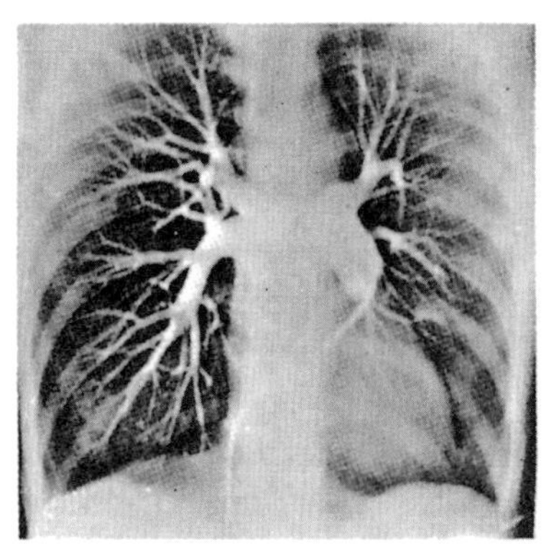

Arteriografía pulmonar que evidencia la oclusión de la arteria

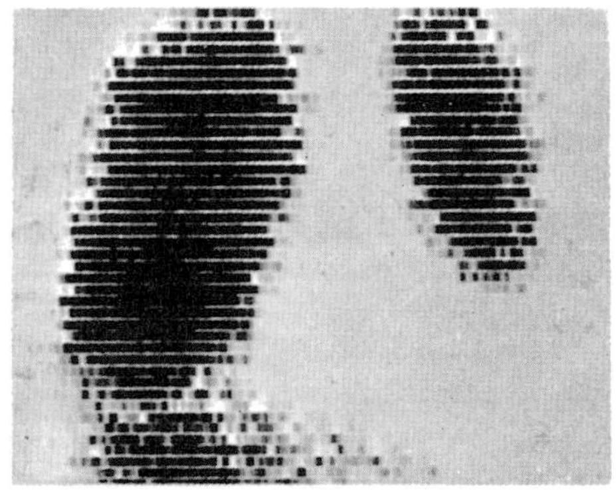

Gammagrafía en la que se observa la falta de perfusión del lóbulo inferior izquierdo

***El embolismo pulmonar** suele corresponder a la impactación de un trombo procedente del sistema venoso o el corazón en una arteria pulmonar, privando de irrigación el área de pulmón correspondiente. Aquí se muestran dos estudios efectuados en un caso de embolia pulmonar de la arteria que irriga el lóbulo inferior del pulmón izquierdo.*

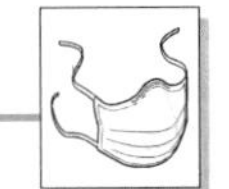

- Exploración radiológica de tórax.
- Gasometría arterial (véase TE: Gasometría arterial).
- Gammagrafía pulmonar (véase TE: Gammagrafía)
- Electrocardiograma.
- Pruebas de coagulación: medición de tiempo de protrombina (TP) y tiempo de tromboplastina parcial (TTP).
- Arteriografía pulmonar (último recurso diagnóstico, al tratarse de un método invasivo).

Observaciones

- La intensidad de los síntomas es indicativo de la gravedad de la obstrucción.
- Los síntomas más comunes son: disnea, dolor torácico brusco que aumenta en la inspiración, diaforesis, taquicardia, tos (posiblemente con hemoptisis) y temperatura algo elevada.
- El signo de Homans positivo (dolor en la pantorrilla al colocar el pie en dorsiflexión) puede ser el primer signo de trombosis venosa profunda.
- Suelen aparecer émbolos grandes por encima de la rodilla.
- En la gasometría arterial se encuentran niveles bajos de PaO_2 (hipoxemia), generalmente con hipo o normocapnia.

Tratamiento

- *Es necesario tratamiento inmediato.*
- Colocar una vía EV para administración de líquidos y medicamentos (véase Farmacología: Tratamiento EV).
- Puede administrarse O_2, generalmente mediante mascarilla o sonda nasal (véase TE: Oxigenoterapia).
- Se pueden prescribir analgésicos.
- Se administran trombolíticos (uroquinasa, estreptoquinasa) y se procede a un tratamiento anticoagulante, primero con heparina y luego con antagonistas de la vitamina K (véase EMQ: Sangre, tratamiento anticoagulante).
- Puede indicarse cirugía (embolectomía).

Consideraciones de enfermería

- El primer consejo corresponde a la prevención.

Los pacientes hospitalizados deben ser explorados diariamente para detectar cualquier signo de trombosis venosa profunda. Debe potenciarse la deambulación precoz en el postoperatorio y después de la recuperación de enfermedades graves. Pueden utilizarse medias elásticas que ajusten bien y lleguen justo hasta debajo de la rodilla; se pueden retirar dos veces al día durante 5 o 10 minutos. En todo paciente encamado debe llevarse a cabo fisioterapia articular, con movilizaciones pasivas o activas, y procurar que el enfermo mantenga los miembros inferiores elevados para favorecer el retorno venoso.

- Debe informarse inmediatamente al médico la detección de dolor o inflamación en la pantorrilla o el muslo.
- Los pacientes con embolismo pulmonar suelen tomar anticoagulantes durante muchos días. Vigílese cualquier hemorragia anormal. Cada día se deben hacer las pruebas de coagulación correspondientes y hay que asegurarse de que el médico reciba diariamente los resultados.
- La utilización de una almohada (una superficie firme) apretada contra el pecho alivia algo del dolor torácico que se produce al toser o con otros movimientos del tórax.

Enfermedad pulmonar obstructiva crónica (EPOC)

Descripción

El concepto enfermedad pulmonar obstructiva crónica (EPOC) incluye un conjunto de patologías caracterizadas por una obstrucción progresiva de las vías aéreas que dan lugar a un síndrome común. Dicho trastorno puede ser consecuencia de las siguientes alteraciones:

1. *Bronquitis crónica*: es una inflamación persistente de los bronquios, con producción de grandes cantidades de secreción mucosa, que cursa con tos y expectoraciones habituales.
2. *Asma bronquial*: es una enfermedad que cursa con crisis de broncoespasmo, inflamación

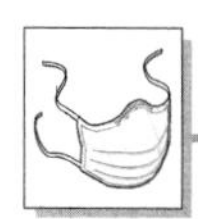

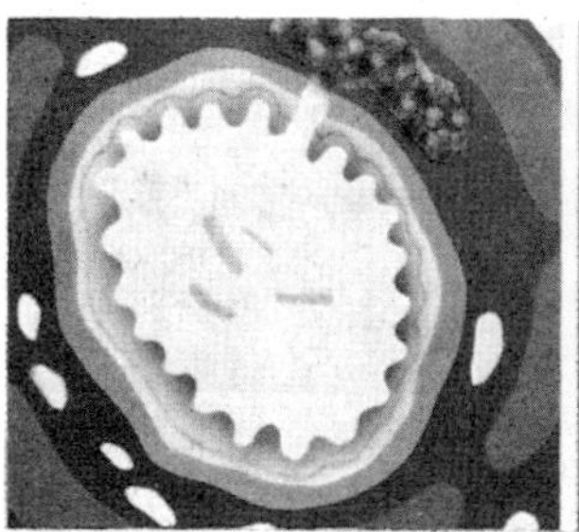

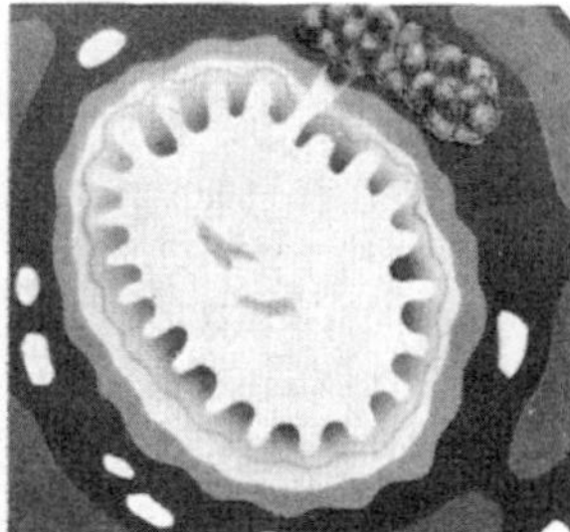

Bronquio normal

Disminución del calibre

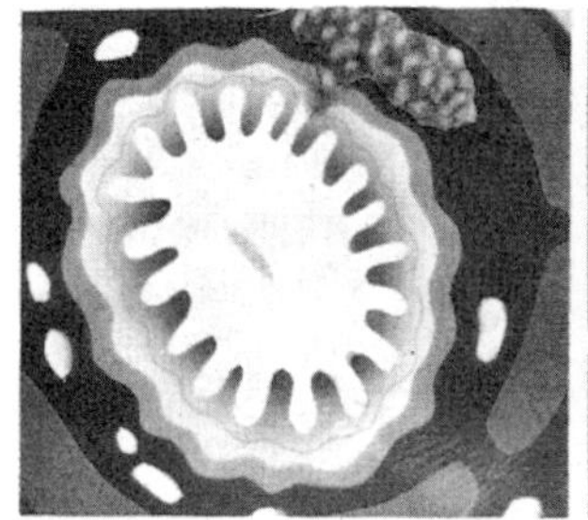

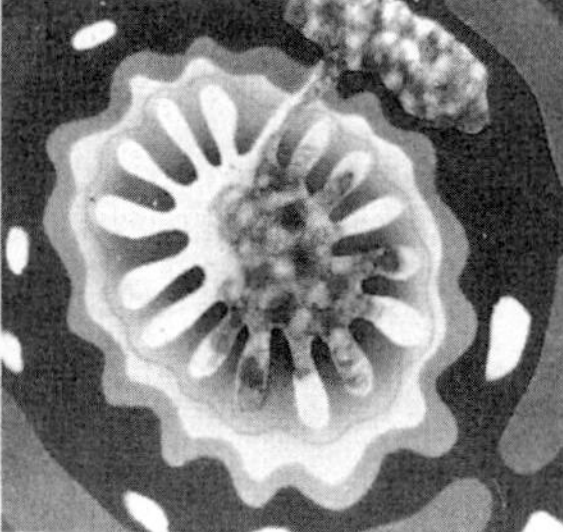

Inflamación de la mucosa

Bronquio con mucosidad

El asma bronquial es un trastorno integrado en la denominada enfermedad pulmonar obstructiva crónica, ya que cursa con crisis en las que se produce broncoespasmo, inflamación de la mucosa bronquial e hipersecreción mucosa, con la consiguiente obstrucción de las vías aéreas. La constricción y el taponamiento de los bronquios determinan que los pulmones no puedan vaciarse y volver a llenarse con normalidad, dando lugar a un cuadro caracterizado por disnea, tos, sibilancias y un estado de gran ansiedad. La ilustración muestra el esquema de un corte de un bronquio normal y, en el resto de los dibujos, los tres factores implicados en el desarrollo del ataque asmático: la disminución del calibre debida a la contracción de la musculatura bronquial, la inflamación de la mucosa y el incremento de la secreción de moco, que tapona la luz del bronquio.

de la mucosa bronquial e hipersecreción mucosa, con la consiguiente obstrucción de las vías aéreas. Se debe a una hiperreactividad bronquial, que puede ser desencadenada por trastornos alérgicos, infecciones, ejercicio, medicamentos, alteraciones emocionales y otros factores, siendo la causa más frecuente de enfermedad crónica en niños. Debido a la constricción bronquial, en las crisis asmáticas los pulmones son incapaces de vaciarse completamente y volver a llenarse con normalidad, lo cual se manifiesta por disnea, tos, sibilancias y gran ansiedad. Las crisis suelen ceder espontáneamente tras un período variable, aunque pueden presentarse como *ataque de asma prolongado*. El *estado asmático* consiste en un episodio de asma que dura de días a meses y no responde al tratamiento habitual.

3. *Enfisema*: corresponde a un aumento persistente de los espacios aéreos pulmonares distales a los bronquiolos, debido a una progresiva destrucción de las paredes alveolares. El trastorno se debe a un aumento de la actividad de las elastasas (enzimas proteolíticas que degradan la elastina de las paredes alveolares), consiguiente a una inflamación crónica (*p.e.*, por la acción irritante del tabaco) o bien por un déficit de alfa-1-antitripsina, proteína que en condiciones normales neutraliza la acción de dichas enzimas. Al destruirse las paredes alveolares, la elasticidad de los pulmones disminuye, el aire queda atrapado en su interior, se reduce el contacto entre alvéolos y capilares y se produce un fallo en el intercambio de gases entre el aire y la sangre. El enfisema frecuentemente se asocia a bronquitis crónica.
4. *Bronquiectasia*: consiste en la dilatación permanente de un bronquio, que constituye un saco bronquial de tamaño y formas variadas cuya pared interna presenta una inflamación crónica. Se manifiesta por tos y expectoración persistentes, a veces en gran cantidad y en relación con los cambios posturales, así como por predisposición a las infecciones broncopulmonares.

Pruebas diagnósticas habituales

- Radiografías de tórax.
- Gasometría arterial (véase TE: gasometría arterial).
- Determinación de alfa-1-antitripsina (para diagnóstico de enfisema).
- Análisis de esputo.

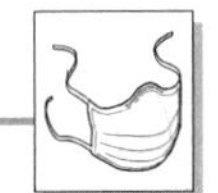

- Pruebas de funcionalismo pulmonar, con espirometrías.
- Pruebas cutáneas de hipersensibilidad (para diagnóstico de asma alérgica).
- TAC pulmonar con estudio del flujo aéreo (véase TE: Tomografía computada).

Observaciones

- Compruébense las características de las respiraciones para ver si son superficiales, rápidas o dificultosas. Obsérvese si el paciente utiliza los músculos de los hombros, cuello y abdomen para respirar, sobre todo en la espiración.
- Vigílese el color de la piel. Un color muy rosado indica retención de oxígeno; la cianosis indica oxigenación incorrecta.
- Una PaO_2 por debajo de 60 mm Hg y/o una $PaCO_2$ por encima de 50 mm Hg constituyen un cuadro de insuficiencia respiratoria (véase EMQ: Respiratorio, insuficiencia respiratoria).
- La ingurgitación yugular, signo de fallo cardiaco derecho, se suele asociar con distrés respiratorio.
- La hipoxia cerebral se manifiesta por intranquilidad y confusión.
- La presencia de dedos en palillo de tambor es un hallazgo común en algunos tipos de enfermedad pulmonar de larga duración.

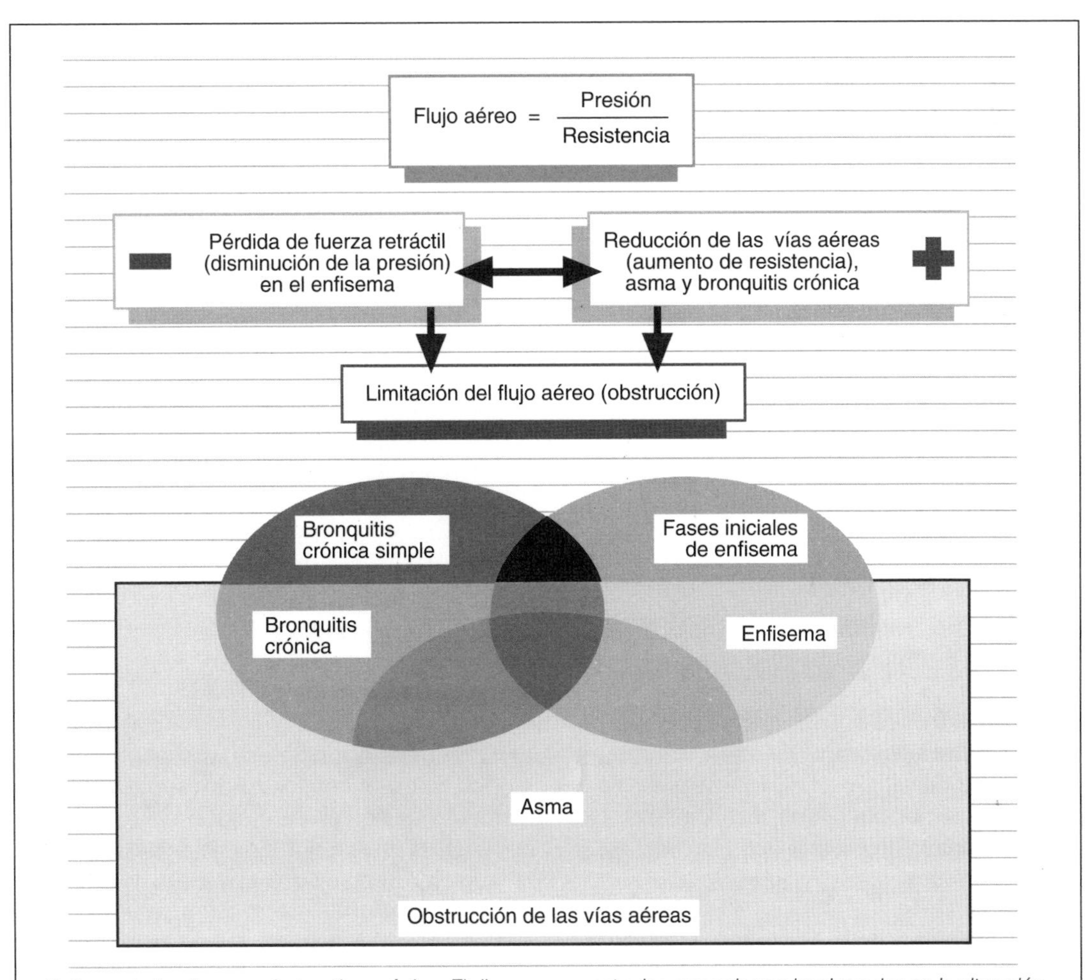

Enfermedad pulmonar obstructiva crónica. *El diagrama muestra los mecanismos involucrados en la alteración, al provocar una limitación del flujo aéreo (resultante de la presión y la resistencia aérea), y un esquema que evidencia la superposición de las distintas patologías causantes de un síndrome común, hasta tal punto que resulta difícil diferenciarlas en las fases avanzadas de la enfermedad.*

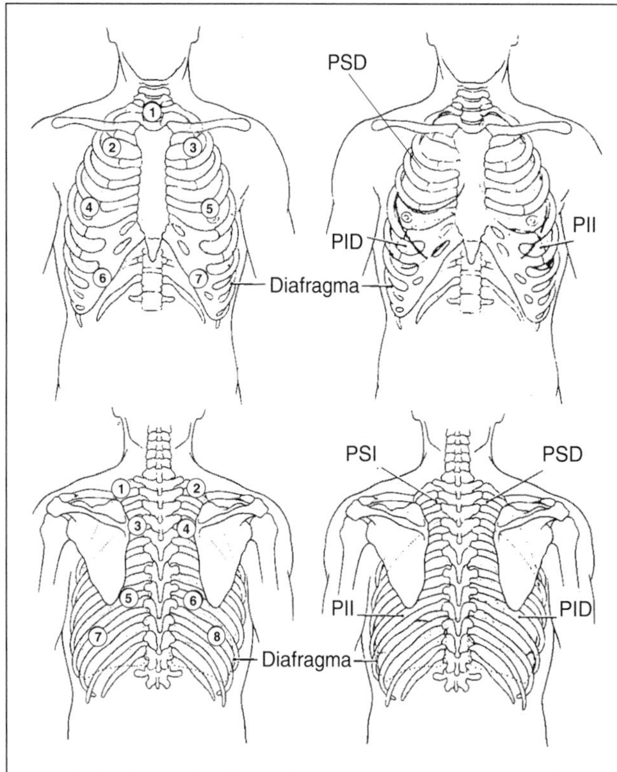

P: pulmón; S: superior; M: medio; I: inferior; D: derecho; I: izquierdo

La auscultación pulmonar es un paso esencial para el diagnóstico de las afecciones broncopulmonares, y en especial de la enfermedad pulmonar obstructiva crónica, ya que la audición de los sonidos producidos por el aire durante los movimientos respiratorios brinda una valiosa información en este sentido. En condiciones normales, la dilatación de los alvéolos pulmonares al ser ventilados da lugar a un sonido característico, el murmullo vesicular, que típicamente se compara con el producido por los árboles movidos por el viento; este sonido está disminuido en las alteraciones que dificultan la ventilación, como ocurre en caso de enfisema. Otras veces pueden auscultarse sonidos sobreañadidos, como las sibilancias, especie de silbidos producidos por el paso del aire al atravesar unas vías aéreas estrechadas, como ocurre en el asma bronquial; o los crepitantes, ruidos breves y de tipo explosivo, que pueden percibirse en las bronquiectasias y la bronquitis crónica. En la figura se muestran los puntos de aplicación del estetoscopio en el tórax para una correcta auscultación de las diferentes áreas de los pulmones.

- La tos suele estar presente en los pacientes con EPOC.
- Auscúltense los ruidos torácicos.
- Vigílense los síntomas de infección respiratoria alta.

Tratamiento

- Fisioterapia respiratoria y drenaje postural (véase TE: Fisioterapia respiratoria; drenaje postural).
- Administración de medicamentos:
  1. Fluidificantes y expectorantes.
  2. Broncodilatadores: betaadrenérgicos (*p.e.*, salbutamol, terbutalina); metilxantinas (*p.e.*, aminofilina, teofilina).
  3. Corticoides.
  4. Antibióticos.
- La terapia broncodilatadora suele iniciarse por vía inhalatoria, con aplicación de fármacos en aerosol.
- Puede ser necesaria la aspiración endotraqueal para extraer toda acumulación de las secreciones bronquiales.
- Oxigenoterapia. La administración de O_2 es un tratamiento que debe ser monitorizado cuidadosamente mediante exámenes de gases arteriales. En los individuos con enfermedad pulmonar obstructiva crónica frecuentemente se limita el flujo a 1 l/min o incluso menos. Es importante no superar dicho límite, y nunca se debe dar un flujo superior a 2 l/min sin prescripción médica.

Consideraciones de enfermería

- El estímulo normal para aumentar la profundidad de la respiración corresponde a un aumento del nivel de dióxido de carbono en sangre (hipercapnia). Los pacientes con EPOC grave presentan altos niveles de CO_2 de manera persistente, y ello da lugar a una habituación y consiguiente falta de estímulo para respirar que conduce a un nivel insuficiente de O_2 o hipoxia. El estímulo secundario corresponde a la hipoxia, y si ésta es aliviada mediante la administración de altas concentraciones de O_2, el estímulo secundario no

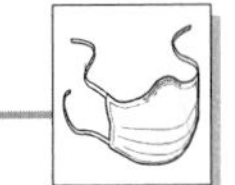

funciona y el paciente respirará demasiado lentamente o incluso dejará de respirar, lo que dará lugar a un aumento de CO_2 que puede conducir rápidamente a coma o narcosis por CO_2. Así, tanto la administración de poco oxígeno como la de demasiado oxígeno pueden ser perjudiciales. El flujo debe ser vigilado cuidadosamente.

- Obsérvese que el paciente esté recibiendo el oxígeno con el flujo correcto al principio de cada cambio de turno. El O_2 debe ser adecuadamente humidificado, debiéndose garantizar que el recipiente de agua del humidificador se mantiene lleno. La extensión del tubo debe permitir al paciente moverse libremente sin tener que ponerse y quitarse la mascarilla.
- Deberían evitarse los sedantes, tranquilizantes, hipnóticos y narcóticos, porque producen supresión del estímulo respiratorio y del reflejo de la tos, lo cual puede resultar fatal.
- Instrúyase a los pacientes en el uso de los nebulizadores; enséñeseles a espirar todo el aire que les sea posible, colocando el nebulizador en la boca, inhalando lentamente y exhalando después con los labios apretados. Debe tenerse precaución con el abuso de nebulizadores, pues puede disminuir su efectividad y, además, provocar arritmias, lo cual es muy común entre pacientes con EPOC.
- Los pulmones afectados presentan una alta incidencia de infecciones. No debería comenzarse el tratamiento con antibióticos hasta que no se obtenga una muestra de esputo para su cultivo, a fin de seleccionar un antibiótico efectivo. Se recomienda recoger una muestra de esputo justamente después de que el paciente se despierta y tose; también se puede recoger mientras el paciente hace un tratamiento respiratorio, pues le será más fácil producir esputo, y en última instancia también puede recogerse mediante aspiración. Anótese el volumen, consistencia, color y olor del esputo recogido. No debe permitirse que el esputo permanezca al lado de la cama más de 24 horas.
- Es necesario reducir el trabajo respiratorio de los pacientes con EPOC. Enséñese a aquellos que padezcan enfisema la respiración abdominal, colocando una de sus manos en el pecho y la otra en el abdomen. En la respiración abdominal el abdomen se mueve mientras el tórax permanece inmóvil.
- Respirar con los labios apretados alarga el tiempo de espiración. Esto permite al paciente realizar actividades que requieren gran esfuerzo, como incorporarse en la cama y moverse hasta una silla.
- La leche y los productos lácteos espesan las mucosidades, por lo que conviene evitarlos.
- La causa más común de un aumento grave de los síntomas asmáticos es una infección respiratoria alta. Se debe hospitalizar al paciente si el nivel de CO_2 es elevado y hay necesidad de hidratación y medicación EV.

Insuficiencia respiratoria

Descripción

La insuficiencia respiratoria es un cuadro de etiología múltiple caracterizado por la imposibilidad del sistema respiratorio para asegurar un adecuado intercambio gaseoso entre el aire ambiental y la sangre, con la consiguiente disminución de los niveles de oxígeno en sangre (hipoxemia), con unas tasas de dióxido de carbono normales, descendidas o por encima de los valores normales (hipercapnia). La situación se define sobre los datos de la gasometría arterial, considerándose que existe insuficiencia respiratoria cuando, a nivel del mar, la PaO_2 (presión parcial de oxígeno en sangre arterial) es inferior a 60 mm Hg y/o la $PaCO_2$ (presión parcial de dióxido de carbono en sangre arterial) es superior a 50 mm Hg. El trastorno tiene una fisiopatología variada, ya que puede ser consecuencia de un defecto en la ventilación pulmonar, de un desajuste entre la ventilación y la perfusión pulmonar, de una alteración en la difusión gaseosa alveolocapilar o de un cortocircuito arteriovenoso intrapulmonar, bien sea como factores únicos o combinados y derivados de patologías muy diversas. Si el cuadro de insuficiencia respiratoria no es acentuado, la situación puede corregirse merced a distintos mecanismos de adaptación (aumento de la frecuencia respiratoria, derivación de flujo sanguíneo a sectores mejor ventilados, etc.), pero si es más grave se producirá hipoxemia y déficit de la oxigenación tisular, así como una hipercapnia tóxica, con las consiguientes alteraciones orgánicas.

Según su evolución, la insuficiencia respiratoria puede ser aguda o crónica:

- La insuficiencia respiratoria aguda se desarrolla de forma súbita en pacientes que previamente no presentan patología pulmonar.
- La insuficiencia respiratoria crónica es propia de los enfermos que presentan una patología pulmonar de larga duración (EPOC) y desarrollan mecanismos adaptativos que permiten tolerar, hasta cierto punto, las anomalías gasométricas propias del cuadro. Ante un agravamiento de su patología, estos pacientes presentan un cuadro de insuficiencia respiratoria crónica agudizada.

Pruebas diagnósticas habituales

- Radiografía de tórax.
- Pruebas de funcionalismo pulmonar, con espirometrías.
- Gasometría arterial (véase TE: Gasometría arterial).
- Electrocardiograma.
- Cateterismo cardiaco y medición de presiones centrales.

Observaciones

- La insuficiencia respiratoria tipo I (insuficiencia respiratoria hipercápnica con pulmones normales) se produce ante una alteración de los mecanismos que controlan los movimientos respiratorios o de la caja torácica, sin que necesariamente existan trastornos previos en las vías aéreas o en el parénquima pulmonar. Suele presentarse en pacientes con enfermedades del sistema nervioso central (*p.e.*, tumores intracraneales, traumatismos craneoencefálicos) o neuromusculares (*p.e.*, miastenia grave) e intoxicaciones que depriman el centro respiratorio (*p.e.*, por barbitúricos u opiáceos), así como en los que tienen deformidades torácicas (*p.e.*, cifoescoliosis) o traumatismos que limiten la expansión torácica.
- La insuficiencia respiratoria tipo II (insuficiencia respiratoria hipercápnica de origen broncopulmonar) se produce debido a un trastorno broncopulmonar que dificulta la ventilación alveolar, fundamentalmente por dificultades en la espiración. Las principales causas son las de la enfermedad pulmonar obstructiva crónica (EPOC), o sea, la bronquitis crónica, el enfisema, el asma bronquial y las bronquiectasias.
- La insuficiencia respiratoria tipo III (insuficiencia respiratoria parcial o hipoxémica) se caracteriza por un descenso de los niveles de oxígeno que no se acompaña de un incremento de las tasas de dióxido de carbono (normo o hipocapnia). En este caso, el trastorno se sitúa a nivel alveolar, sin que necesariamente exista afectación de las vías aéreas. El cuadro se desarrolla por defecto en la difusión gaseosa alveolocapilar que impide el paso normal del oxígeno del aire a la sangre pero permite el paso del dióxido de carbono de la sangre al aire, como ocurre en trastornos tales como la fibrosis pulmonar o las neumoconiosis, y también en las neumonías extensas, el embolismo pulmonar masivo y el edema pulmonar importante.
- La insuficiencia respiratoria crónica se desarrolla progresivamente y durante períodos variables comporta síntomas poco evidentes, excepto los de la propia enfermedad de base (tos, disnea), puesto que se ponen en marcha mecanismos adaptatorios que compensan la situación. Cuando el cuadro de insuficiencia respiratoria se acentúa, se intensifica la disnea y puede aparecer cianosis periférica indicativa de hipoxemia, así como signos neurológicos derivados de la retención de CO_2 (cefaleas, apatía, disminución de la capacidad intelectual, insomnio) y cardiovasculares (taquicardia, hipertensión, tendencia a la insuficiencia cardiaca congestiva). También se produce una poliglobulia, como mecanismo compensatorio.
- La insuficiencia respiratoria aguda o distrés respiratorio tiene un inicio brusco y se manifiesta con disnea intensa, retracción pulmonar e intercostal en la inspiración, respiración rápida y profunda que progresivamente se hace más lenta y superficial, cianosis, signos neurológicos (somnolencia, agresividad, desorientación témporo-espacial y tendencia al coma) y cardiovasculares (sudoración pro-

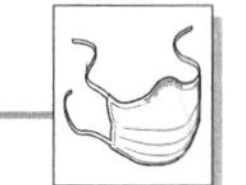

fusa y enrojecimiento, taquicardia, tendencia a la hipotensión y producción de arritmias, con peligro de paro cardiaco).

Tratamiento

- Oxigenoterapia (véase TE: Oxigenoterapia).
- Intubación traqueal o traqueostomía si existe obstrucción respiratoria alta (véase TE: Intubación traqueal; traqueostomía, cuidados).
- Ventilación artificial, en caso necesario.
- Administración EV de líquidos.
- Tratamiento de la enfermedad de base y de las complicaciones.

Consideraciones de enfermería

- Las actuaciones de enfermería en el paciente con insuficiencia respiratoria deben dirigirse a asegurar la permeabilidad de las vías aéreas y favorecer la ventilación, mantener una adecuada oxigenación, proporcionar una correcta nutrición e hidratación, prevenir las posibles complicaciones consiguientes al encamamiento y procurar la mayor comodidad del enfermo. Conviene planificar los cuidados de enfermería de tal modo que se permita el mayor descanso del paciente, intentando proporcionar un ambiente silencioso y poca iluminación durante su reposo nocturno.
- Contrólense con regularidad las constantes vitales, la diuresis y las entradas y salidas de líquidos. Valórese con frecuencia el estado de conciencia del enfermo, ya que constituye un buen parámetro de la gravedad del trastorno.
- Si el paciente presenta una disnea intensa o está intubado, establézcase un sistema de comunicación no verbal efectivo.
- Instrúyase al paciente sobre las prácticas de fisioterapia respiratoria, supervisando su ejecución (véase TE: Fisioterapia respiratoria).
- Procédase a la aspiración de secreciones tantas veces como sea oportuno para asegurar la permeabilidad de las vías aéreas y siempre con las máximas condiciones de asepsia (véase TE: Aspiración oro-naso-faringotraqueal). Contrólense las características de las secreciones aspiradas y procédase a la toma de muestras para cultivo cuando sea conveniente (véase TE: Toma y cultivo de muestras).
- Adminístrese la oxigenoterapia según indicaciones y tomando como parámetros orientativos los resultados de las gasometrías. Recuérdese que los pacientes con EPOC en fase de agudización están habituados a cierto nivel de hipercapnia y que en ellos la estimulación del centro respiratorio depende de los niveles de oxígeno en sangre. Si en esta situación se administra una concentración de oxígeno elevada, puede llegar a abolirse dicho estímulo y producirse un paro respiratorio, por lo que nunca debe administrarse un flujo de O_2 superior a 2 l/min sin la correspondiente indicación médica (véase EMQ: Respiratorio, enfermedad pulmonar obstructiva crónica).
- Si se administran líquidos por vía EV para mantener una buena hidratación, contrólese con rigurosidad el ritmo de perfusión y el balance de entradas y salidas, a fin de prevenir una sobrecarga.
- Si se requiere la práctica de intubación traqueal o traqueostomía, dispóngase el material necesario y bríndese la colaboración oportuna, cumpliendo los controles posteriores (véase TE: Intubación traqueal; traqueostomía, cuidados).
- Si es preciso recurrir a la ventilación mecánica, el tipo de respirador se decidirá en base al estado del paciente y su grado de colaboración. Si el paciente puede colaborar y se recurre a la ventilación mecánica con presión positiva intermitente (sin necesidad de intubación traqueal o traqueostomía), explíquese al enfermo la necesidad de mantenerse relajado y la forma en que debe adaptar los labios a la boquilla para evitar fugas, así como el modo en que debe respirar para garantizar la efectividad de la técnica. Si se requiere el uso de un sistema de ventilación controlada (con intubación traqueal o traqueostomía), vigílese con regularidad el funcionamiento del respirador y los diversos parámetros del tratamiento, adoptando todas las precauciones pertinentes para evitar arrancamientos del tubo u otras complicaciones. Cuando la situación mejore, síganse las pautas del centro en lo referente al procedimiento de destete o interrupción gradual del uso del respirador.

Neumonía

Descripción

La neumonía es una inflamación del parénquima pulmonar debida a una infección por diversos microorganismos. Los gérmenes suelen llegar al tejido pulmonar por inhalación o por aspiración de secreciones orofaríngeas, pero también pueden hacerlo por vía hematógena, especialmente en pacientes hospitalizados. Inicialmente, los alvéolos pulmonares se inflaman y se llenan de exudado; si el proceso continúa, el tejido pulmonar se consolida y se altera el intercambio gaseoso entre el aire inspirado y la sangre. Generalmente se hace referencia a las neumonías según su agente causal (*p. e.*, neumonía neumocócica, estafilocócica, por bacilos gramnegativos, vírica). También, según sea el sitio donde se contraigan, se clasifican en neumonías intrahospitalarias (producidas fundamentalmente por *Strepotococcus pneumoniae* y *Mycoplasma pneumoniae*) y neumonías extrahospitalarias. Las neumonías estafilocócicas y por gérmenes gramnegativos frecuentemente son complicaciones de otras enfermedades en pacientes debilitados. Las neumonías víricas suelen presentarse sin ninguna patología preexistente.

Pruebas diagnósticas habituales

- Radiografías de tórax.
- Examen de esputo con tinción de Gram; cultivo de esputo.
- Cultivo de material nasofaríngeo.
- Hemocultivo.
- Gases arteriales.

Observaciones

- Respiraciones rápidas y superficiales.
- Elevación de la temperatura, que puede acompañarse de escalofríos intensos.
- Dolor torácico; si el dolor es en puntada de costado y se incrementa al toser y respirar, puede ser indicativo de compromiso pleural.
- Tos productiva, con esputo de diferentes características: espeso, purulento (color amarillo verdoso), hemático (herrumbroso), etcétera.

Tratamiento

- Antibióticos específicos contra el microorganismo causal (a partir de antibiograma).
- Antitusígenos, expectorantes y antipiréticos.
- Analgésicos.
- Aislamiento, dependiendo del agente causal (véase TE: Infección, aislamiento).
- Oxigenoterapia, si está indicado, y humidificación de la habitación (véase TE: Oxigenoterapia).

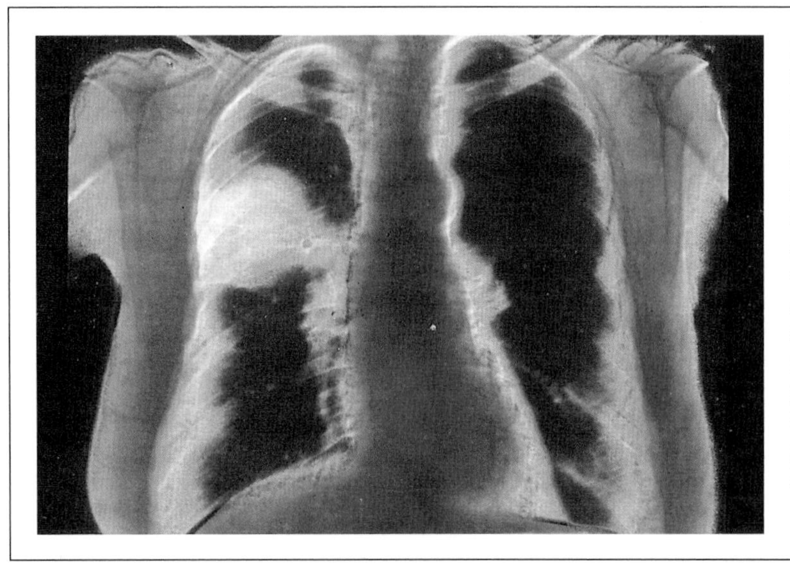

Neumonía. La radiografía de tórax permite detectar la inflamación pulmonar y determinar las áreas afectadas, proporcionando a veces datos mucho más significativos que los obtenidos a partir de la sintomatología y la exploración física. En la ilustración se muestra una placa de tórax en la que puede distinguirse con claridad una zona del pulmón derecho afectada por una neumonía.

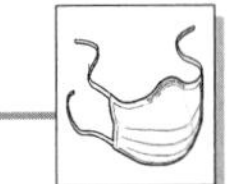

- Aumento de líquidos por vía oral o administración EV.

Consideraciones de enfermería

- El agente causal debe ser identificado antes de iniciarse el tratamiento con antibióticos, por lo que es de máxima importancia que los cultivos de sangre y esputo sean realizados lo antes posible.
- Utilícese el sentido común en la elección del compañero de habitación si no es necesario el aislamiento. Es preferible ingresar a estos pacientes en habitaciones individuales.
- Los pacientes que por cualquier razón requieran aspiración de las vías aéreas superiores son especialmente susceptibles a padecer una neumonía. Utilícese siempre material estéril para aspirar (véase TE: Aspiración nasofaríngea).
- Estése alerta a la posibilidad de reacción a los antibióticos y vigílese una posible infección por hongos tras varios días de antibioticoterapia, que puede aparecer en la boca o en la vagina como pequeñas costras blancas en la mucosa.
- El aumento de la ingesta de líquidos ayuda a disminuir el espesor de las secreciones.
- Es conveniente colocar toallas encima y debajo del paciente para ayudarle a mantenerse seco, pues presentará sudoración importante.
- Aunque el toser puede ser doloroso para el paciente, insístase en que lo haga, ya que se pueden formar fácilmente tapones mucosos que obstruyan la vía aérea, provocando la formación de atelectasias (colapso pulmonar).

Neumotórax

Descripción

Se trata de una situación en la que entra aire en el espacio pleural como consecuencia de una rotura de la superficie pulmonar sin traumatismo previo (*neumotórax espontáneo*) o a través de una herida en la pared torácica (*neumotórax traumático*). Cuando entra aire en el espacio pleural, el pulmón tiende a colapsarse y no puede expandirse completamente. Si la abertura por donde entra el aire al espacio pleural actúa a modo de válvula y no permite su salida, se constituye un *neumotórax a tensión* y la presión intrapleural alcanza valores superiores a la atmosférica, grave complicación que comporta un progresivo colapso de pulmón e insuficiencia respiratoria. También puede producirse un desplazamiento del mediastino, con el corazón, hacia el lado opuesto del tórax, lo que altera el funcionamiento del pulmón sano, así como del corazón. Asimismo, es posible que se produzca un *enfisema subcutáneo.*

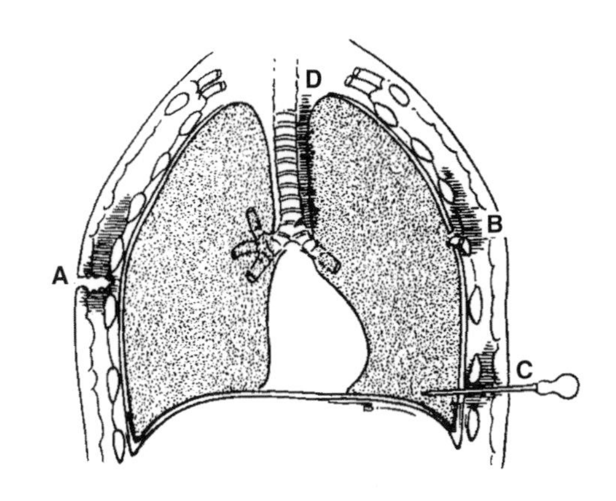

A. Aberturas externas en la piel
B. Desgarro de la pleura parietal y de pulmón
C. Herida penetrante
D. Desgarro de un bronquio

El enfisema subcutáneo corresponde a la presencia de aire en los tejidos situados por debajo de la piel, que se percibe como una dilatación de la misma y por la percepción de una especie de crujido en la palpación. Muchas veces se trata de la complicación de un neumotórax y en otras ocasiones se debe directamente a heridas traumáticas o quirúrgicas en el tórax o a la rotura de un bronquio. En el dibujo se muestran los diversos mecanismos de producción del enfisema subcutáneo.

Pruebas diagnósticas habituales

- Radiografías de tórax, con placas en inspiración y espiración.

Observaciones

- En caso de neumotórax espontáneo, es frecuente que tras un ataque de tos fuerte aparezca un dolor torácico súbito y agudo con falta de movilización de un lado del tórax, seguido de ansiedad, disnea, taquicardia y, posiblemente, con caída de la presión sanguínea.
- El neumotórax a tensión y el desplazamiento del mediastino son casos de extrema urgencia, porque en cuestión de minutos se puede producir shock y fallo cardiaco.

Tratamiento

- Toracocentesis (véase TE: Toracocentesis).
- Drenaje torácico (véase TE: Drenaje torácico).
- Oxigenoterapia (véase TE: Oxigenoterapia).
- Analgésicos y antitusígenos.
- Cirugía del posible punto de escape de aire del pulmón.

Consideraciones de enfermería

- Dado que el paciente suele estar asustado, permanézcase con él todo el tiempo que sea posible.
- Los pacientes están más cómodos con la cabecera de la cama elevada.
- Los tubos de drenaje torácico producen dolor, y es frecuente que las molestias persistan durante varios días después de retirar los tubos. Es importante aliviar el dolor.
- El neumotórax puede ser una complicación de la enfermedad pulmonar obstructiva crónica (véase EMQ: Respiratorio, enfermedad pulmonar obstructiva crónica).
- El neumotórax no suele verse en pacientes pediátricos, aunque sí se da, con cierta frecuencia, en prematuros.

Pleuritis

Descripción

La pleuritis o pleuresía consiste en una inflamación de la pleura que puede tener diferente origen, generalmente infeccioso.

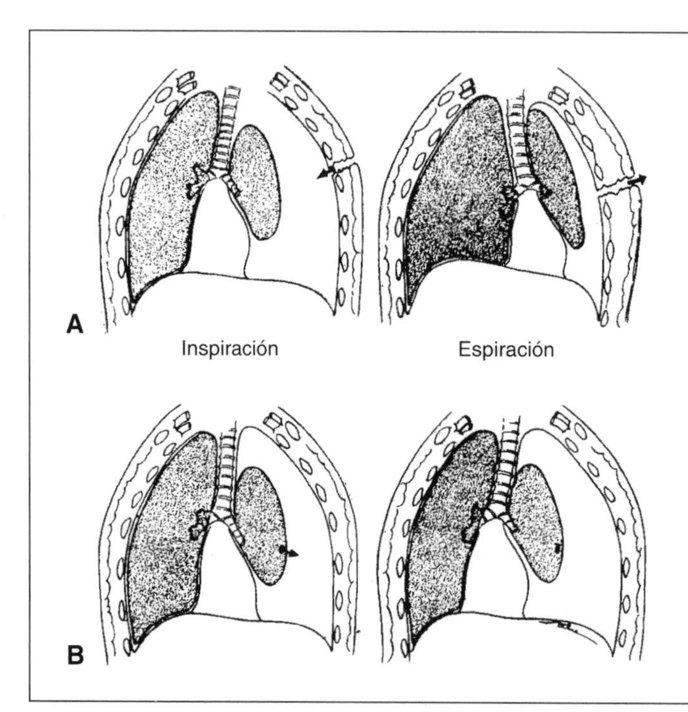

Neumotórax. *El esquema muestra los movimientos del mediastino durante la inspiración y la espiración en distintos casos de neumotórax. A, cuando hay una abertura pleurocutánea, el mediastino se aleja del lado lesionado durante la inspiración y se acerca a la abertura durante la espiración. B, en caso de neumotórax a tensión, el aire sale del pulmón durante la inspiración y no puede volver a penetrar en él durante la espiración, por lo que se acumula en el espacio pleural y desplaza el mediastino, alejándolo del lado afectado.*

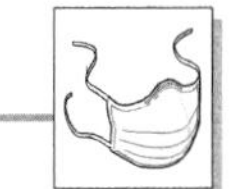

- La *pleuritis seca* (con escasa o nula formación de exudados) puede producirse a consecuencia de lesiones pleurales localizadas, por lo común como complicación de trastornos pulmonares subyacentes (neumonía, infarto pulmonar, tuberculosis, cáncer broncopulmonar, absceso pulmonar), y también puede ser provocada por infecciones, en especial de índole vírica (pleurodinia epidémica o enfermedad de Bornholm).
- La *pleuritis húmeda* se acompaña de acumulación de exudados en la cavidad pleural, con el consiguiente derrame pleural.

Aquí se tratará la pleuritis seca; para más información sobre pleuritis húmeda, véase EMQ: Respiratorio, derrame pleural.

Pruebas diagnósticas habituales

- Radiografía de tórax.

Observaciones

- El dolor torácico característico de la pleuritis es la puntada de costado, un dolor lancinante unilateral y de instalación brusca, que se intensifica con la tos y las respiraciones profundas, pudiendo irradiarse a otras zonas, bien sea hacia el cuello y el hombro, cuando se afecta la pleura que cubre la parte central del diafragma, o bien hacia el abdomen, si está afectada la zona correspondiente a la parte más externa del diafragma.
- En la pleuritis de origen vírico el dolor se acompaña de tos seca muy pertinaz, que agudiza las molestias, así como de fiebre, malestar general y dolor muscular generalizado.

Tratamiento

- Reposo.
- Medicación antiálgica, antiinflamatoria y antitusígena.
- Fisioterapia respiratoria.

Consideraciones de enfermería

- Indíquese al paciente que para atenuar el dolor lo mejor es que se tienda sobre el lado afectado, a fin de limitar el movimiento de la pleura lesionada.
- El paciente tiende a minimizar los movimientos respiratorios y evitar la tos para prevenir la intensificación del dolor, con el consiguiente riesgo de acumulación de secreciones en las vías respiratorias. Enséñense las prácticas básicas de fisioterapia respiratoria, e indíquese que conviene sujetarse el tórax con ambas manos al toser o respirar profundamente (véase TE: Fisioterapia respiratoria).
- Evítense los analgésicos que depriman el centro respiratorio.

Traumatismos torácicos

Descripción

Los traumatismos producidos por impactos mecánicos sobre la región del tórax son una consecuencia frecuente de accidentes, y sus formas más graves suelen darse en los pacientes politraumatizados (véase EMQ: Musculoesquelético, politraumatismos). Se consideran traumatismos cerrados aquellos casos en que se mantiene la integridad de la pared torácica, mientras que se denominan traumatismos abiertos los que se acompañan de heri-

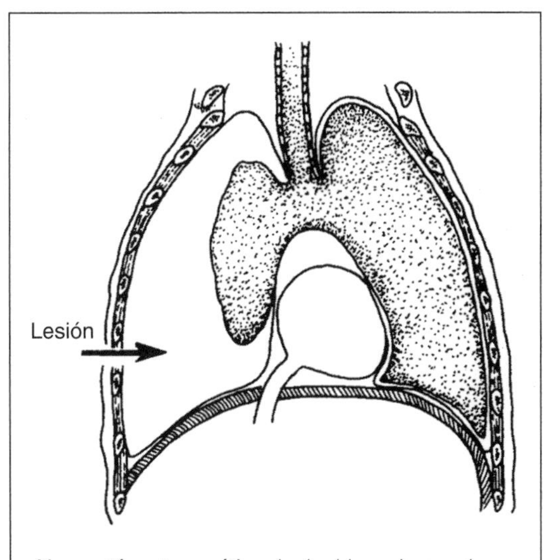

Neumotórax traumático. *La herida en la pared torácica permite la entrada de aire y su acumulación en la cavidad pleural, provocando un colapso del pulmón y la consecuente reducción de la capacidad respiratoria.*

das que comunican la cavidad torácica con el exterior. Desde una perspectiva global, cabe diferenciar los traumatismos simples que sólo comportan lesiones en la pared torácica y aquellos que generan alteraciones funcionales en el contenido visceral de la caja torácica y dan lugar a severos trastornos respiratorios y cardiovasculares.

Pruebas diagnósticas habituales

- Radiografía de tórax.
- Evaluación de la función pulmonar.
- Evaluación de la función cardiaca, con ECG.

Observaciones

- La contusión torácica simple o contusión musculocostal, con afectación de las estructuras que forman las paredes torácicas pero con mantenimiento de la integridad de la pared del tórax, se manifiesta predominantemente por dolor, aunque puede tener repercusiones en la mecánica ventilatoria al producir una limitación de la expansión torácica.
- La fractura costal es la consecuencia más frecuente del traumatismo torácico. Puede tratarse de una fractura costal única o múltiple, y sus consecuencias dependen de la cantidad de costillas lesionadas y del posible desplazamiento de los huesos fracturados, ya que pueden producirse lesiones pleurales y viscerales.
- La fractura de esternón se manifiesta con dolor en el centro del tórax, intensificado por la tos o las respiraciones profundas. Si se produce desplazamiento del esternón fracturado pueden generarse lesiones importantes en los órganos subyacentes.
- Los traumatismos torácicos abiertos y los que se acompañan de afectación visceral pueden comportar complicaciones tales como hemorragias externas e internas, lesiones pleurales, neumotórax, hemotórax, lesiones broncopulmonares, enfisema mediastínico, lesiones cardiacas, pericárdicas y de los grandes vasos, y lesiones diafragmáticas.

Tratamiento

- Reposo.
- Inmovilización de las fracturas.
- Tratamiento antiálgico.
- Fisioterapia respiratoria.
- Tratamiento de las complicaciones.
- Cirugía.

Consideraciones de enfermería

- Manténgase en reposo absoluto a todo paciente con posibles fracturas de costilla o de esternón hasta que el médico pueda evaluar la situación. Cualquier desplazamiento de un fragmento óseo puede provocar graves lesiones viscerales.
- El paciente con contusión torácica simple debe guardar reposo en una posición que favorezca la respiración, como es la posición semi-Fowler.
- Es muy importante calmar el dolor del paciente con contusión torácica o fractura costal, ya que interfiere la mecánica respiratoria y dificulta la eliminación de secreciones bronquiales. Procédase a la administración de analgésicos, pero evítense los fármacos que deprimen el centro respiratorio. Si la medicación por vía general no es suficiente, puede recurrirse a la infiltración anestésica de los nervios intercostales.
- Efectúense las oportunas medidas de fisioterapia respiratoria para evitar complicaciones por acumulación de secreciones. Conviene proporcionar una medicación analgésica con suficiente antelación, para que su efecto sea más notorio a la hora de efectuar los ejercicios respiratorios.
- Vigílese la aparición de signos de neumotórax en todo traumatismo torácico abierto (véase EMQ: Respiratorio, neumotórax).
- Cuando se practiquen vendajes torácicos, téngase en cuenta que no deben ser tan compresivos como para dificultar la ventilación, comprobando que no limiten la expansión pulmonar.

Tuberculosis pulmonar

Descripción

La tuberculosis pulmonar, producida por el *Mycobacterium tuberculosis* o bacilo de Koch, es una infección crónica cuya incidencia, apa-

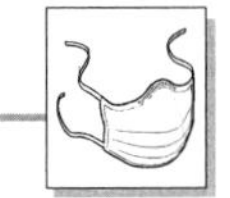

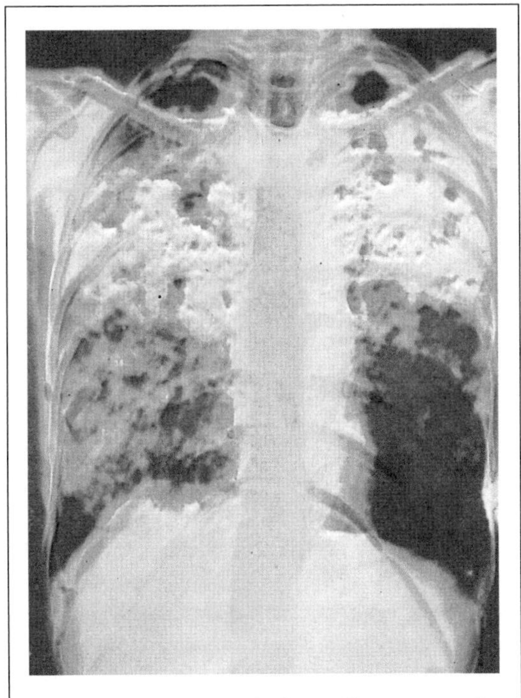

Tuberculosis pulmonar. La ilustración corresponde a una radiografía de tórax donde puede apreciarse con facilidad la presencia de lesiones tuberculosas calcificadas en ambos campos pulmonares.

rentemente controlada en los últimos tiempos, está experimentando un nuevo recrudecimiento, especialmente en relación con su desarrollo en los enfermos con SIDA. El germen causal suele acceder al organismo por vía respiratoria hasta el pulmón, donde suele desarrollarse una reacción inflamatoria que limita su multiplicación, con la formación de un nódulo (nódulo de Ghon). Si las defensas del organismo son buenas, el nódulo se calcifica y la enfermedad se detiene en este estadio. Si la enfermedad avanza, como suele ocurrir en pacientes con afecciones debilitantes o inmunodeficiencias, se forma material purulento dentro del nódulo, que eventualmente se rompe y da lugar a la formación de una cavidad pulmonar (caverna) y la extensión de la infección al tejido adyacente.

Pruebas diagnósticas habituales

- Prueba de la tuberculina, mediante inyección intradérmica de PPD. Se considera positiva si en 48 horas aparece un área indurada de 10 mm o más en el lugar de la inyección (véase TE: Tuberculina, prueba de).
- Radiografía de tórax; para apreciar las cavernas pulmonares se practican tomografías.
- Cultivo de esputo recogido por la mañana temprano. Debido al lento crecimiento del bacilo tuberculoso, los resultados tardan de 4 a 8 semanas.

Tratamiento

- El tratamiento moderno se basa predominantemente en la administración de fármacos, en contraste con las largas estancias en sanatorios típicas de antaño.
- Los principales fármacos utilizados en la quimioterapia antituberculosa son la isoniacina, el etambutol, la rifampicina y la estreptomicina. Suele combinarse la administración de dos, tres o cuatro fármacos durante períodos prolongados, generalmente durante un mínimo de 9 meses y un máximo de 18-24 meses.

Consideraciones de enfermería

- Actualmente, la mayoría de los enfermos con tuberculosis son tratados como pacientes ambulatorios. Aquellos que están hospitalizados suelen presentar la enfermedad avanzada o bien han sido diagnosticados mientras están hospitalizados por otras razones.
- El paciente suele mantenerse aislado hasta que se produzca la negativización de los cultivos, lo cual suele ocurrir después de 1-2 semanas de tratamiento, aunque puede alargarse en algunos casos (véase TE: Infección, aislamiento).
- Si el paciente tiene tos productiva, enséñesele a toser y a hablar tapándose la boca, a tirar los pañuelos de papel en una bolsa desechable y a lavarse las manos después.
- Debe brindarse al paciente una buena información sobre la medicación, repasando los puntos principales de la terapia. Hágase énfasis en la necesidad de tomar la medicación diariamente, sin dejar de cumplir la pauta ni un día.
- Es importante que se mantenga una dieta correcta y un descanso adecuado. Pídase al dietista que hable con el paciente.

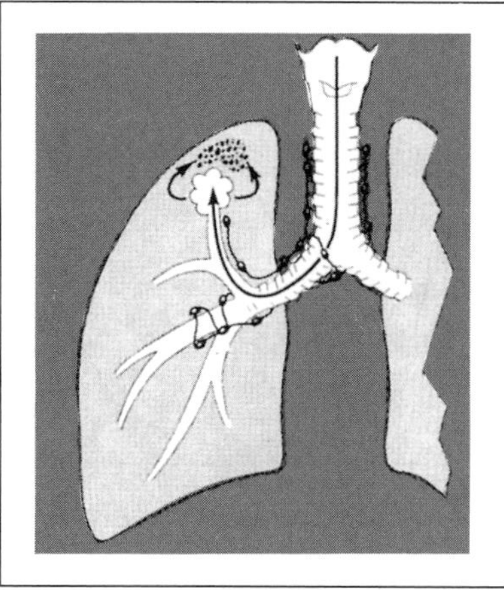

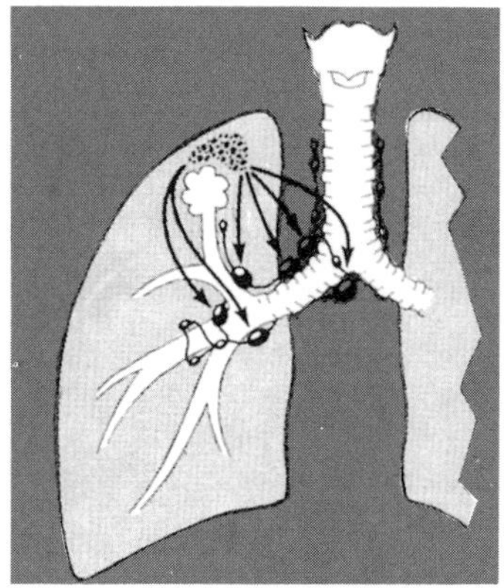

Tuberculosis pulmonar. La primoinfección tuberculosa determina la formación de una pequeña lesión generalmente localizada en el vértex pulmonar, el nódulo de Ghon (izquierda), desde donde los gérmenes pasan a través de los vasos linfáticos hasta los ganglios linfáticos de la zona y provocan una adenopatía hiliar (derecha).

- La familia necesita tanta información como el propio paciente. Compruébese que los familiares entienden la importancia de la medicación y se hacen las pruebas de la tuberculosis, ya que puede ser conveniente que reciban una quimioprofilaxis.

Cambios producidos por la edad en el sistema respiratorio

- Aproximadamente en el 70% de los ancianos se produce un grado significativo de cifosis (curvatura exagerada de la columna).
- Hay un incremento gradual del diámetro antero-posterior del tórax como resultado de la calcificación de las vértebras y costillas.
- La pared torácica se vuelve rígida y dura.
- Los músculos respiratorios (diafragma e intercostales) se debilitan.
- Tiene lugar un aumento del tamaño de los alvéolos, con la consiguiente disminución de la capacidad de difusión.
- El aumento de espesor epitelial (cubierta celular) en bronquios y bronquiolos disminuye la acción de los cilios.
- El volumen pulmonar total no se modifica, pero la capacidad vital forzada disminuye, aumentando el volumen residual.
- La PaO_2 (presión parcial de oxígeno) desciende con la edad, pero la $PaCO_2$ (presión parcial de dióxido de carbono) permanece igual.

Implicaciones

- A pesar de los cambios relacionados con la edad, la capacidad para mantener una oxigenación adecuada no se altera mucho si la persona está sana y es moderadamente activa. De todos modos, la capacidad de reserva funcional en el individuo anciano disminuye con la ansiedad, la enfermedad y el ejercicio severo.
- Debido a los cambios anatómicos, puede ser más difícil auscultar bien los ruidos respiratorios. Auscúltese por los lados, así como por la espalda.
- La persona anciana puede tener dificultades para respirar profundamente, y generalmente tiene una tos débil. El aprendizaje de técnicas para toser y la respiración profunda son muy importantes en los ancianos enfermos.
- La disminución de la actividad ciliar provoca dificultad para la movilización de las secreciones.
- El flujo sanguíneo pulmonar normalmente es mayor en las áreas pulmonares inferiores, pero las vías aéreas de los ancianos se abren predominantemente en las áreas pulmonares superiores, lo que contribuye a que descienda la PaO_2. Esta mala relación será peor cuando el individuo anciano esté en posición supina y respire superficialmente.
- En las personas ancianas, la acidosis respiratoria se puede manifestar como agitación severa.
- La utilización inadecuada de sedación puede deprimir los centros respiratorios y llevar a una insuficiencia respiratoria.
- El reposo prolongado en cama es bastante perjudicial para los pacientes ancianos.

Pediatría

Diagnósticos de enfermería asociados con pacientes pediátricos

En los pacientes pediátricos, pueden determinarse diagnósticos de enfermería concernientes al propio paciente y también a sus progenitores en sus funciones de cuidadores. Véase capítulo Diagnóstico de enfermería:

- Alto riesgo de alteración de la temperatura corporal relacionado con edades extremas.
- Termorregulación ineficaz relacionada con inmadurez o prematuridad.
- Déficit de volumen de líquidos corporales.
- Alto riesgo de broncoaspiración.
- Alteración de la protección.
- Alteración de la comunicación verbal.
- Alteración de la función parental.
- Alto riesgo de alteración de la función parental.
- Alteración de los procesos familiares.
- Sobreesfuerzo en la función de cuidador.
- Alto riesgo de sobreesfuerzo en la función de cuidador.
- Conflicto con la función parental.
- Afrontamiento defensivo.
- Afrontamiento familiar incapacitante.
- Afrontamiento familiar comprometido.
- Déficit de la actividad recreativa.
- Lactancia materna ineficaz.
- Lactancia materna interrumpida.
- Patrón de alimentación infantil ineficaz.
- Alteración del crecimiento y desarrollo.
- Síndrome de estrés por traslado.

Amigdalectomía y adenoidectomía

Descripción

- La amigdalectomía consiste en la extracción quirúrgica de las amígdalas palatinas, dos estructuras de tejido linfoide situadas en la orofaringe, entre los pilares del velo del paladar. Las razones más frecuentes para realizar esta intervención son las inflamaciones recurrentes de las amígdalas (amigdalitis), el absceso periamigdalar y la obstrucción de las vías aéreas debida al tejido adenoamigdalar.
- La adenoidectomía es la exéresis quirúrgica de las vegetaciones adenoideas, unas masas de tejido linfoide localizadas en el techo de la nasofaringe que se forman con frecuencia en los niños a partir de la hipertrofia o aumento de tamaño del tejido linfoide que constituye la amígdala faríngea o amígdala de Luschka. Las vegetaciones adenoideas pueden alcanzar un tamaño tal que produzcan obstrucción nasal o de la trompa de Eustaquio. La obstrucción de la trompa de Eustaquio con frecuencia suele producir infecciones crónicas del oído medio; una de las principales razones para la exéresis de las vegetaciones adenoideas es la otitis serosa

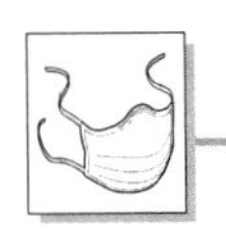

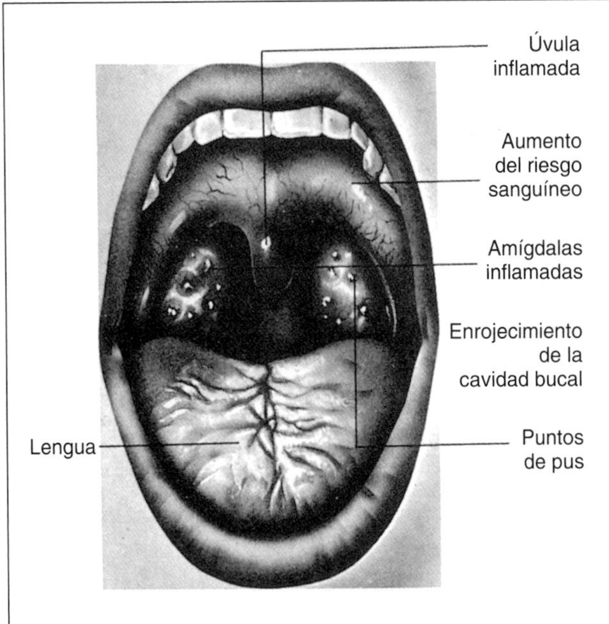

La amigdalitis corresponde a la inflamación de las amígdalas palatinas, dos formaciones de tejido linfoide situadas en la orofaringe que van creciendo progresivamente en los primeros años de vida hasta alcanzar su volumen máximo entre los 3 y 6 años de edad, tras lo cual su actividad se limita y su tamaño disminuye poco a poco. La amigdalitis aguda suele ser de origen infeccioso, ya sea bacteriano o vírico: en el primer caso suelen formarse sobre las amígdalas unos pequeños puntos blanquecinos constituidos por folículos linfoides agrandados y pus (amigdalitis pultácea), mientras que en el segundo caso solamente se observa un agrandamiento y enrojecimiento de las amígdalas (amigdalitis eritematosa. Las infecciones repetidas pueden causar una amigdalitis crónica, provocando una hipertrofia de las amígdalas que, si dificulta la respiración, constituye una indicación para la amigdalectomía.

media, con la consiguiente sordera que acarrea este trastorno.

Observaciones

- La amigdalitis crónica, resultado de repetidas infecciones agudas de las amígdalas palatinas, origina síntomas semejantes a los de una faringitis crónica difusa. Cuando el tamaño de estas amígdalas es excesivo, pueden impedir el paso normal del aire a las vías respiratorias y, generalmente, trastornos respiratorios y crisis de apnea cuando el niño duerme, con la consiguiente alteración del sueño y el consecuente cansancio durante el día.
- Suele indicarse la extirpación de las amígdalas cuando se presentan entre tres y cinco episodios de amigdalitis aguda durante dos o más años consecutivos.
- Las vegetaciones adenoideas suelen inflamarse, dando lugar a obstrucción nasal, sensación de ardor por detrás del paladar y secreciones, con flujo abundante de mucosidad nasal.
- La obstrucción nasal que provoca la hipertrofia de la amígdala faríngea hace que característicamente el niño respire por la boca, que mantiene constantemente abierta. A veces puede apreciarse una típica facies adenoidea, caracterizada por alargamiento de la cara, paladar muy convexo y mala posición de los dientes (los superiores están más adelantados que los inferiores).
- Suele indicarse la extirpación de las vegetaciones adenoideas cuando ocasionan frecuentes infecciones en el oído o si el problema comporta una inadecuada oxigenación crónica y las consiguientes repercusiones en la esfera intelectual del niño (muchas veces es causa de fracaso escolar).

Consideraciones de enfermería

Preoperatorio

- La cirugía se realiza una vez ha desaparecido la inflamación de las amígdalas.
- Debe explicarse la razón de la intervención al paciente, de tal modo que pueda entenderlo si se trata de un niño, y en este caso también a sus padres.
- Debe explicarse que la faringe estará irritada durante unos cuantos días tras la operación, y que durante ese tiempo puede aparecer sangre en la boca.
- Debe recordarse al paciente que es importante que beba líquidos después de la intervención. La deshidratación hará que la deglución sea más difícil y dolorosa.

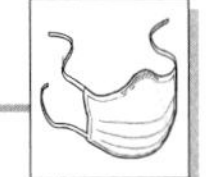

Postoperatorio

- Debe colocarse a los pacientes en posición lateral o sobre el abdomen, vigilando principalmente que las vías aéreas no se obstruyan.
- Debe disponerse siempre de un equipo de aspiración en la cabecera del enfermo después de toda intervención de amigdalectomía y/o adenoidectomía. En caso de ser necesaria la aspiración, evítese traumatizar la garganta.
- La complicación más frecuente en las primeras horas después de la intervención es la hemorragia. El llanto y los esfuerzos repetidos por aclarar la garganta también pueden producir hemorragia en la semana posterior a la intervención.
- Debe comunicarse al médico la aparición de un aumento en la frecuencia cardiaca, intranquilidad, palidez, deglución excesiva o hemorragia.
- Cuando la hemorragia sea de sangre fresca, ésta tendrá un color rojo brillante; la sangre que ha sido tragada y regurgitada tiene el aspecto de posos de café.
- Durante el postoperatorio, deben tomarse las constantes vitales tan frecuentemente como lo indique la situación del paciente.
- Pueden administrarse líquidos por vía oral tan pronto como el paciente esté consciente y no presente náuseas. Es recomendable administrar el analgésico pautado 30 minutos antes del primer intento de deglución. Los adultos suelen presentar más sensación dolorosa que los niños.
- Es habitual el dolor de oído. Esto es debido a la presencia de dolor reflejado desde la faringe hasta el oído.
- Para aclarar la garganta y reducir el mal olor y el mal gusto de boca son recomendables los enjuagues de la misma con agua salada, sin hacer gargarismos. La solución se obtiene al vertir una cucharadita de sal en un vaso de agua templada.
- Puede aliviar las molestias la colocación de un collar de hielo en la garganta.
- Es recomendable permanecer una semana con limitación de las actividades cotidianas después de la operación. Debe advertirse al paciente o a sus padres que se debe comunicar al médico cualquier aumento de la temperatura o la aparición de hemorragia.

Anemia de células falciformes (drepanocitosis)

Descripción

La anemia de células falciformes o drepanocitosis es una anemia hemolítica crónica producida por un defecto en la síntesis de la molécula de hemoglobina. Se trata de una alteración de origen genético hereditario que determina la producción de una hemoglobina anormal, denominada hemoglobina S, que provoca una deformación en los glóbulos rojos, los cuales son fácilmente destruidos. Así, en esta anemia los hematíes sólo viven entre 6 y 12 días, en comparación con los 120 días de vida de los hematíes normales. Como consecuencia, el cuerpo no puede producir nuevas células a la velocidad necesaria, tan elevada como sería preciso para mantener el recuento de hematíes a un nivel normal, por lo que aparecerá la consiguiente anemia.
Los hematíes normales tienen forma de disco y presentan una flexibilidad celular que les permite pasar a través de los capilares más finos. En la anemia de células falciformes, los hematíes adoptan una forma de hoz, rígida, cuando transportan oxígeno.

Pruebas diagnósticas habituales

- La electroforesis de la hemoglobina detecta las principales variantes de células falciformes. También diferenciará entre los pacientes con rasgos falciformes de aquellos que padecen la enfermedad.

Observaciones

- Anemia, con debilidad, palidez e ictericia (que suele observarse en el blanco de los ojos). La anemia crónica puede producir cardiomegalia y, finalmente, insuficiencia cardiaca congestiva (véase EMQ: Sangre, anemias; Cardiovascular, insuficiencia cardiaca congestiva).
- En los niños, puede observarse hepatomegalia y esplenomegalia.
- Existe un aumento de la labilidad ante las infecciones bacterianas (osteomielitis, neumonía neumocócica) y sepsis generalizada. El

bazo pierde su función a una edad precoz, debido a la fibrosis producida por los múltiples infartos. Solamente el timo filtra y destruye los microorganismos infecciosos, en especial el neumococo.

- Dolor e hinchazón de las articulaciones, similar a la artritis.
- La insuficiencia vascular de las piernas da lugar a úlceras en las mismas. En los adolescentes puede aparecer necrosis de la cabeza del fémur debido a múltiples infartos en dicho nivel. La afectación de los huesos sometidos a una carga de peso origina molestias constantes.
- Puede aparecer hematuria debido a infartos a nivel renal. En estos casos existe una tendencia a la deshidratación debido a la incapacidad de concentrar la orina, con lo que se produce una diuresis elevada.
- Los pacientes pueden sufrir accidentes vasculocerebrales debidos a trombosis, con la resultante isquemia a nivel del tejido cerebral. Tal complicación no es rara en los niños, presentándose en el 6-12% de estos pacientes.
- Puede darse retraso en el crecimiento, retraso del desarrollo sexual y priapismo (erección peneana constante).
- Los niños con anemia de células falciformes suelen ser delgados y pequeños para su edad, con un crecimiento óseo desproporcionado de la cara y el cráneo.
- Pueden aparecer crisis vasooclusivas falciformes. Estas crisis producen dolor, principalmente a nivel abdominal, que dura horas o días, junto con una elevación de la temperatura.
- Una variación de las crisis vasooclusivas son las denominadas dactilitis o «síndrome manopie». Suele ser la primera evidencia de anemia de células falciformes que aparece a los seis meses de vida aproximadamente, y raramente se ve después de los siete. Se caracteriza por una hinchazón dolorosa de las manos y los pies, acompañada por una subida de la temperatura y una elevación del recuento leucocitario. Estos síntomas suelen remitir a las dos semanas.
- Las crisis por secuestro esplénico de células falciformes es una situación grave que suele verse antes de los cinco años de edad. Se da un acúmulo brusco de sangre en el bazo debido a los cambios que sufren los hematíes en el interior de la sangre. Se produce el desarrollo de esplenomegalia, con signos y síntomas de shock debido al brusco descenso del volumen circulante de sangre.

Consideraciones de enfermería

- La anemia de células falciformes suele manifestarse en la infancia precoz, entre los seis meses y los dos años de edad. Las crisis suelen ser menos severas y frecuentes después de la adolescencia, aunque la infección siga siendo el principal problema.
- Los factores desencadenantes de las crisis vasooclusivas son la deshidratación, la infección y la fatiga importante. A la más mínima aparición de elevación térmica, fuércese la ingesta de líquidos.
- Durante una crisis, debe vigilarse la entrada y salida de líquidos y hacer determinaciones de la gravedad específica de la orina cada ocho horas, así como un control diario del peso para determinar el estado de deshidratación del paciente.
- Debe consultarse al médico cuando aparezca cualquier síntoma de infección. Los niños afectados por esta entidad suelen fallecer de sepsis. A los dos años de edad se les suele administrar la vacuna contra el neumococo.
- Los pacientes con anemia de células falciformes presentan una elevada susceptibilidad a la meningitis bacteriana, así como a la litiasis biliar.
- Las personas con rasgos falciformes pueden presentar síntomas si tienen una hipooxigenación tisular debido a ejercicio físico prolongado, enfermedad pulmonar o anestesia.
- Existen algunas variedades de anemias de células falciformes que se manifiestan en las fases tardías de la vida y que pueden producir principalmente retinopatía, en lugar de crisis dolorosas.
- La detección de la anemia de células falciformes antes de la cirugía, durante el embarazo y al poco tiempo de nacer es importante para prevenir complicaciones.
- El consejo genético es importante. La posibilidad de que los descendientes presenten anemia de células falciformes debe explicarse de forma comprensible a los futuros padres.

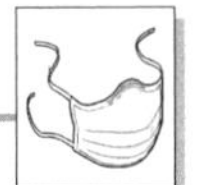

- Aunque todavía bajo investigación, se está desarrollando un método para realizar un diagnóstico prenatal de la anemia de células falciformes.
- Véase EMQ: Sangre, anemias.

Cardiopatías congénitas

Descripción

Las cardiopatías congénitas son un grupo de malformaciones que afectan a la estructura del corazón y los grandes vasos, presentes ya desde el nacimiento. Su origen es multifactorial, ya que pueden incluirse factores genéticos y ambientales (*p.e.*, infecciones víricas, exposición a radiaciones, consumo de alcohol o de otras sustancias durante el embarazo), muchos de los cuales todavía no se conocen con claridad. En términos generales, se estima que el 8% de los niños presenta alguna malformación cardiaca, cuyo tipo y gravedad pueden ser muy variados. Las cardiopatías congénitas más frecuentes son:

- *Comunicación interventricular.* Consiste en la existencia de una comunicación anormal entre los ventrículos derecho e izquierdo del corazón, por un defecto en la porción superior del tabique interventricular. Es la cardiopatía congénita más común, y comprende el 30% del total de los casos.
- *Comunicación interauricular.* Consiste en la existencia de una comunicación anormal entre las aurículas derecha e izquierda del corazón, generalmente por un defecto en la porción central del tabique interauricular debido a la persistencia de un orificio que normalmente está presente en la vida fetal (agujero de Botal o *foramen ovale*). Es una cardiopatía congénita más frecuente en el sexo masculino, y comprende el 10% del total de los casos.
- *Persistencia del conducto o ductus arterioso.* Consiste en la falta de cierre espontáneo del conducto arterioso, un vaso que durante la vida fetal comunica el tronco arterial pulmonar y la aorta y que en condiciones normales se obtura al nacer, con las primeras respiraciones. Esta cardiopatía congénita es más frecuente en el sexo femenino, y comprende el 10% del total de los casos.
- *Coartación de la aorta.* Consiste en una estrechez de la aorta, generalmente localizada en el punto donde desemboca el conducto arterioso. Esta cardiopatía congénita es más frecuente en el sexo femenino, y afecta fundamentalmente a niñas con síndrome de Turner.
- *Tetralogía de Fallot.* Consiste en la existencia de cuatro malformaciones combinadas: la estenosis pulmonar (estrechez del orificio que comunica el ventrículo derecho con el tronco arterial pulmonar), la comunicación inter-

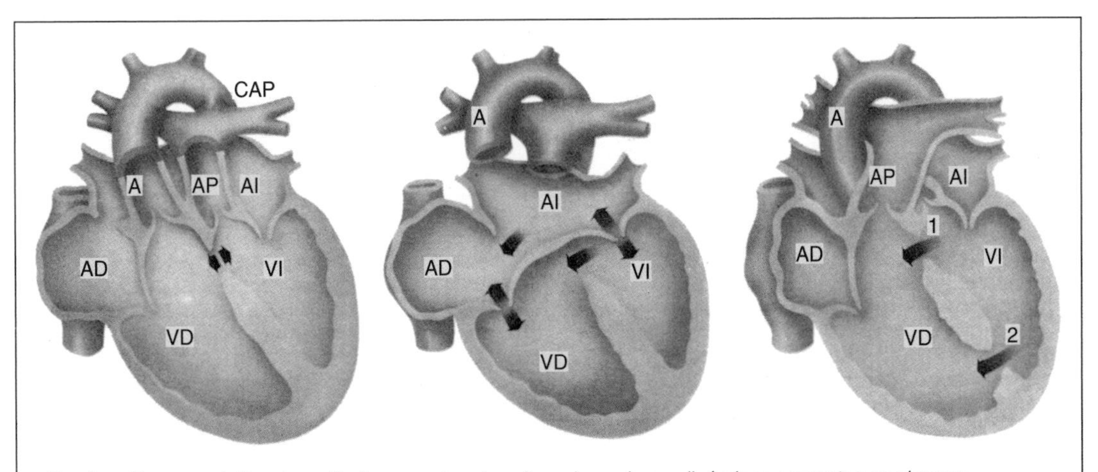

Cardiopatías congénitas. *Los dibujos muestran las alteraciones hemodinámicas presentes en algunas cardiopatías congénitas que conducen a cortocircuitos o paso anómalo de sangre entre el circuito sistémico y el pulmonar.*

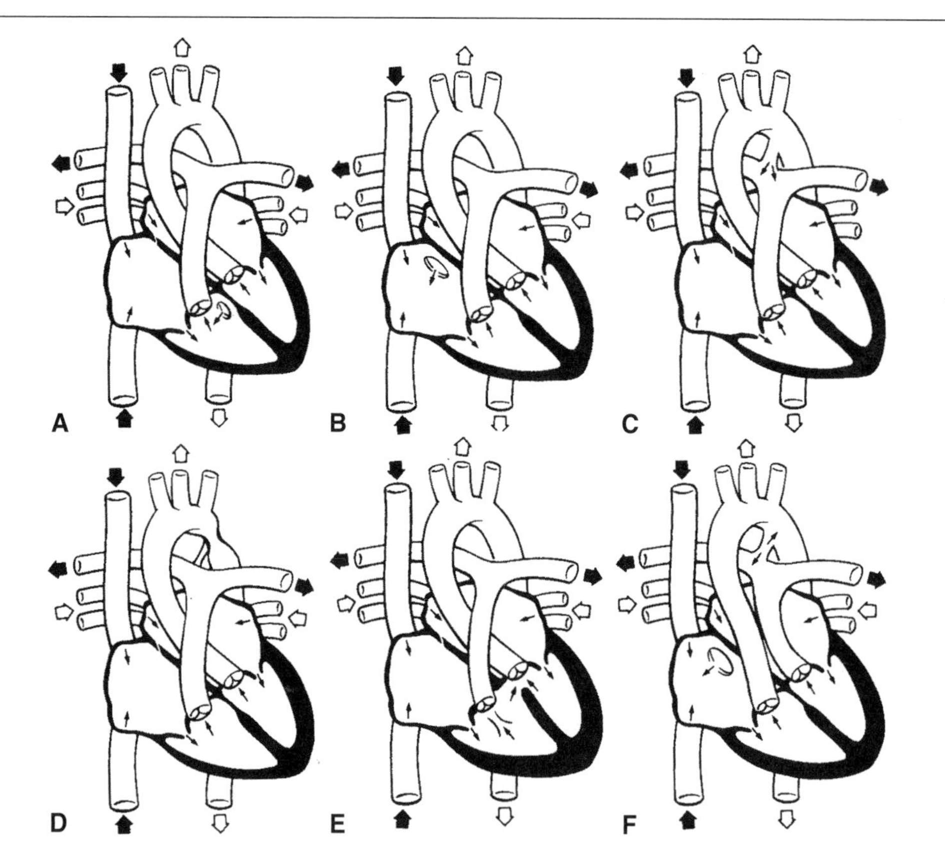

A. Comunicación interventricular B. Comunicación interauricular C. Persistencia del conducto arterioso D. Coartación de aorta E. Tetralogía de Fallot F. Transposición completa de los grandes vasos

Cardiopatías congénitas. *Los dibujos muestran de manera esquemática las principales cardiopatías congénitas y sus consecuencias hemodinámicas: comunicación interventricular, comunicación interauricular, persistencia del conducto arterioso, coartación de la aorta, tetralogía de Fallot y transposición de los grandes vasos.*

ventricular, la hipertrofia del ventrículo derecho y el nacimiento de la aorta sobre el defecto del tabique interventricular.

- *Transposición de los grandes vasos.* En esta malformación, la aorta nace en el ventrículo derecho en vez de hacerlo en el izquierdo y, por el contrario, el tronco arterial pulmonar nace en el ventrículo izquierdo en vez de hacerlo en el derecho.

Las citadas malformaciones congénitas producen un trastorno de la función normal del corazón y causan distintas alteraciones hemodinámicas: cortocircuitos de izquierda a derecha (paso de una parte de la sangre contenida en el circuito sistémico al circuito pulmonar) o de derecha a izquierda (paso anormal de una parte de la sangre pobre en oxígeno contenida en las cavidades derechas del corazón o en el tronco arterial pulmonar al circuito sistémico) y obstrucciones del flujo sanguíneo. En la mayoría de los tipos de cardiopatía congénita, ésta se manifiesta como una elevación del trabajo cardiaco, así como en un descenso del gasto cardiaco. Además, puede observarse un aumento de la resistencia pulmonar y, según sea la comunicación entre cavidades cardiacas derechas e izquierdas, disminución de la saturación de oxígeno de la sangre arterial. Estas alteraciones dependen del tipo y severidad del defecto, y se clasifican en cianóticas o acianóticas. Las cardiopatías congénitas pueden hacerse evidentes ya en el momento de nacer, o pueden ser detectadas en fases tardías de la in-

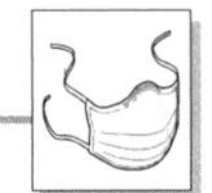

fancia, cuando el corazón malformado es incapaz de suministrar la cantidad adecuada de sangre oxigenada.

Pruebas diagnósticas habituales

- Electrocardiograma (véase TE: Electrocardiograma).
- Ecocardiograma (véase TE: Ecografía).
- Radiografía de tórax.
- Cateterismo cardiaco.
- Hemograma completo. Puede observarse un aumento de la hemoglobina y del hematocrito que se produce como forma de compensación frente a unos niveles disminuidos de oxígeno en la sangre. Algunas cardiopatías tienen una saturación de oxígeno en sangre normal.
- Gasometría arterial (véase TE: Gasometría arterial).

Tratamiento

- Dependiendo de la edad y la anatomía de la cardiopatía congénita, se utilizarán técnicas quirúrgicas correctoras o paliativas. El tipo de intervención y el momento de su indicación dependen de las características de la cardiopatía congénita.
- Los defectos pequeños pueden curarse espontáneamente, o bien el niño puede adaptarse a las limitaciones de su actividad física.
- Véase EMQ: Cardiovascular, insuficiencia cardiaca congestiva.

Consideraciones de enfermería

- La cianosis generalizada en un lactante que no mejore con la administración de oxígeno y persista durante 3 o más horas después del nacimiento puede indicar una cardiopatía congénita grave.
- Los niños con estasis vascular pulmonar o cardiopatía congénita con muy susceptibles a los resfriados e infecciones de diverso tipo. Son muy propensos a las neumonías, con lo que puede desencadenarse una insuficiencia cardiaca congestiva.
- Antes de cualquier intervención quirúrgica, incluidas las manipulaciones dentales, deberán administrarse antibióticos de forma profiláctica.
- La alimentación debe realizarse con tomas frecuentes y de poca cantidad. Es recomendable utilizar una tetina con agujero grande, y cada 15 cm^3 debe hacerse eructar al niño.
- La deshidratación puede dar lugar a policitemia, que produce un aumento de la viscosidad de la sangre y eleva el riesgo de trombosis y accidentes vasculocerebrales.
- Los episodios de hipoxia transitoria se caracterizan por un aumento súbito de la disnea y la cianosis. Pueden producir trastornos en la consciencia del niño y deben ser tratados inmediatamente. Se debe colocar el niño en posición genupectoral y administrarle oxígeno.
- Hasta el momento en que se practique la intervención correctora, pueden adoptarse algunas medidas para paliar el trastorno:

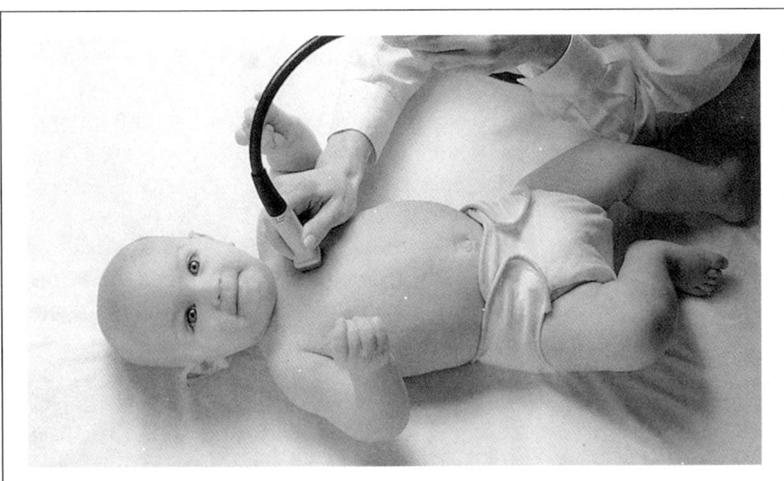

El diagnóstico de las cardiopatías congénitas requiere la realización de diversas técnicas que permitan determinar las anomalías anatómicas existentes y las alteraciones hemodinámicas que producen, punto esencial para decidir la actuación terapéutica. Entre las pruebas más utilizadas destaca la ecocardiografía-Doppler.

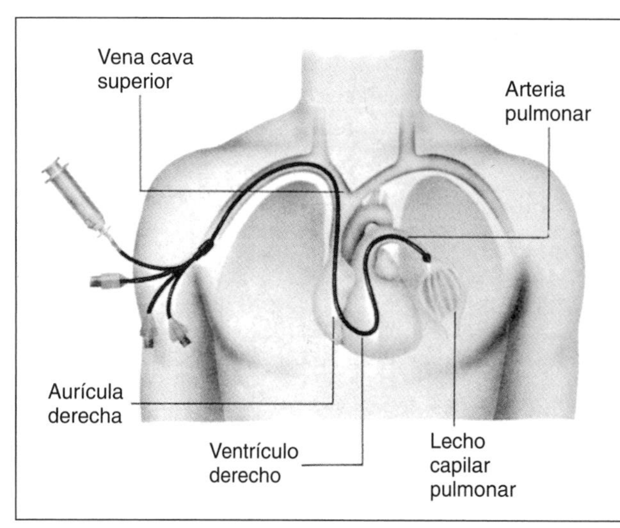

El cateterismo cardiaco constituye una técnica diagnóstica muy útil en las cardiopatías congénitas, ya que permite localizar y evaluar la gravedad de las lesiones, detectar si hay malformaciones asociadas y, fundamentalmente, determinar la necesidad y la posibilidad de recurrir a una intervención quirúrgica para corregir la anomalía. Incluso, a veces puede procederse a la corrección del defecto directamente a través de la sonda introducida en el interior de las cavidades cardiacas. La ilustración muestra la colocación de un catéter de Swan-Gunz en el interior de la arteria pulmonar.

1. Suele recomendarse evitar la práctica de ejercicios físicos intensos o violentos.
2. Es posible que, para prevenir complicaciones o la evolución de una insuficiencia cardiaca, se administren medicamentos tales como digitálicos, antiarrítmicos y diuréticos.

- Suele recomendarse una dieta pobre en sal.

Crecimiento y tablas de desarrollo

Véanse las gráficas de la página siguiente.

Criptorquidia

Descripción

Se denomina criptorquidia la falta de descenso de uno o ambos testículos desde la cavidad abdominal al saco escrotal, lo cual suele ocurrir durante el desarrollo fetal. Los testículos pueden quedarse en el abdomen o en el canal inguinal durante el proceso de descenso al saco escrotal (entre el 7° y el 9° mes de gestación). Esto suele observarse con más frecuencia en los niños prematuros, en los que los testículos suelen descender durante el primer año.

Es importante que los testículos se hallen en el saco escrotal, puesto que para su normal funcionamiento requieren una temperatura algo inferior a la que existe en el interior de la cavidad abdominal. Los testículos que permanecen dentro del abdomen se hallan sometidos a una temperatura superior a la que necesitan, pudiendo sufrir daños, con atrofia de las células germinales y la consiguiente esterilidad. Se considera que los testículos deben estar bien situados antes de los cinco años de edad para que no sufran lesiones irreversibles.

Tratamiento

- En los niños en los que los testículos se hallan por debajo del anillo inguinal externo, puede prescribirse tratamiento hormonal con gonadotropina coriónica humana para estimular la producción de testosterona e inducir el descenso de los testículos. Este tratamiento se mantiene durante un corto período de tiempo, como máximo seis semanas, y resulta eficaz aproximadamente en un 15% de los casos.
- Si el tratamiento hormonal no es eficaz, puede ser necesaria la orquiopexia, una corrección quirúrgica de transposición del testículo y su fijación en el escroto.
- Si el trastorno se diagnostica tardíamente y se deduce que el testículo presenta lesiones irreversibles, puede indicarse su extirpación en prevención del desarrollo de un tumor maligno testicular.

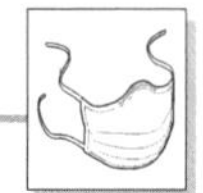

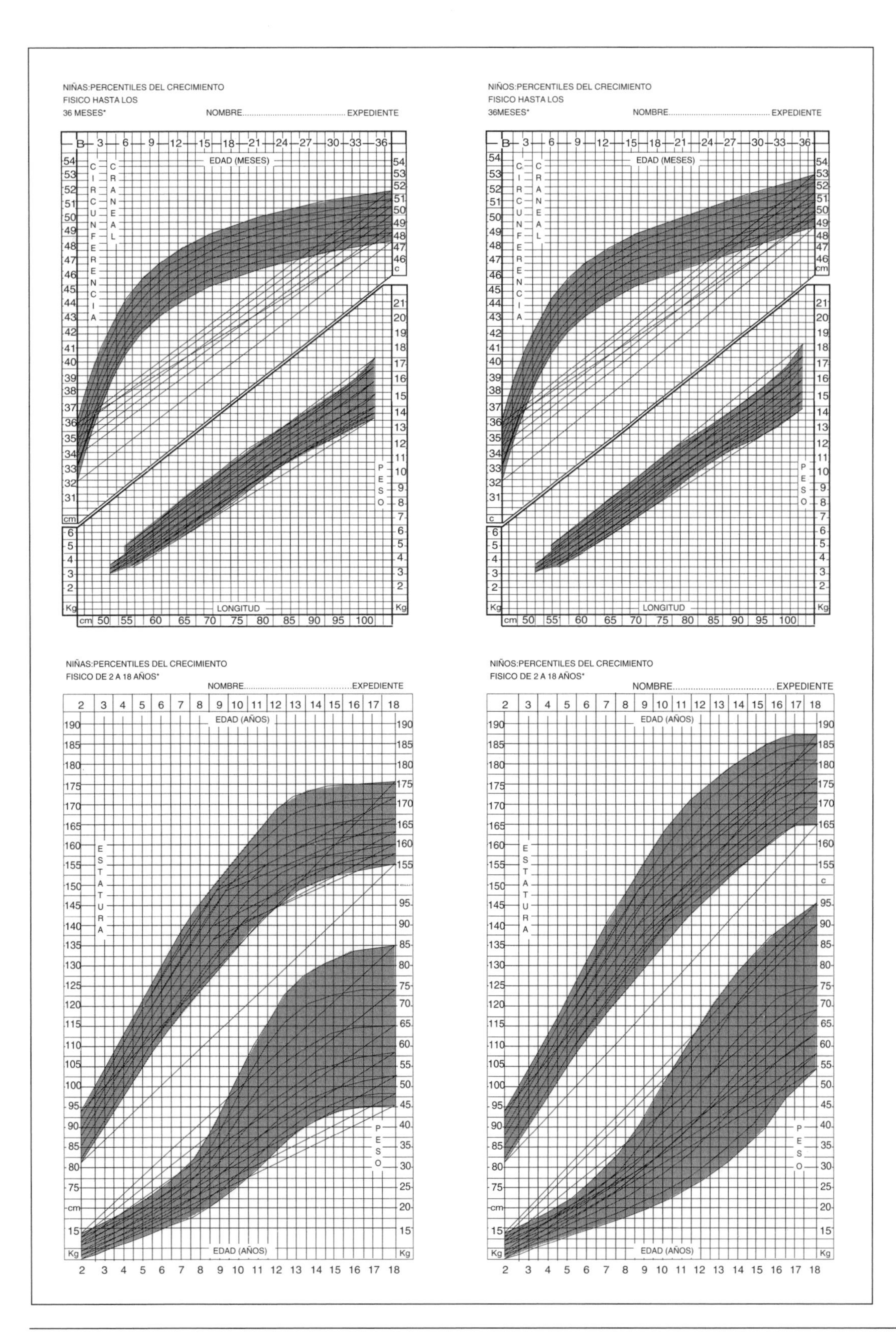
NIÑAS:PERCENTILES DEL CRECIMIENTO
FISICO HASTA LOS
36 MESES*
NOMBRE.. EXPEDIENTE
EDAD (MESES)
CIRCUNFERENCIA
CRANEAL
LONGITUD
PESO
NIÑOS:PERCENTILES DEL CRECIMIENTO
FISICO HASTA LOS
36MESES*
NOMBRE.. EXPEDIENTE
EDAD (MESES)
CIRCUNFERENCIA
CRANEAL
LONGITUD
PESO
NIÑAS:PERCENTILES DEL CRECIMIENTO
FISICO DE 2 A 18 AÑOS*
NOMBRE..EXPEDIENTE
EDAD (AÑOS)
ESTATURA
PESO
NIÑOS:PERCENTILES DEL CRECIMIENTO
FISICO DE 2 A 18 AÑOS*
NOMBRE..EXPEDIENTE
EDAD (AÑOS)
ESTATURA
PESO

Consideraciones de enfermería

- La ausencia de los testículos en el escroto puede constatarse mediante palpación, maniobra que resulta difícil en los niños pequeños, debiendo ser realizada por personas expertas.
  1. La exploración debe hacerse en una habitación con temperatura ambiental templada; quien efectúe la palpación debe evitar tener las manos frías.
  2. Para conseguir una buena relajación, conviene que el niño esté sentado y con las piernas abiertas.
  3. Si al palpar cuidadosamente el escroto no se aprecian los testículos, debe explorarse las zonas vecinas (ingle, pubis, raíz del muslo, periné) para comprobar si se detectan allí.
  4. El testículo retráctil o en ascensor es una variante del desarrollo normal, caracterizada por algún ascenso ocasional del testículo hacia el canal inguinal, que debe diferenciarse de la criptorquidia propiamente dicha. Si se solicita al niño que tosa fuerte o sople con la boca cerrada, con lo cual aumenta la presión intraabdominal, es posible que el testículo descienda, lo que confirma que se trata de un testículo retráctil y no de una auténtica criptorquidia.

Postoperatorio

- Después de la orquiopexia, el testículo puede mantenerse en su posición de 5 a 7 días mediante la colocación de una goma en la sutura de retracción en el escroto. El otro extremo de la goma se fija mediante esparadrapo en la cara interna del muslo.

  Debe mantenerse la tensión para evitar que el testículo vuelva a penetrar en el abdomen.
- La zona intervenida debe mantenerse limpia para evitar la infección.
- Adminístrense antibióticos según pauta.

Deshidratación

Descripción

La deshidratación es el resultado de un desequilibrio entre la eliminación de líquidos y la ingesta de los mismos. En los lactantes y niños, el metabolismo es dos veces más importante que en los adultos; así mismo, la relación entre la superficie corporal y el peso en los niños es considerablemente superior. Estos factores dan lugar a un porcentaje superior de intercambio de líquidos corporales en los niños, comparado con el que tiene lugar en los adultos. En los niños se recambia diariamente hasta la mitad del líquido extracelular. Por lo tanto, cualquier trastorno del equilibrio hídrico puede producir situaciones graves, siendo muy importante el adecuado cálculo y control de la fluidoterapia. Cuando se produce esta situación también suelen producirse trastornos electrolíticos. La recuperación no es completa hasta que no se hayan restablecido tanto el equilibrio electrolítico como la pérdida de agua intra y extracelular.

Pruebas diagnósticas habituales

- Urea, creatinina y proteínas séricas: se hallan elevadas en la deshidratación.
- Pruebas de equilibrio electrolítico.
- Gasometría arterial, que refleja el balance metabólico del paciente (véase TE: Gasometría arterial).
- El hemograma completo muestra una elevación del hematocrito, la hemoglobina y los hematíes si existe pérdida de volumen vascular.
- La función renal se valora mediante análisis de orina.
- Si se sospecha que la enfermedad es producida por algún agente infeccioso, deben realizarse hemocultivos y cultivos de heces.
- Se practicará un ECG para descartar cualquier afectación cardiaca por el trastorno electrolítico. Así mismo, es de extrema importancia determinar la concentración de potasio.

Tratamiento

- Es necesario restablecer el volumen circulante con el tipo y cantidad de líquido prescrito para prevenir el shock, restablecer la función renal y corregir la acidosis metabólica, ya sea ligera o severa. Dado que lo principal es corregir la deshidratación, el tratamiento de la patología subyacente puede retrasarse.

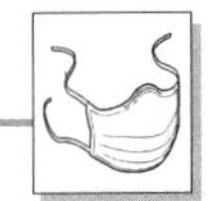

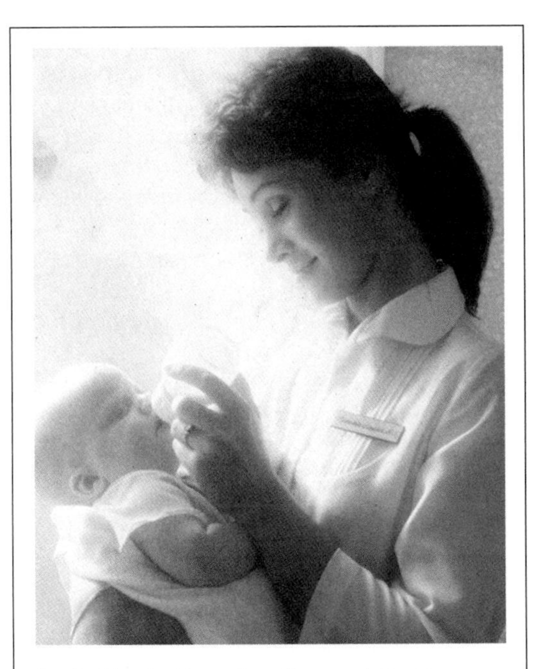

La deshidratación en los niños requiere una adecuada reposición de líquidos y electrolitos, con métodos más o menos complejos según la gravedad de la situación. Si el cuadro es leve, la rehidratación puede efectuarse por vía oral.

- La deshidratación ligera puede tratarse por vía oral con líquidos que suelen contener electrólitos y que se administrarán según se prescriba. Es importante observar y comunicar la respuesta a las tomas. Debe tratarse inmediatamente la anorexia, así como los vómitos y la diarrea.
- En la deshidratación severa se utiliza el tratamiento endovenoso, que también es preciso cuando no es posible el tratamiento por vía oral (véase Farmacología: Tratamiento endovenoso).
- La reinstauración de una dieta regular viene determinada por el estado físico. El restablecimiento precoz de la alimentación con leche puede exacerbar la diarrea. Sin embargo, no suele interrumpirse la lactancia materna (muy beneficiosa para el buen desarrollo del bebé) a no ser que la diarrea sea intratable.

Consideraciones de enfermería

- En el tratamiento de la deshidratación, el indicador físico más importante es el cambio del peso corporal. Durante los estadios iniciales de tratamiento se comprueba el peso de forma frecuente, debiéndose comprobar que se utilice la misma báscula y la misma cantidad de ropa o equipo en cada pesada.
- Es esencial la determinación *absolutamente exacta* de las entradas y salidas de *todos* los líquidos, incluidas las pérdidas por el sudor, los drenajes o supuraciones de heridas o la sonda nasogástrica, así como los ingresos correspondientes a todos los líquidos administrados por vía EV.
- Debe comprobarse con frecuencia la diuresis, así como la gravedad específica y el pH de la orina.
  1. La diuresis de un lactante oscila entre 17 y 25 ml/h, y la de un niño mayor, entre 20 y 40 ml/h.
  2. La gravedad específica de la orina aumentará en la deshidratación debido a que el riñón, en un intento de conservar la sal y el agua, producirá pequeñas cantidades de orina concentrada.
  3. El pH de la orina indicará la acidez o la alcalinidad de la misma.
- Las constantes vitales deben controlarse cada 15 o 30 minutos durante las fases críticas.
- Debe descartarse la presencia de sangre en las heces, así como comprobar su volumen y características.
- La diarrea produce una pérdida de agua y electrólitos, al igual que los vómitos. Sin embargo, los vómitos impiden la ingesta de agua y sales, lo cual puede marcar una diferencia en las pautas terapéuticas. Debe vigilarse la aparición de náuseas y vómitos cuando se restablece la alimentación oral.
- Las pérdidas de potasio en la diarrea son elevadas si ésta persiste más de 24 horas. Para corregir el déficit, se administra potasio si la diuresis está dentro de los límites normales.
- El personal de enfermería está en una posición privilegiada para observar y valorar las situaciones que pueden producir la deshidratación, tales como trastornos cutáneos (sudoración, quemaduras), problemas del tracto digestivo (vómitos, diarreas, reaspiración), del sistema endocrino y urinario (diabetes mellitus, diabetes insípida), del pulmón (hiperventilación) o vasculares (hemorragias).

Enfermedades transmisibles y pautas de inmunización

- Véanse las Tablas correspondientes: Enfermedades transmisibles en la infancia y Calendario de vacunaciones.

Consideraciones de enfermería

- Las pautas de vacunación sistemática infantil son determinadas por cada país según las directrices de la Organización Mundial de la Salud (OMS) adaptándolas a las necesidades y conveniencias de la población en cuestión, como consta de manera orientativa en la tabla inferior.
- De manera rutinaria, se administran las siguientes vacunas:
  1. *Vacuna triple bacteriana* o *DTP*: contra la difteria, el tétanos y la tos ferina.
  2. *Vacuna triple vírica*: contra el sarampión, la rubéola y las paperas (parotiditis). En algunos países se administra la *vacuna antirrubeólica* a todas las niñas de 11-12 años de edad.
  3. *Vacuna antipoliomielítica oral trivalente* (Sabin): activa contra las tres cepas existentes del virus de la poliomielitis.
- En algunos países se administra de manera rutinaria la *vacuna BCG*, contra la tuberculosis, a los lactantes durante las primeras semanas de vida.
- En los últimos tiempos algunos países han incorporado al calendario de vacunaciones la *vacuna anti-hepatitis B* y la *vacuna antimeningocócica*.
- La administración de vacunas puede estar contraindicada cuando se sospecha que el preparado puede provocar trastornos o cuando no se pueda garantizar la eficacia de la aplicación. Las contraindicaciones más comunes, ante las cuales deben solicitarse instrucciones al médico, son las siguientes:
  1. Enfermedades infecciosas febriles agudas y su período de convalecencia: todas las vacunas.
  2. Vómitos y diarreas: vacuna antipoliomielítica oral (se pospone la administración hasta que ceda el cuadro y se asegure el efecto de la vacuna).
  3. Niños que padecen trastornos neurológicos evolutivos: vacuna contra la tos ferina.
  4. Administración reciente de transfusiones de sangre, plasma o inmunoglobulinas: todas las vacunas.
  5. Alteraciones inmunitarias consiguientes a enfermedades o tratamientos con fármacos inmunosupresores: vacunas a base de gérmenes vivos atenuados.
  6. Antecedentes de reacciones alérgicas importantes a los componentes de alguna vacuna: la vacuna en cuestión.

CALENDARIO DE VACUNACIONES

EDAD	VACUNA		
3 meses	DTP		Po
5 meses	DTP		Po
7 meses	DTP		Po
15 meses		TV	
18 meses	DTP		Po
4-6 años	DT		Po
11 años		TV	
14-16 años y cada 10 años	Td		

DTP = Difteria, tétanos, tos ferina
DT = Difteria, tétanos
Td = Tétanos, difteria de tipo adulto
Po = Poliomielitis oral trivalente
TV = Sarampión, rubéola, parotiditis (triple vírica)

Epiglotitis

Descripción

Se llama epiglotitis la inflamación del tejido de la epiglotis (lámina cartilaginosa situada en la parte posterior de la lengua que impide el paso de alimentos hacia las vías respiratorias durante la deglución) y de las áreas circundantes. La causa suele ser una infección bacteriana, por lo común provocada por el

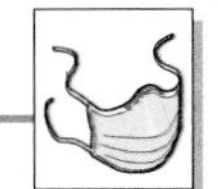

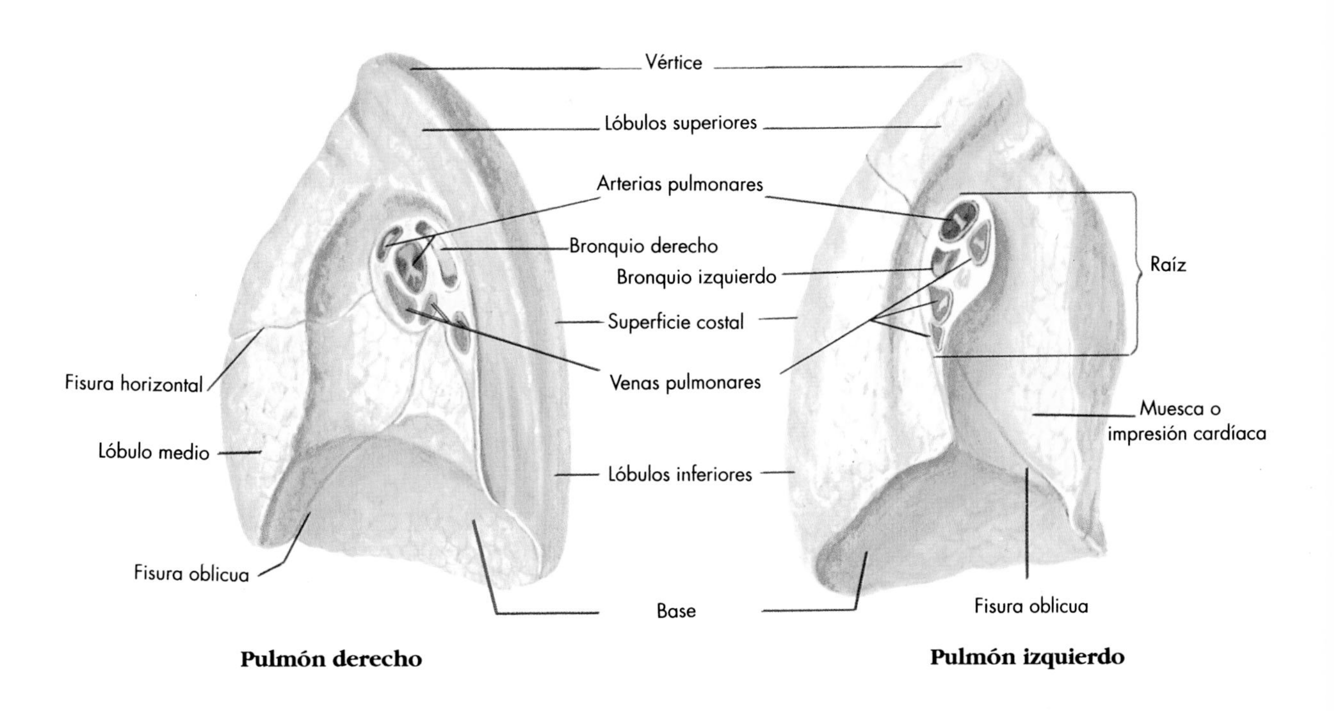

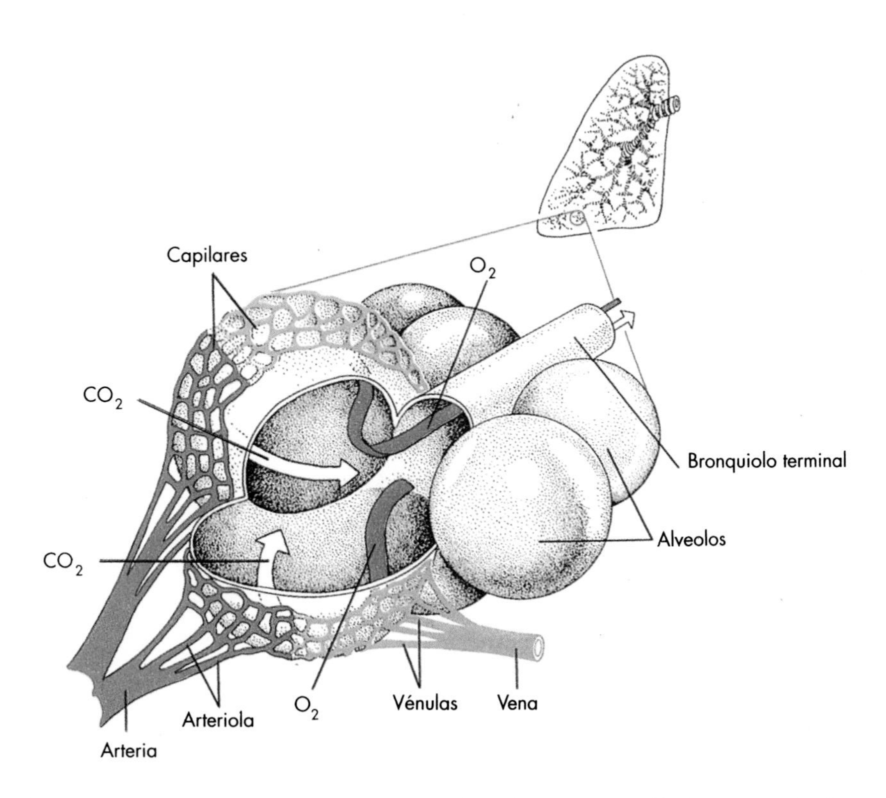

Aparato respiratorio. Arriba, aspecto anatómico de la cara interna de ambos pulmones. Abajo, representación esquemática de la superficie de intercambio pulmonar.

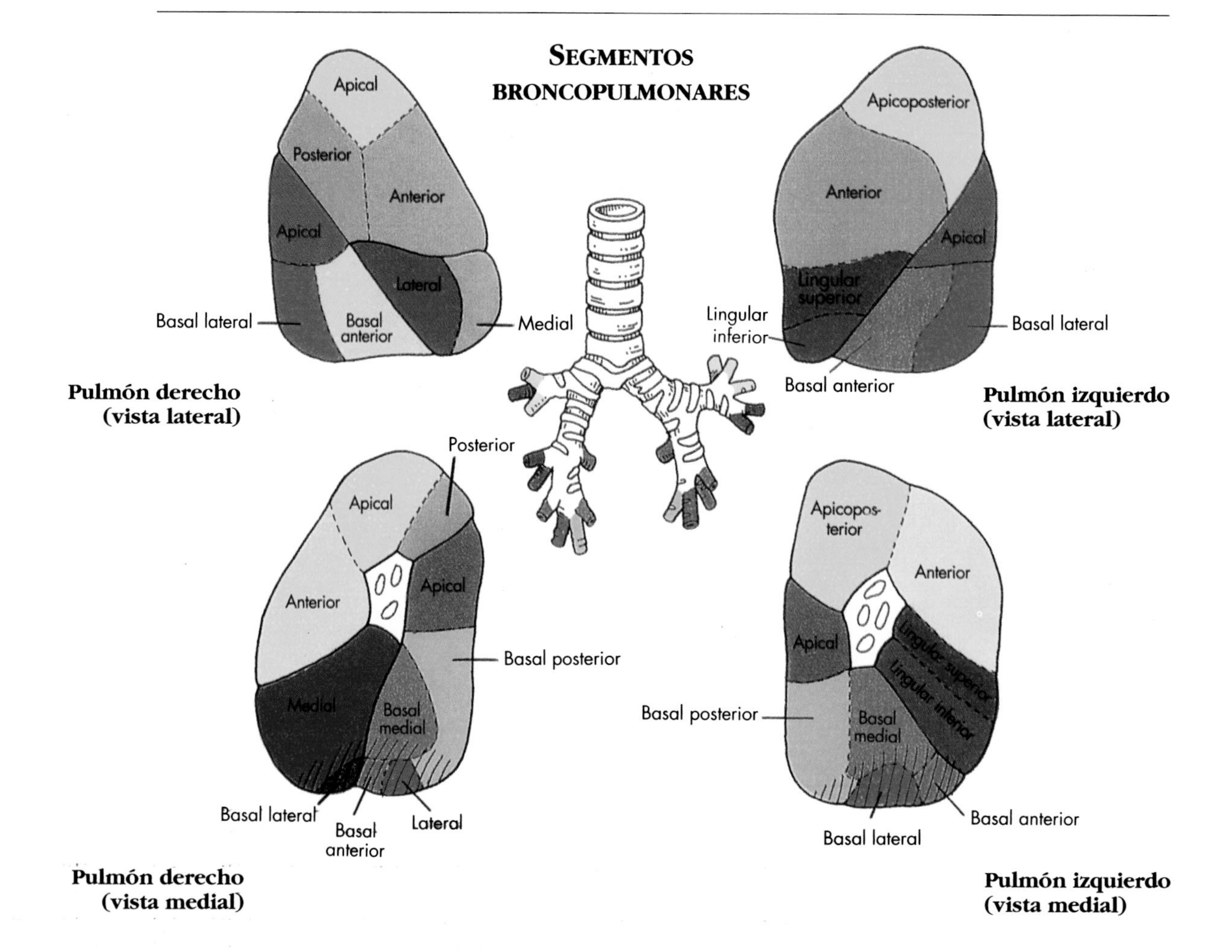

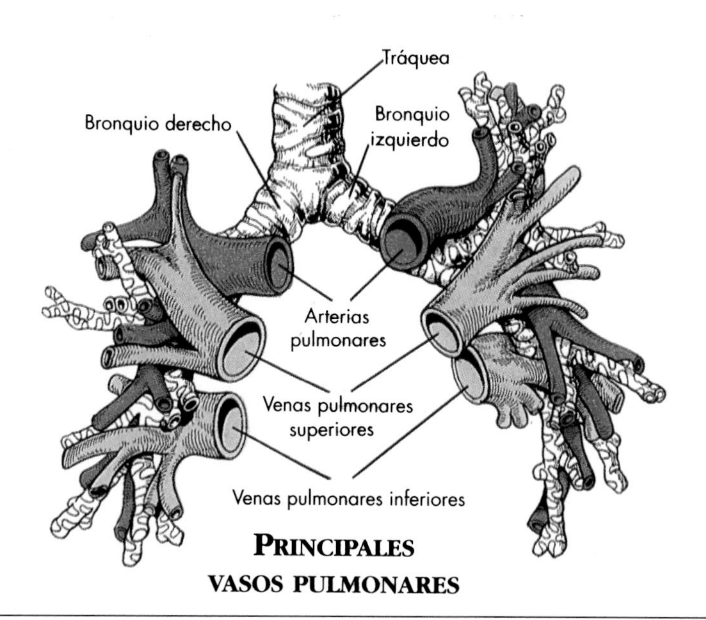

PRINCIPALES VASOS PULMONARES

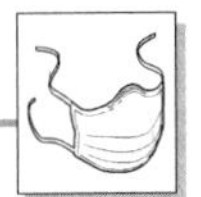

Tabla 1 Enfermedades transmisibles de la infancia

	Varicela	*Difteria*	*Sarampión*	*Paperas*	*Poliomielitis*
Causas	Virus presente en las secreciones nasales, faríngeas y bucales de los individuos infectados	El bacilo de la difteria se halla presente en las secreciones nasales, faríngeas y bucales de los individuos infectados y portadores	Virus presente en las secreciones nasales, faríngeas y bucales de los individuos infectados	Virus presente en las secreciones salivares de los individuos infectados	Se conocen tres cepas de virus de la poliomielitis que se hallan presentes en las secreciones nasales, faríngeas e intestinales de los individuos infectados
Transmisión	Muy contagiosa. Contagio por contacto con individuos infectados y artículos utilizados por los mismos	Contacto con individuos infectados y portadores, así como artículos utilizados por los mismos	Muy contagiosa. Contacto con individuos infectados, así como artículos utilizados por los mismos	Contacto con individuos infectados, así como artículos utilizados por los mismos	Principalmente contacto con individuos infectados
Período de incubación (desde la exposición hasta la aparición de los primeros signos)	13-17 días; en ocasiones 3 semanas	2-5 días; en ocasiones superior	Aproximadamente 10-12 días	12-26 días (habitualmente 18 días)	Habitualmente 7-12 días
Período de contagiosidad	Desde 5 días antes a 6 días después de la aparición de las primeras erupciones cutáneas	Desde 2 semanas antes a 4 semanas después del inicio de la enfermedad	Desde 4 días antes a 5 días después de la aparición de las primeras erupciones cutáneas	Desde 6 días antes de la aparición de los síntomas a 9 días después; principalmente en el momento de aparición de la inflamación	Aparentemente superior en la fase tardía de la incubación y primeros días de la enfermedad
Edades más susceptibles	Menores de 15 años	Menores de 15 años	En cualquier edad durante la infancia	Niños y jóvenes	Más frecuente en niños de 1-16 años

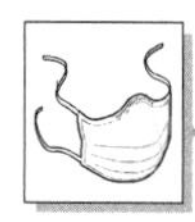

Tabla 1 Enfermedades transmisibles de la infancia *(continuación)*

	Varicela	*Difteria*	*Sarampión*	*Paperas*	*Poliomielitis*
Épocas del año con mayor prevalencia	Invierno	Otoño, invierno y primavera	Principalmente en primavera; también en otoño e invierno	Invierno y primavera	Verano y principios del otoño (junio a septiembre)
Prevención	No existe	Vacunación con el toxoide diftérico (en la vacuna triple bacteriana)	Vacuna del sarampión (en la vacuna triple vírica)	Vacuna de las paperas (en la vacuna triple vírica)	Vacuna de la polio
Control	Exclusión de la escuela desde la primera semana de aparición de la erupción cutánea; debe evitarse el contacto con individuos susceptibles. La inmunoglobulina puede disminuir la susceptibilidad (Córtense las uñas al niño.) Suele quedar inmunidad tras la enfermedad	Dosis de recuerdo; antibióticos y antitoxinas para el tratamiento y protección tras la exposición. La enfermedad no necesariamente da lugar a inmunidad	Aislamiento hasta 7 días después de la aparición del prurito. Inmunoglobulina entre los días 3 y 6 después de la exposición. Pueden administrarse antibióticos en caso de complicaciones. Tras la enfermedad suele quedar inmunidad	Aislamiento durante 9 días después del inicio de la inflamación. Después de la enfermedad suele quedar inmunidad aunque se puede sufrir una nueva recaída	Dosis de recuerdo; aislamiento durante una semana después del inicio. Suele quedar inmunidad a la cepa responsable de la enfermedad

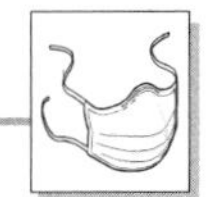

Tabla 1 Enfermedades transmisibles de la infancia *(continuación)*

	Fiebre reumática	*Rubéola*	*Viruela*	*Infección estreptocócica*	*Tétanos*	*Tos ferina*
Causas	Se desconoce la causa directa. Precipitada por infección estreptocócica	El virus se halla presente en las secreciones nasales, faríngeas y bucales de los individuos infectados	El virus se halla presente en las lesiones cutáneas y secreciones nasales, faríngeas y bucales de los individuos infectados	Varias cepas de estreptococos dan lugar a escarlatina y faringitis estreptocócicas; presente en las secreciones nasales, bucales y del oído de los individuos infectados	El bacilo del tétanos se halla presente en las heridas infectadas por el mismo	El bacilo *Pertussis* se halla presente en las secreciones nasales y bucales de los individuos infectados
Transmisión	Desconocida, aunque la infección previa es contagiosa	Se contagia por contacto con los individuos infectados y los artículos utilizados por los mismos. Es altamente contagiosa	Se contagia por contacto con los individuos infectados y los artículos utilizados por los mismos	Se contagia por contacto con los individuos infectados; raramente por los artículos utilizados por los mismos	Tierra, contacto con caballos, basuras de las calles o artículos contaminados por el bacilo	Se contagia por contacto con los individuos infectados y los artículos utilizados por los mismos
Período de incubación (desde la exposición hasta la aparición de los primeros signos)	Los síntomas aparecen a las 2-3 semanas después de la aparición de la infección estreptocócica	14-21 (por lo general 18 días)	Entre 8-17 (por lo general 12 días)	1-3 días	4 días 3 semanas; en ocasiones más prolongado; el promedio es de 10 días	Entre 7-10 días

Tabla 1 Enfermedades transmisibles de la infancia *(continuación)*

	Fiebre reumática	*Rubéola*	*Viruela*	*Infección estreptocócica*	*Tétanos*	*Tos ferina*
Período de contagiosidad	No contagiosa, aunque la infección previa sí lo es	Entre 7 días antes y 5 días después del inicio de la erupción	Desde 2-3 días antes de la erupción hasta la desaparición de todas las costras	Mayor durante la fase aguda de la enfermedad (unos 10 días)	No contagiosa entre individuos	Desde el inicio de los primeros síntomas hasta la tercera semana de la enfermedad
Edades más suceptibles	Todas las edades; más frecuente entre los 6-12 años	Niños pequeños, aunque también es muy frecuente en adultos jóvenes	Todas las edades	Todas las edades	Todas las edades	Menores de 7 años
Épocas del año con mayor prevalencia	Principalmente invierno y primavera	Invierno y primavera	Habitualmente invierno, pero también es frecuente en cualquier época del año	Primavera y principios del invierno	Cualquier época del año. Más frecuente en climas cálidos	Finales de invierno y principios de primavera
Prevención	No existe prevención, excepto el tratamiento apropiado para combatir la infección estreptocócica	Vacuna de la rubéola (en la vacuna triple vírica)	Vacuna (no se administra en la actualidad)	No existe prevención. Tratamiento antibiótico en aquellos que han presentado fiebre reumática	Inmunización con toxoide tetánico (en la vacuna triple bacteriana)	Inmunización con vacuna de la tos ferina (en la vacuna triple bacteriana)

Tabla 1 Enfermedades transmisibles de la infancia *(continuación)*

	Fiebre reumática	*Rubéola*	*Viruela*	*Infección estreptocócica*	*Tétanos*	*Tos ferina*
Control	Antibióticos; la enfermedad no da lugar a inmunidad	Aislamiento en caso necesario, durante 5 días después del inicio; suele quedar inmunidad	La inmunoglobulina puede prevenir o modificar la viruela si se administra en las 24 horas siguientes a la exposición. Es necesario el aislamiento hasta la desaparición de todas las costras. Suele quedar inmunidad	Aislamiento durante unos días después del inicio del tratamiento con antibióticos (utilizados durante 10 días); la enfermedad no da lugar necesariamente a la inmunidad	Se administra una dosis de recuerdo de toxoide tetánico el día de la lesión. La antitoxina se utiliza en el tratamiento y protección temporal de los niños no inmunizados. La enfermedad no da lugar a inmunidad	Dosis de recuerdo; los antibióticos pueden ser útiles para hacer menos severo el ataque en los niños no vacunados. Es necesario el aislamiento del resto de los niños susceptibles durante las tres semanas posteriores al inicio o hasta que la tos haya desaparecido. Suele quedar inmunidad tras la enfermedad

Haemophilus influenzae. Puede darse a cualquier edad, si bien es mucho más frecuente en niños de 2 a 5 años. Ante la inflamación de la epiglotis, la deglución se hace difícil y, especialmente en los niños, es inminente la obstrucción de las vías aéreas. Se trata de una *verdadera urgencia,* ya que la tumefacción de la epiglotis obstruye el paso de aire a las vías respiratorias y, si no se trata a tiempo, puede provocar la muerte por asfixia.

Pruebas diagnósticas habituales

- El mejor método diagnóstico corresponde a la visualización directa, aunque la maniobra puede provocar laringoespasmo si se toca la laringe. *DEBE* tenerse siempre a mano un equipo de traqueotomía.
- Se puede demostrar la existencia de edema de epiglotis mediante radiografía lateral de cuello, aunque por lo general no es posible hacerlo debido a la urgencia.

Observaciones

- Los niños suelen estar nerviosos e intranquilos, con síntomas súbitos de faringitis y dolor ante la deglución, fiebre alta, disnea, taquicardia y taquipnea. El niño suele estar sentado con la boca abierta y el mentón hacia ade-

lante, intentando mantener de este modo las vías aéreas abiertas; cuando se lo acuesta, tiende a erguirse para facilitar la respiración. Cuando el cuadro obstructivo ya está instaurado, aparece cianosis y semiinconsciencia, en un característico cuadro de asfixia.
- Los adultos tienen un período más prolongado (1-2 días) antes de desarrollar los síntomas antes mencionados, incluida la afonía.

Tratamiento

- Oxigenoterapia con humidificador. En los niños suele utilizarse una tienda humidificadora.
- Después de una laringoscopia directa e intubación, se administrarán inmediatamente los antibióticos pertinentes.
- En los niños puede ser necesaria la traqueotomía o una intubación endotraqueal debido a la severa obstrucción de las vías aéreas.

Consideraciones de enfermería

- Cualquier niño que presente los síntomas descritos debe ser atendido inmediatamente. No se debe intentar visualizar la laringe, ya que la presión con el depresor en la base de la lengua puede desencadenar un laringoespasmo, con el consiguiente cierre de las vías aéreas.
- Si el afectado es un niño, la epiglotitis se diagnostica o descarta en el quirófano, bajo visualización directa. Se toman muestras de sangre y frotis faríngeo después de la intubación.
- Estos niños necesitan observación constante, debiendo ingresar en una unidad de cuidados intensivos.

Estenosis pilórica del lactante

Descripción

La estenosis pilórica hipertrófica del lactante es el resultado de un engrosamiento de las capas musculares de la pared del píloro, lo cual produce una estenosis a nivel del canal del estómago y el duodeno, impidiendo que el

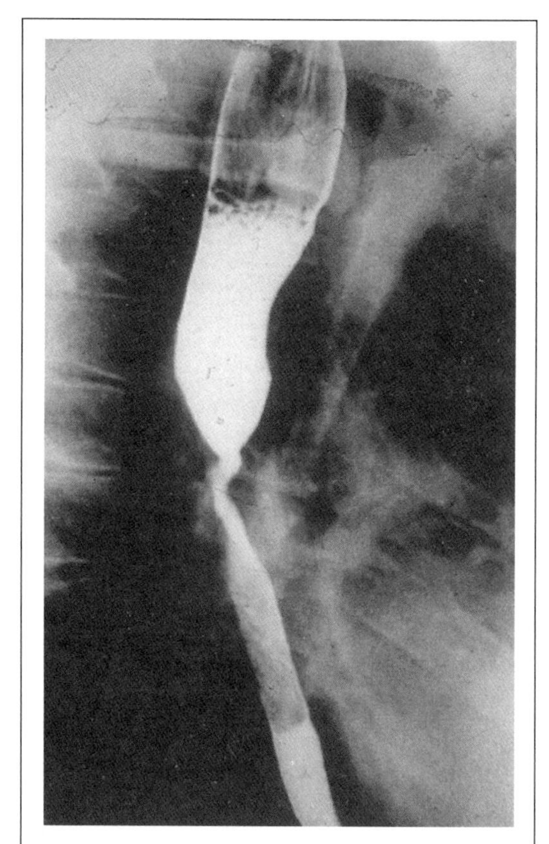

La estenosis pilórica y la del cardias (en la imagen) impiden el paso de alimentos, dando lugar a un cuadro de dolor abdominal y vómitos. El diagnóstico incluye un estudio radiológico de contraste del tracto digestivo.

alimento pase del estómago al duodeno. Esta alteración es la causa más frecuente de obstrucción gastrointestinal en los lactantes. Se da aproximadamente en un niño de cada 300-600 nacimientos y aparece con más frecuencia en los niños varones nacidos a término.

Pruebas diagnósticas habituales

- Puede palparse el músculo pilórico hipertrofiado, del tamaño de una aceituna, situado a la derecha del ombligo. Suele hacerse más evidente durante las tomas de alimento.
- Así mismo, durante la alimentación pueden observarse ondas peristálticas que se desplazan de izquierda a derecha a nivel del abdomen superior.

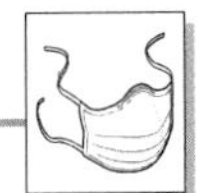

- Exploración del tracto digestivo para confirmar el diagnóstico.

Observaciones

- La alteración es congénita, pero se manifiesta hacia las dos o tres semanas de vida, a veces entre la cuarta y la sexta, con dolor abdominal y vómitos, que progresan rápidamente desde la regurgitación a los vómitos en chorro. Estos vómitos pueden aparecer al poco rato de la toma de alimento y no contienen bilis, debido a que el alimento no puede ir más allá del estómago y no entra en contacto con las secreciones intestinales.
- Inicialmente, el niño está continuamente hambriento, no gana peso y tiene estreñimiento, a veces con ausencia de deposiciones y emisión de gases. Suele estar irritable y llora de manera insistente, con dificultades para dormir. Al cabo de pocos días se muestra agotado y pierde el apetito, a medida que comienza a presentar signos de deshidratación.
- La principal complicación de esta entidad es la deshidratación (véase EMQ: Pediatría, deshidratación). Al explorar al niño, conviene investigar la presencia de los ojos hundidos en las órbitas, la pérdida de la turgencia cutánea y si hay bajos niveles de sodio, cloro y potasio en suero. La pérdida de ácido clorhídrico por el vómito puede dar lugar a alcalosis metabólica.

Tratamiento

- El tratamiento es quirúrgico, si bien deben corregirse los trastornos electrolíticos antes de la intervención.
- La técnica quirúrgica más empleada es la *piloromiotomía*, mediante la cual se seccionan las fibras musculares de la pared del píloro, con lo que se permite que el alimento pase del estómago al duodeno.

Consideraciones de enfermería

Preoperatorio

- Antes de la intervención debe hacerse un lavado gástrico para eliminar cualquier rastro de alimento en el estómago.
- Se han de reemplazar las pérdidas de líquidos y electrólitos por vía EV.
- Debe llevarse un registro de entradas y salidas de líquidos, peso diario y gravedad específica de la orina.

Postoperatorio

- Véase TE: Aproximación general, postoperatorio.
- La alimentación puede comenzar al cabo de 4 a 6 horas después de la intervención, administrándose agua y glucosa en cantidad de 30 ml cada dos horas. Si el niño no vomita esta cantidad, puede irse aumentando el volumen progresivamente. A las 24 horas de la intervención se puede iniciar la alimentación con las fórmulas de alimentación infantil, comenzando con 30 ml y aumentando la dosis cada dos horas hasta alcanzar los niveles normales.
- A partir de estos momentos es muy importante la determinación del aumento de peso, así como la pérdida de líquidos y la densidad de la orina.

Fibrosis quística

Descripción

La fibrosis quística o mucoviscidosis es una enfermedad caracterizada por una disfunción de las glándulas exocrinas (glándulas que secretan a través de conductos), debido a la alteración que produce una elevada cantidad de moco espeso que obstruye el flujo normal en los conductos de las glándulas exocrinas. Los signos y síntomas importantes se producen por este bloqueo a nivel del aparato digestivo y respiratorio, aunque afecta a casi la totalidad de los órganos. Otra característica de esta enfermedad es la elevada secreción de sodio y cloruros de las glándulas sudoríparas.

Pruebas diagnósticas habituales

- Análisis del sudor para la detección de los niveles de sodio y cloro. La aparición de nive-

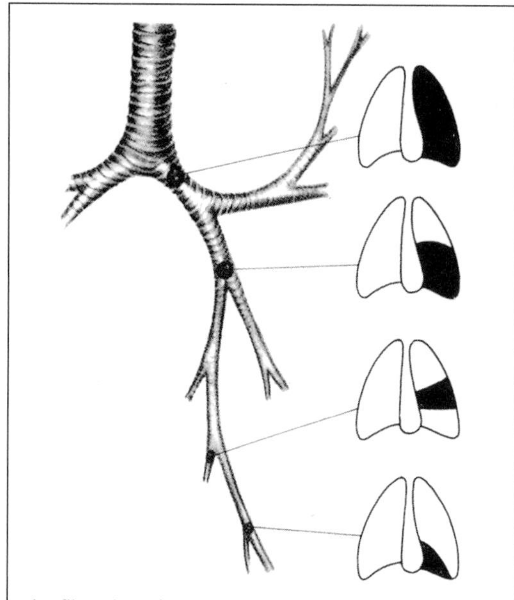

La fibrosis quística provoca un aumento de la viscosidad de las secreciones exocrinas, y en el pulmón ello puede dar lugar a obstrucción de las vías aéreas y atelectasias de diferente extensión según la localización de la oclusión.

les superiores a 60 mEq/l (normal 20-30 mEq/l) indica fibrosis quística. En los adultos, los niveles normales pueden ser de hasta 60-80 mEq/l. Sin embargo, en el adulto esta determinación es menos fiable.

- Pruebas de función pancreática, que demostrarán un déficit de enzimas pancreáticas en la fibrosis quística.
- Análisis de meconio (en el recién nacido) o de las heces (en niños algo mayores). Se observará déficit de las enzimas pancreáticas y un elevado contenido de grasas en los pacientes afectos de fibrosis quística.
- Recientemente se ha identificado que el gen defectuoso causante de la fibrosis quística se encuentra localizado en el cromosoma 7, y se disponen de marcadores químicos que permiten identificar a los portadores e incluso detectar la enfermedad antes del nacimiento, ya sea mediante una biopsia de las vellosidades coriales o por amniocentesis.

Tratamiento

- No se dispone de ningún tratamiento curativo, por lo que las medidas terapéuticas se dirigirán a atenuar los síntomas y prevenir las complicaciones.
- Fisioterapia respiratoria. La frecuencia del drenaje postural y de fisioterapia respiratoria se basa en las necesidades individuales. Puede variar de dos a varias veces al día (véase TE: Drenaje postural; fisioterapia respiratoria).
- Con el fin de prevenir y tratar las infecciones respiratorias se administran agentes mucolíticos (para fluidificar las soluciones), aerosolterapia con broncodilatadores y antibióticos.
- El déficit de enzimas pancreáticas se sustituye con suplementos de las mismas. La dieta debe contener un elevado contenido en proteínas y calorías, con presencia de vitaminas hidrosolubles. Cuando se produce una pérdida excesiva de sodio y cloro a través del sudor, en períodos de calor o fiebre, es necesario aumentar la ingesta de sal.
- El tratamiento debe ser muy individualizado, especialmente en lo referente a la terapia antibiótica preventiva.

Consideraciones de enfermería

- La gran cantidad de pérdida de sodio y cloro por el sudor hacen que el niño sepa a sal cuando se le besa.
- Todo niño que presente sibilancias crónicas debe ser sometido a una prueba de sudor.
- Deben controlarse los cambios en el color y cantidad del esputo, así como la tos, como indicadores precoces de las infecciones respiratorias.
- La principal razón de hospitalización de estos pacientes es la infección respiratoria, que no responde a los antibióticos orales.
- Deben realizarse determinaciones diarias del peso para controlar la nutrición, así como la retención de líquidos.
- Deben administrarse las vacunas del sarampión y de la tos ferina, así como la gripal, debido a que estas enfermedades producen agravamiento de la sintomatología de la fibrosis quística.
- Tanto la familia como el paciente deben ser adecuadamente instruidos acerca de la naturaleza de la enfermedad así como de las técnicas necesarias para mantener la adecuada calidad de vida del niño.

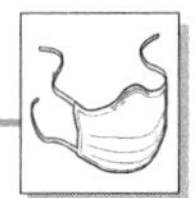

Glomerulonefritis aguda postestreptocócica

Descripción

La glomerulonefritis aguda postestreptocócica se caracteriza por una inflamación difusa proliferativa de los glomérulos renales producida por una reacción antígeno-anticuerpo tras el padecimiento de una infección por la bacteria estreptococo ß-hemolítico de tipo A, agente causal habitual de amigdalitis y faringitis, así como de infecciones cutáneas (erisipela, escarlatina).

Se da con mayor frecuencia en niños, con una máxima incidencia entre los 3 y 7 años de edad, y en adultos jóvenes. Antiguamente la glomerulonefritis postestreptocócica era muy común, pero la incidencia del trastorno ha disminuido de forma notoria con el tratamiento antibiótico precoz de las infecciones estreptocócicas. La enfermedad suele presentarse después de una amigdalitis, generalmente al cabo de diez días del inicio de la infección, aunque puede manifestarse entre una y siete semanas a partir de ese momento; también puede aparecer tras dos o tres semanas del inicio de una erisipela.

El 80-90% de los afectados se recuperan al cabo de unas dos semanas, y sólo un porcentaje mínimo evoluciona hacia una glomerulonefritis crónica (véase EMQ: Genitourinario, riñón, trastornos del, glomerulonefritis).

Pruebas diagnósticas habituales

- Determinación de antiestreptolisinas O (ASLO), anticuerpos específicos contra el estreptococo que suelen hallarse elevados tras la infección por dicho microorganismo.
- Determinación del complemento.
- Análisis de orina: se observa una proteinuria moderada (1 a 3 g). En el sedimento de orina suele detectarse la presencia de cilindros hemáticos, hialinos y granulosos.
- Análisis de sangre: se observa elevación de los niveles de urea y creatinina. El recuento celular completo y la determinación de la hemoglobina revelarán la presencia de anemia.
- Pruebas de función renal: pueden mostrar la imposibilidad de concentrar la orina por parte del riñón.
- Biopsia renal cuando existan dudas diagnósticas (véase TE: Biopsia renal).

Observaciones

- Por lo general existen antecedentes de inicio brusco de la sintomatología de 10 a 12 días después de la infección estreptocócica (faringitis, escarlatina, impétigo).
- La diuresis suele ser escasa.
- Hematuria macroscópica, con orina de un color rojo, marrón o tabacoso.
- Puede existir hipertensión arterial (puede seguirse la evolución de la enfermedad controlando los cambios en la tensión arterial).

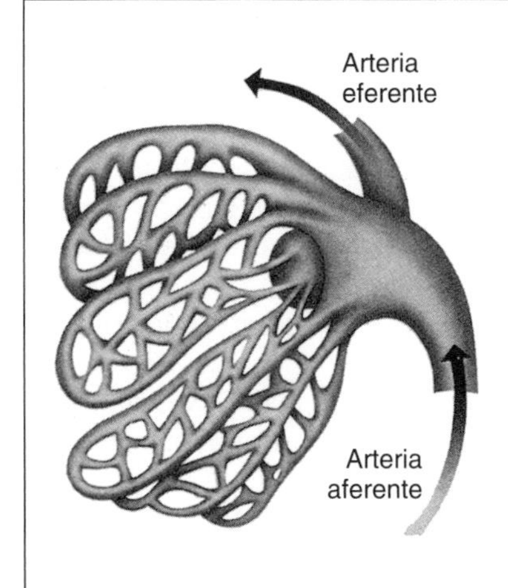

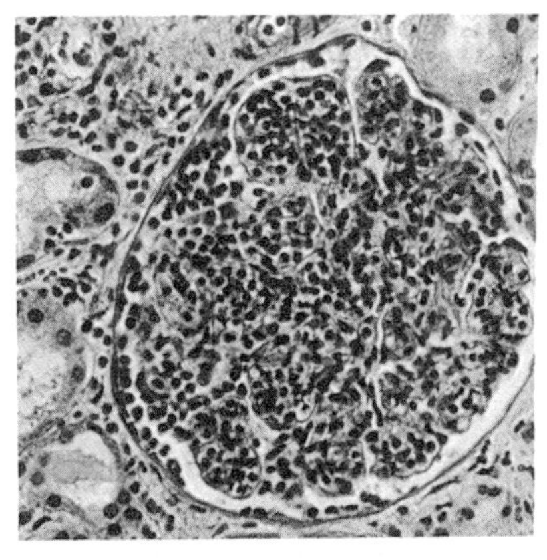

La glomerulonefritis aguda postestreptócica *se caracteriza por una inflamación difusa proliferativa de los glomérulos renales. La ilustración de la izquierda muestra un esquema de la circulación sanguínea a nivel glomerular. A la derecha, imagen microscópica de un glomérulo en una glomerulonefritis.*

- Edema, generalmente ligero y generalizado, aunque con especial localización en la cara (edema periorbitario).
- Puede aparecer cefalea, astenia, anorexia, sed intensa, dolor lumbar, náuseas y vómitos.
- La evolución es benigna. Por lo general, la filtración glomerular aumenta al cabo de pocos días, con lo cual se eliminan los edemas y se normaliza la tensión arterial. La recuperación es prácticamente completa al cabo de tres semanas, aunque la hematuria puede proseguir durante meses.
- Si el fallo renal es importante, pueden aparecer síntomas y complicaciones de insuficiencia renal aguda: uremia, insuficiencia cardiaca y convulsiones por crisis hipertensivas (véase EMQ: Genitourinario, insuficiencia renal).

Tratamiento

- Suele recomendarse reposo en cama hasta que hayan desaparecido los síntomas.
- Puede administrarse penicilina u otros antibióticos de amplio espectro para tratar la infección estreptocócica causal.
- Administración de antihipertensivos.
- Dieta hiposódica y rica en hidratos de carbono y baja en sodio. Durante la fase aguda de la enfermedad suele restringirse la cantidad de proteínas, hasta que se comprueba que el paciente mantiene unos niveles de urea normales.
- Si en la fase aguda aparece edema, se restringirá la ingesta de líquidos.
- Tratamiento de la insuficiencia renal, en caso de que exista (véase EMQ: Genitourinario, insuficiencia renal).

Consideraciones de enfermería

- Determínese con exactitud la tensión arterial.
- Contrólense con rigurosidad las entradas y salidas de líquidos. Es importante observar el color de la orina.
- Determínese el peso corporal a diario, con la misma ropa y antes del desayuno.
- Deben prevenirse las infecciones, especialmente las del tracto respiratorio superior.
- Elévese la cabecera de la cama para disminuir el edema facial.
- Es importante una cuidadosa atención de la piel en el paciente edematoso.
- Efectúense los cuidados propios de la insuficiencia renal.
- Valórese la situación del paciente en busca de posibles complicaciones, como insuficiencia renal, insuficiencia cardiaca congestiva o encefalopatía hipertensiva.
- Véase EMQ: Genitourinario, riñón, trastornos del, glomerulonefritis.

Hidrocefalia

Descripción

La hidrocefalia es la acumulación patológica de líquido cefalorraquídeo (LCR), que por lo general provoca una presión elevada en el interior de la cavidad craneal (hipertensión endocraneal). Puede deberse a exceso de secreción del LCR, aunque lo más frecuente es que sea debida a la obstrucción del flujo en el interior de los ventrículos cerebrales, o a una disminución en la reabsorción normal del LCR. Puede ser un trastorno detectable en el momento de nacer, a veces producido por una infección intrauterina, o puede aparecer posteriormente como resultado de un tumor cerebral, una infección o un traumatismo. La hidrocefalia suele ser el resultado de una obstrucción producida por adherencia secundaria a la inflamación del tejido cerebral.

Pruebas diagnósticas habituales

- Debe determinarse la circunferencia craneal del niño.
- La exploración neurológica identificará la presencia de signos de elevación de la presión intracraneal, así como de afectación neurológica.
- Las radiografías de cráneo mostrarán la separación de las líneas de sutura de los huesos del cráneo.
- La tomografía computada (TAC) y la resonancia magnética nuclear mostrarán la dilatación ventricular (véase TE: Tomografía computada; resonancia magnética nuclear).
- La medición y monitorización de la presión intracraneal pueden hacerse por diversos

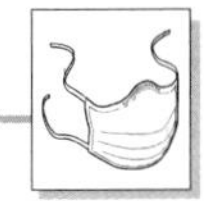

procedimientos: introducción de un catéter intraventricular, tornillo subaracnoideo y sensor epidural. La elección de uno u otro método se hará en función de las conveniencias de cada caso; generalmente se opta por el catéter endovenoso cuando se pretende efectuar un drenaje de LCR.

- Véase EMQ: Neurología, hipertensión endocraneal.

Tratamiento

- Cuando se deba a una causa subyacente conocida, corrección quirúrgica del defecto o exéresis del tumor.
- Colocación de un catéter en el ventrículo para crear una comunicación permanente a través de la cual drenar el LCR hacia otra área para su posterior absorción. Pueden realizarse comunicaciones auriculoventriculares (entre un ventrículo cerebral y la aurícula cardiaca derecha) o ventriculoperitoneales (entre un ventrículo cerebral y la cavidad peritoneal).
- El tipo de catéter indicado suele tener una válvula que se abre cuando la presión en los ventrículos cerebrales alcanza un nivel predeterminado. Así mismo, esta válvula también evita el reflujo de sangre a través del catéter si éste drena en la vena yugular.

Consideraciones de enfermería

- Los lactantes deben alimentarse con tomas frecuentes y de pequeña cantidad. Los problemas en la succión y el vómito tras la alimentación suelen ser los primeros signos de elevación de la presión del líquido cefalorraquídeo en el lactante.
- Al efectuar la medición del perímetro craneal, debe marcarse con un rotulador indeleble el punto en el que se coloca la cinta métrica para poder tomar las medidas siempre en el mismo sitio.
- El tamaño y peso de la cabeza del lactante restringen su capacidad de movimiento. Debe cambiarse al niño de posición como mínimo cada dos horas.
- En la hidrocefalia ligera pueden no detectarse alteraciones neurológicas hasta fases muy avanzadas de la enfermedad.
- Véase EMQ: Neurología, hipertensión endocraneal.

Cuidados del catéter de derivación

- Las órdenes deben ser muy claras respecto hacia qué lado debe colocarse el paciente y si debe elevarse la cabeza de la cama.
- Las complicaciones de la craneotomía son la hemorragia, la infección o la pérdida de LCR. Debe vigilarse también la aparición de signos de elevación de la presión intracraneal (véase EMQ: Neurología, hipertensión endocraneal).
- Debe vigilarse la zona de inserción del catéter por si aparece inflamación, dolor a la palpación u otros signos de infección local.
- Los catéteres de comunicación pueden presentar problemas mecánicos. Si existe orden escrita de que se «bombee el catéter», debe localizarse la válvula, que debe hallarse por encima o detrás de la oreja derecha y se percibe como un punto blando entre dos puntos duros. En el llenado y vaciado de la válvula debe percibirse si ésta trabaja correctamente; si no es así, comuníquese inmediatamente al médico.
- Es probable que el catéter deba cambiarse a medida que el niño crece. Normalmente no se quita, a menos que sea debido a una infección o a un funcionamiento inadecuado del mismo.

Insuficiencia cardiaca congestiva en el niño

Descripción

La insuficiencia cardiaca congestiva (ICC) se produce cuando el corazón no puede bombear una adecuada cantidad de sangre, con lo que se origina una congestión circulatoria. En el niño, la ICC suele tener lugar en la lactancia como resultado de cardiopatías congénitas, siendo por lo general precipitada por una infección respiratoria o sistémica. La insuficiencia cardiaca puede ser izquierda (ICI) o derecha (ICD), pudiendo ir de ligera a grave:

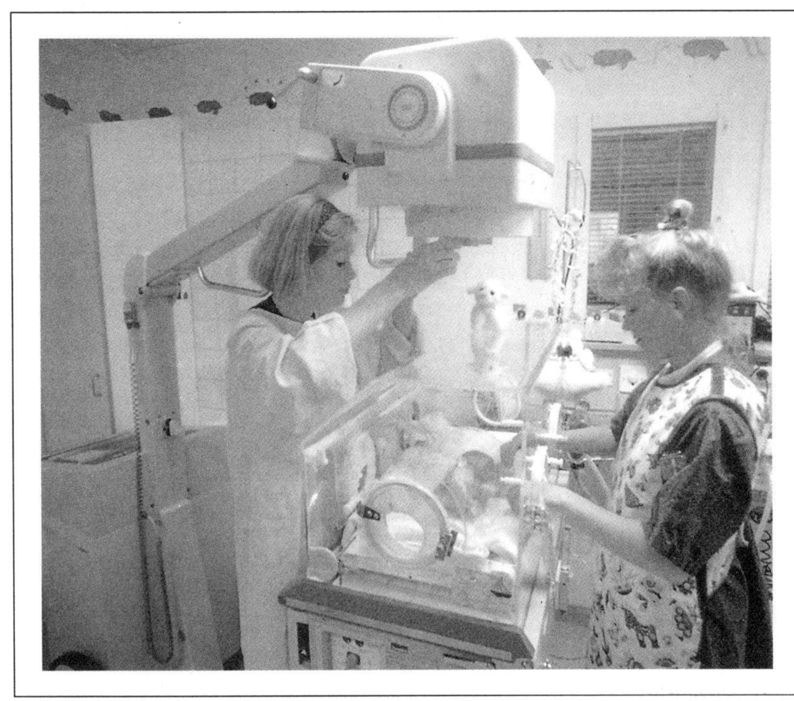

La insuficiencia cardiaca congestiva en el lactante suele ser consecuencia de cardiopatías congénitas y puede precipitarse por una infección respiratoria o sistémica. Si se descompensa, el cuadro requiere una serie de atenciones más o menos complejas, entre las que se incluyen la oxigenoterapia y la administración de diuréticos, digitálicos y otros fármacos, así como un estricto control de las constantes vitales y la adopción de medidas destinadas a prevenir o corregir la deshidratación, todo lo cual puede hacer preciso el ingreso en una unidad de cuidados intensivos.

- La ICI da lugar a una congestión pulmonar que puede producir edema pulmonar.
- La ICD produce efectos a nivel sistémico, observándose edema generalizado y congestión hepática.
- En los lactantes, la ICI y la ICD suelen aparecer de forma simultánea.

Pruebas diagnósticas habituales

- Radiografía de tórax.
- Electrocardiograma (véase TE: Electrocardiograma).
- Ecocardiograma (véase TE: Ecografía).
- Gasometría arterial (véase TE: Gasometría arterial).
- Gammagrafía cardiaca (véase TE: Gammagrafía).
- Cateterismo cardiaco.

Observaciones

- Taquicardia (frecuencia cardiaca superior a 160 latidos/min).
- Taquipnea (frecuencia respiratoria superior a 60 respiraciones/min), acompañada de aleteo nasal y retracción intercostal y subcostal que evidencian el esfuerzo respiratorio.
- Puede aparecer cianosis junto con disnea, ortopnea y sibilancias.
- El edema pulmonar es raro en los lactantes, pero puede aparecer en los niños de más edad. Suele manifestarse inicialmente por un aumento de la tos.
- En los lactantes y niños, la aparición de una hepatomegalia dolorosa es un signo precoz de ICC.
- El edema generalizado se produce por retención de agua y suele manifestarse inicialmente por un aumento de peso. En los lactantes también puede observarse edema perioral.
- Los lactantes con ICC suelen presentar una somnolencia importante después de una toma de alimento, sudoración excesiva y retraso en el aumento de peso.
- En los niños de más edad suele observarse disnea de esfuerzo, fatiga crónica y retraso del crecimiento.

Tratamiento

- Debe corregirse la patología subyacente, dentro de lo posible.
- Oxigenoterapia (véase TE: Oxigenoterapia).
- Suelen administrarse diuréticos, digitálicos y suplementos de potasio.

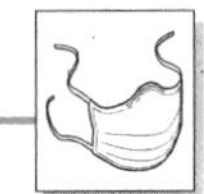

- Es necesario el reposo para disminuir el trabajo cardiaco. Suele ser necesaria la sedación (*p.e.*, con sulfato de morfina).
- Dieta y restricción de líquidos. Por lo general es suficiente con no añadir sal a los alimentos. Toda restricción de líquidos debe vigilarse cuidadosamente para evitar la deshidratación.

Consideraciones de enfermería

- Debe valorarse el estado del niño, incluidos los pulmones, al inicio de cada turno y tan frecuentemente como sea pautado. Las constantes vitales deben tomarse en reposo, comunicándose al médico cualquier cambio que aparezca. El pulso y la respiración deben contarse durante un minuto completo.
- Con el fin de evitar la ansiedad y prevenir el llanto del niño, debe procurarse que los padres estén con el mismo el mayor tiempo posible. También es importante que asistan a los cuidados con fines educativos.
- El peso del niño debe controlarse en la misma báscula cada día después de orinar y antes del desayuno. Con el fin de evitar la diuresis nocturna, los diuréticos deben administrarse a primera hora de la mañana. Los lactantes suelen pesarse cada 8 horas. Debe procurarse utilizar la misma báscula y la misma cantidad de ropa. Los pañales pueden pesarse primero secos y posteriormente cuando estén mojados con el fin de determinar la diuresis (un aumento de peso de 1 gramo se considera como una diuresis de 1 ml). Puede ser necesario el sondaje vesical para calcular la diuresis.
- Es esencial un registro de las entradas y salidas de líquidos como mínimo cada 8 horas. Una disminución en la diuresis (menos de 1 ml/kg/hora) indica una insuficiencia cardiaca descompensada.
- Es importante notificar al médico cualquier variación en los niveles de potasio, independientemente de la hora del día o de la noche. Los trastornos del equilibrio del potasio suelen producir arritmias cardiacas graves.
- Debe determinarse el perímetro abdominal con una cinta métrica a nivel del ombligo, señalándose la colocación de la misma con un rotulador indeleble para poder realizar mediciones posteriores correctas.
- En el lactante, para disminuir la disnea puede utilizarse una sillita.
- El estrés producido por el llanto puede empeorar la disnea. Por lo tanto, los lactantes deben ser alimentados antes de que lo soliciten llorando. Si al lactante le cuesta succionar, es mejor darle tomas pequeñas y frecuentes con una tetina con agujeros grandes. Con el fin de disminuir el volumen de la toma, ésta puede darse a mayor concentración. En ocasiones puede ser necesario administrar el alimento a través de sondas nasogástricas o de tubos de gastrostomía.
- Debe procurarse que el niño no pase frío, pero evitando que la ropa quede apretada en el tórax o el abdomen. No deben apretarse mucho los pañales.
- La preparación para el alta hospitalaria es crítica. Los padres deben participar en los cuidados hospitalarios del niño a fin de poder atender a éste cuando vuelva al domicilio.
- Véase EMQ: Cardiovascular, insuficiencia cardiaca congestiva.

Labio leporino y paladar hendido

Descripción

El labio leporino y el paladar hendido, que pueden darse de forma conjunta o separada, son defectos del desarrollo de la cara y la boca.

- El labio leporino, ya sea unilateral o bilateral, puede ir desde una simple hendidura en el labio hasta un defecto que se extiende hasta la base de la nariz.
- El paladar hendido puede afectar tanto al paladar duro como al blando, o a ambos. Cuando esta afección se da en el paladar duro, se produce una comunicación directa entre la boca y la nariz.

Observaciones

- El labio leporino es una deformidad visible del labio que puede extenderse hasta el suelo de la cavidad nasal.
- Debe valorarse la posibilidad de un paladar hendido si se observa que un niño chupa con

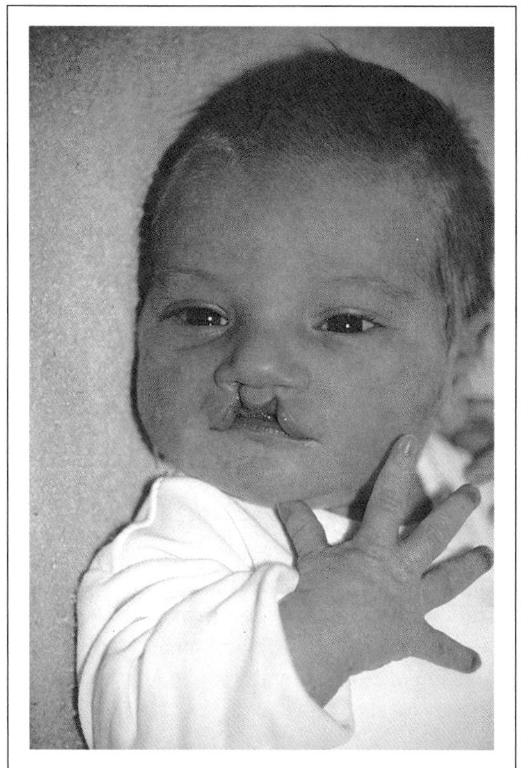

El labio leporino es un defecto congénito correspondiente a una hendidura en el labio superior, que puede extenderse por el paladar (paladar hendido) hasta la base de la nariz, comunicando la boca con las fosas nasales.

dificultad, tiene problemas de deglución o si el líquido que se le administra por la boca aparece por la nariz.

Tratamiento

El tratamiento de estos defectos es quirúrgico.

- El labio leporino puede corregirse quirúrgicamente cuando el niño tiene pocos días de edad, o en las primeras semanas de vida.
- Si existe labio leporino junto al paladar hendido, primero se corregirá el defecto del labio.
- La corrección del paladar hendido, desde un punto de vista ideal, se realiza cuando el niño tiene de 12 a 18 meses de edad, después de que se haya producido el crecimiento normal de las estructuras bucales, pero antes que se produzcan trastornos en el habla.
- En aquellos casos en que se posponga la corrección quirúrgica, puede utilizarse una placa especial para cubrir el defecto, con lo que se conseguirá un habla normal.

Cuidados preoperatorios

- La lactancia puede ser difícil, debido a que estas hendiduras inhiben el reflejo de succión del niño. Si se lleva a cabo la lactancia materna, debe indicarse a la madre que es mejor intentarlo cuando el pecho está firme y lleno de leche. Indíquese que mantenga al niño en posición vertical y coloque su boca en el pezón. En lo posible, el flujo de leche debe dirigirse hacia uno de los lados de la boca del niño.
- Puede administrarse lactancia artificial mediante una tetina pequeña o que tenga un pezón largo y suave con grandes agujeros. Debe procurarse que el pezón se coloque en la parte posterior de la boca del niño, de tal forma que el líquido caiga lentamente en la base de la lengua, con la que podrá ser deglutido. Si el uso de pezones largos no es satisfactorio, puede utilizarse una pera o un cuentagotas con una prolongación de goma. Este dispositivo no debe introducirse por la porción hendida del labio, sino por la parte normal.
- Los niños que presentan estos defectos tienden a tragar gran cantidad de aire con cada toma, por lo que debe procurarse que eructen bien y saquen todo el aire que hayan deglutido.
- Las tomas en estos niños suelen durar bastante rato. Esto, junto con la deformación facial, puede afectar la relación de los padres con el niño. Por eso, cuando están aprendiendo a alimentarlo y cuidarlo, se les debe ayudar y darles todo el soporte emocional posible.
- El método de alimentación que vaya a utilizarse después de la cirugía debe ponerse en práctica antes de la intervención.
- También conviene instaurar progresivamente antes de la intervención la inmovilización de los brazos que será necesaria con posterioridad a la cirugía.
- Puede ser necesario practicar una miringotomía antes de la cirugía, especialmente en el caso del paladar hendido. Estos niños suelen tener antecedentes de frecuentes infecciones de oído debido a un mal funcionamiento de las trompas de Eustaquio.

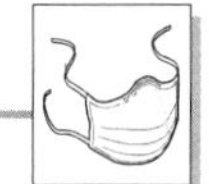

Cuidados postoperatorios

- Debe protegerse adecuadamente la zona intervenida. Es imprescindible la inmovilización de los brazos del niño, de tal forma que no pueda tocarse la cara. Estas inmovilizaciones deben retirarse tan pronto como sea posible, así como también se debe observar que no aparezcan zonas de irritación en los brazos mientras el niño esté inmovilizado.
- Debe procurarse evitar que el niño llore.
- Los padres deben conocer las razones y la necesidad de los cuidados del niño.

Laringotraqueobronquitis (crup)

Descripción

La laringotraqueobronquitis corresponde a la inflamación aguda de la laringe, la tráquea y los bronquios, con un estrechamiento o colapso de la luz de estos conductos que obstruye el paso de aire a los pulmones. Suele producirse por una infección vírica, con frecuencia un resfriado, aunque son varios los virus que pueden desencadenar el cuadro. El trastorno es muy frecuente en los niños menores de 3-4 años de edad, debido a que sus vías aéreas son de pequeño diámetro y el tejido edematoso inflamado produce obstrucción de las mismas.

Observaciones

- Tos perruna y ronquera o afonía.
- Respiración ruidosa con estridor durante la inspiración.
- Faringitis.

Tratamiento

- El aumento de la hidratación y la humectación del ambiente fluidifica las secreciones.
- Oxigenoterapia para mejorar la hipoxia.
- Si los problemas respiratorios son graves, a veces se administran medicamentos tales como adrenalina o corticoides.
- En los casos graves o severos puede ser necesaria la traqueotomía o la colocación de un tubo endotraqueal (véase TE: Intubación traqueal).

Consideraciones de enfermería

- Los niños afectados por un cuadro de crup suelen ser tratados en el domicilio. Los síntomas pueden aliviarse colocando el niño en un ambiente húmedo, usando un humidificador o llevándolo al cuarto de baño y abriendo la ducha de agua caliente o situándolo cerca de una bañera llena de agua caliente.
- Si el cuadro de respiración dificultosa no cede y aparece cianosis, es necesaria la hospitalización inmediata.
- Durante el período de dificultad respiratoria aguda, el niño requiere un control continuado, ya que en cualquier momento puede presentarse una obstrucción completa de las vías aéreas. Con el fin de disminuir la dificultad respiratoria, hay que procurar que el niño no llore.
- Siempre debe tenerse a mano el material necesario para practicar una traqueotomía o una intubación traqueal de urgencia.

Luxación congénita de cadera

Descripción

La luxación congénita de cadera consiste en el desplazamiento de la cabeza del fémur fuera del acetábulo o cavidad cotiloidea del hueso coxal, donde en condiciones normales se encuentra contenida. En la mayoría de los casos de luxación congénita, el acetábulo es muy poco profundo, más aplanado de lo normal. Sucede con más frecuencia en las niñas y, también, en los partos complicados. La luxación puede ser completa o incompleta; a la incompleta también se la denomina subluxación.
El origen de esta patología es mutifactorial, ya que puede deberse tanto a trastornos del embarazo (*p.e.*, que el feto no tenga suficiente espacio para moverse con libertad dentro del útero) como a una alteración de la maduración fetal que ocasione malformaciones en la zona de la cadera y una excesiva laxitud de

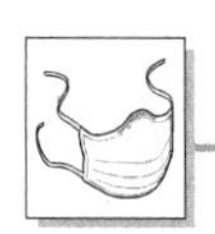

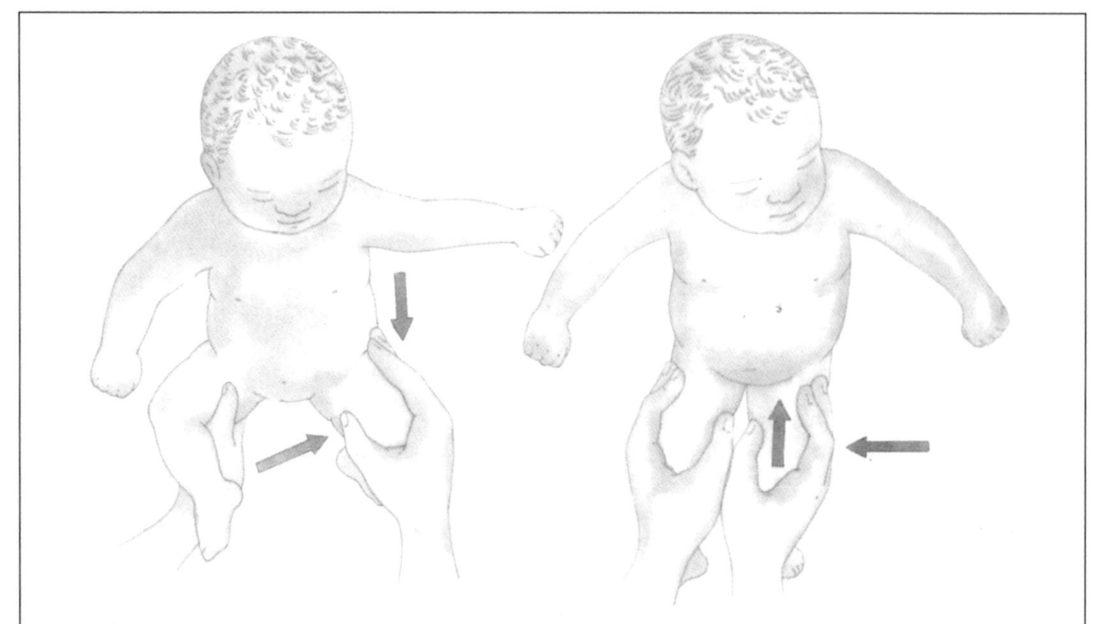

Luxación congénita de cadera. La maniobra de Ortolani se lleva a cabo con el niño en decúbito supino, flexionando la cadera en ángulo recto y efectuando una abducción: si la cabeza del fémur está luxada podrá percibirse el signo del resalto cuando retorne a su posición. El dibujo muestra la realización de la maniobra, señalando con flechas la dirección de los movimientos.

los elementos de contención de la articulación, a veces bajo la influencia de factores genéticos. La luxación de cadera puede estar presente ya en el momento del nacimiento o producirse inmediatamente después del parto, si bien hay ocasiones en que sólo se hace evidente cuando el niño comienza a mantenerse de pie y a caminar. En cualquier caso, el defecto debe ser diagnosticado en el momento de nacer o durante las primeras revisiones del neonato.

Pruebas diagnósticas habituales

- En el momento de nacer se realizan las pruebas de Ortolani y Barlow para diagnosticar la existencia de una cadera inestable:
  1. La prueba de Ortolani se realiza con el niño colocado sobre su espalda, flexionándole una de las caderas unos 90° y realizando una abducción ligera. De forma simultánea, con el dedo índice se aplica una ligera presión sobre el trocánter mayor. Si la cabeza del fémur se ha luxado, se escuchará un ruido seco característico (resalto) cuando retorne a su posición.
  2. En la prueba de Barlow, se coloca el niño sobre la espalda, flexionándole la cadera y la rodilla unos 90°, realizando una abducción hacia abajo. La cabeza del fémur se palpará cuando se deslice fuera del acetábulo.
- Si el tratamiento mediante férulas y yeso ha sido ineficaz, puede practicarse una artrografía. El estudio se realiza con anestesia, inyectándose un material de contraste en la articulación de la cadera y visualizándola mediante rayos X (véase TE: Radiología, preparación para).
- Debe explorarse la existencia de inestabilidad en la articulación de la cadera aprovechando el cambio de pañales del niño.

Tratamiento

- Puede mantenerse la cadera en abducción mediante el uso de varios pañales o de una férula. Si esto no consigue mantener la cadera en su sitio, se aplicará un arnés u otra férula. Independientemente del método que se utilice, éste debe mantenerse continuamente, de tal forma que se evite que la cabeza del

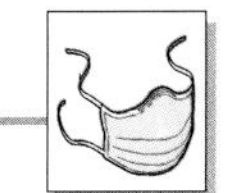

El cáncer broncopulmonar tiene como fundamental factor de riesgo el hábito de fumar, habiéndose demostrado una estrecha relación entre el consumo habitual de tabaco y el desarrollo de este tipo de tumor maligno. Diversos estudios relacionan de manera fehaciente el aumento de la incidencia registrado en el cáncer de pulmón durante este siglo con la extensión del tabaquismo en dicho período. El gráfico muestra el riesgo relativo de cáncer broncopulmonar según el número de cigarrillos fumados al día, superior cuando se consumen cigarrillos sin filtro.

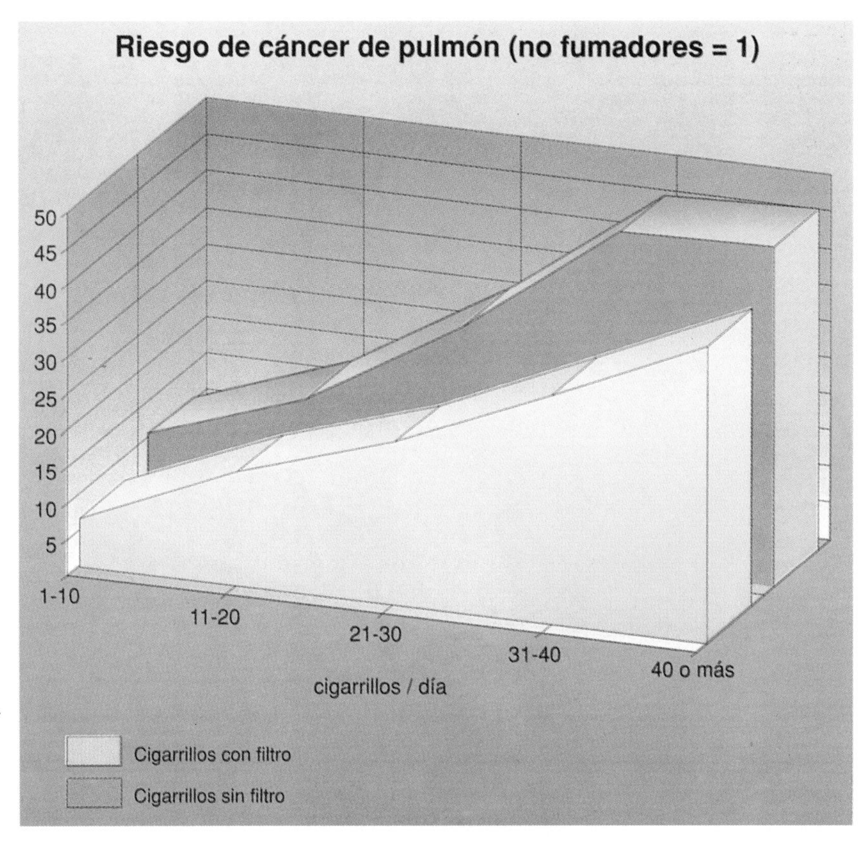

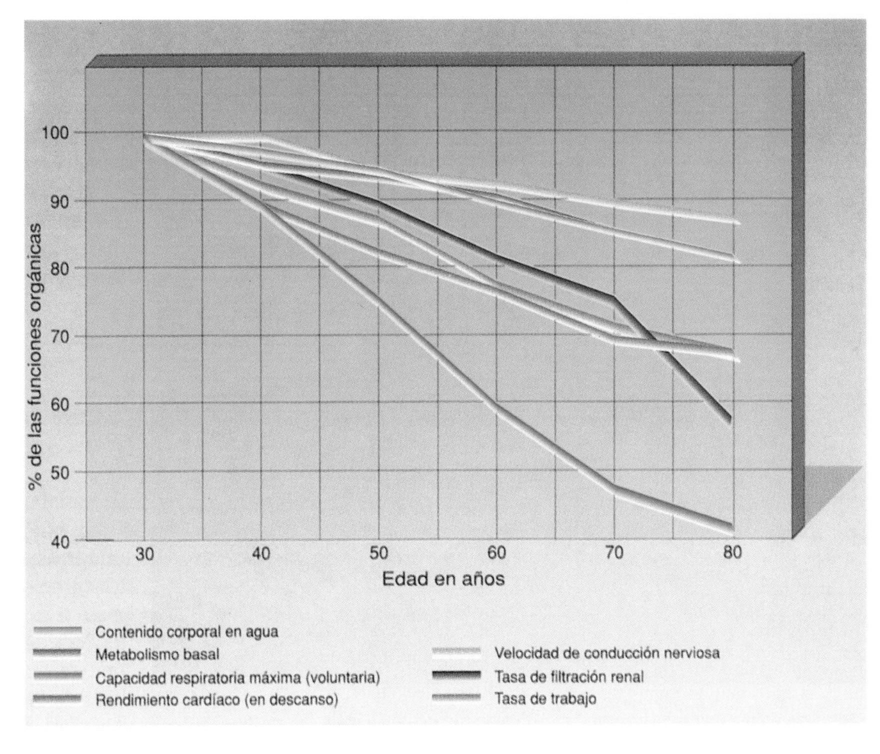

Cambios producidos por la edad en el sistema respiratorio. Con el paso del tiempo se produce un aumento del tamaño de los alvéolos pulmonares y una reducción de la capacidad respiratoria máxima o voluntaria, en concordancia con el aumento del volumen residual. En el gráfico se refleja la variación de algunas de las funciones fisiológicas en relación con la edad: obsérvese que la disminución más importante corresponde a la que sufre la capacidad respiratoria máxima.

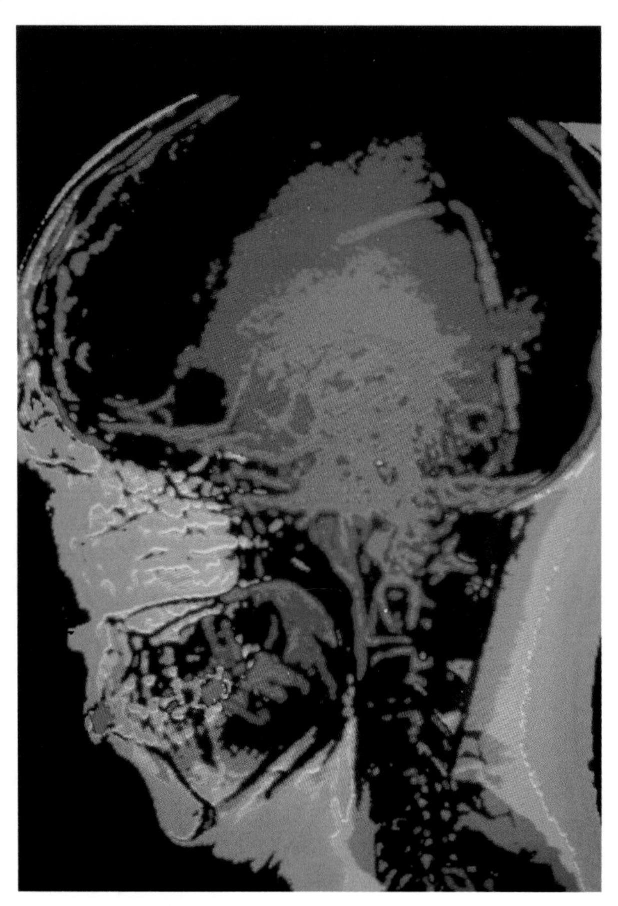

La hidrocefalia *es una acumulación patológica de líquido cefalorraquídeo en el interior del espacio subaracnoideo y los ventrículos cerebrales cuyas principales consecuencias son un incremento de la presión endocraneal y, en los niños pequeños, que todavía tienen el cráneo distensible, un aumento de tamaño de la cabeza, a veces muy notorio. El origen del trastorno es variado, ya que puede deberse tanto a un exceso de secreción de LCR como, lo que es más frecuente, a una obstrucción de su flujo en el interior de los ventrículos cerebrales o a una disminución de su reabsorción normal. Una posible actuación terapéutica consiste en la derivación del exceso de líquido cefalorraquídeo a la circulación, mediante la colocación de un catéter en un ventrículo cerebral conectado a la aurícula cardiaca derecha o con el peritoneo. El sistema de drenaje está provisto de una válvula que se abre cuando la presión en los ventrículos cerebrales alcanza un nivel predeterminado, de tal modo que mantiene normalizada la presión endocraneal y evita la compresión de los tejidos encefálicos. La ilustración corresponde a un estudio radiográfico coloreado en el que puede observarse el sistema de drenaje de líquido cefalorraquídeo con su válvula de derivación (línea azul en forma de «L» invertida).*

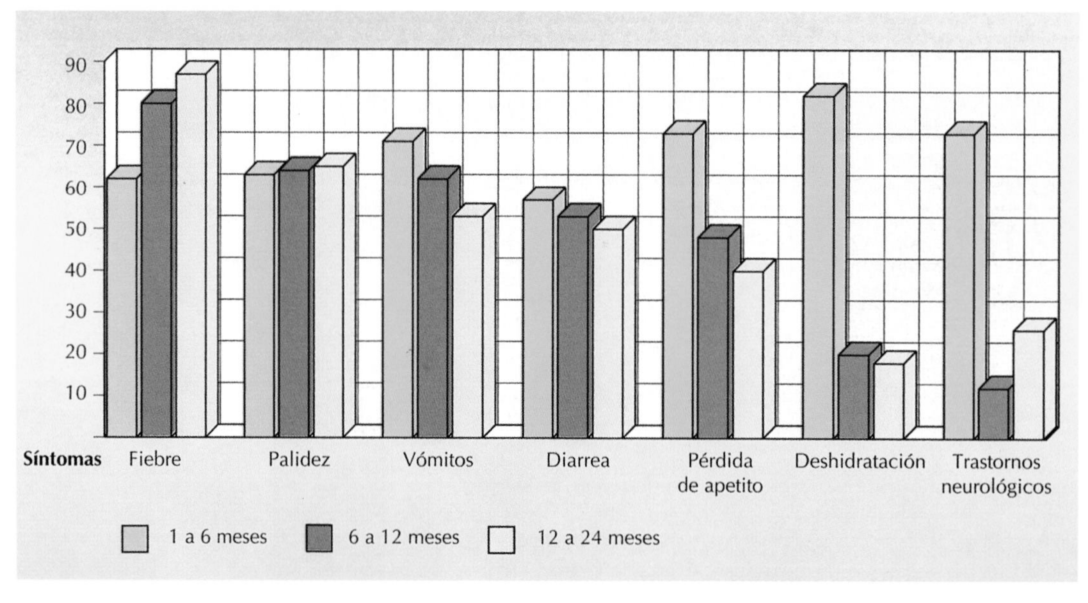

Deshidratación e infección urinaria en la infancia. *El gráfico muestra la incidencia de las diversas manifestaciones de la infección urinaria en niños de uno a 24 meses: obsérvese la importancia de la deshidratación en los niños de uno a seis meses y su diferencia con respecto a los demás grupos de edad.*

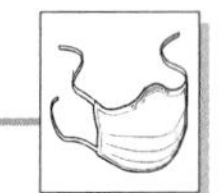

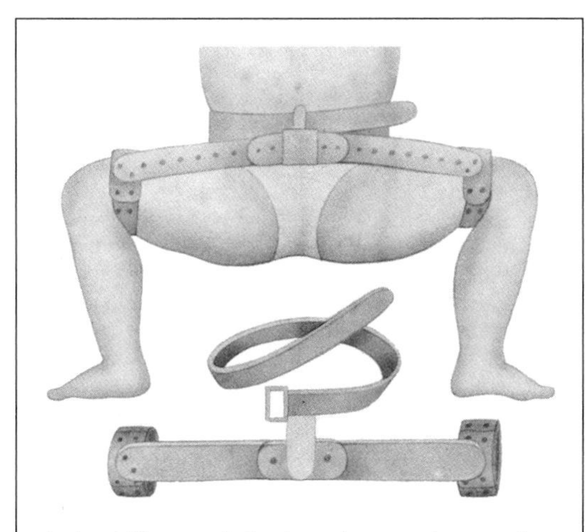

La luxación congénita de cadera puede corregirse en los primeros meses de vida manteniendo la cadera inmovilizada en abducción mediante el uso de férulas especiales, como la que se muestra en la ilustración.

fémur salga del acetábulo. Esto es más fácil cuando se utiliza un yeso o un arnés, dado que éstos no deben ser retirados para los cuidados rutinarios (véase TE: Férulas; yesos, cuidados de enfermería).

- Si la cadera es difícilmente reductible, se aplicará tracción para fortalecer los músculos de la pierna y alinear la cabeza femoral con el acetábulo (véase TE: Dispositivos de fijación externa; tracción). Esta tracción se mantiene durante dos o tres semanas. Cuando se intenta la reducción de la cadera se administra un anestésico general. Una vez que se ha realizado la reducción, se aplica un yeso, que se mantiene de 8 a 12 semanas, siendo necesario cambiarlo 2 o 3 veces para no impedir el crecimiento normal del niño.
- Si la reducción cerrada de la luxación no es efectiva, la maniobra se efectuará mediante cirugía.

Consideraciones de enfermería

- Nunca debe forzarse la cadera para reducir la luxación.
- La abducción excesiva de la cadera puede dar lugar a una necrosis de la cabeza femoral debida a la interrupción del aporte de sangre. Esta lesión es irreversible.
- Los padres deben ser instruidos sobre el cuidado del yeso antes de llevarse el niño a su casa.
- El yeso debe mantenerse limpio y seco en el área perineal.
- Véase TE: Yesos, cuidados de enfermería.

Niño maltratado

Descripción

Los malos tratos en los niños pueden ser de tipo sexual, emocional y físico, pero también puede incluirse en este concepto la falta de cuidados físicos o educativos. El abuso sexual no sólo corresponde al abuso del niño desde un punto de vista físico, sino que también puede tener otras modalidades, como su participación en fotografías o películas pornográficas.

La mayor parte de los malos tratos a los niños se inician durante la etapa de lactante. Cada vez se presta más atención a este problema, y ésta puede ser la razón por la cual en los últimos tiempos el problema parece haberse incrementado, no ya porque se produzcan más casos sino porque se denuncian y ponen en conocimiento público en mayor número. Es obvio que los malos tratos a los niños es un problema médico, que puede ser agudo o crónico, así como un factor que puede aumentar la delincuencia juvenil, los problemas psiquiátricos, los trastornos sexuales y, posteriormente, la adopción de una actitud deficiente como padres.

Observaciones

Existen diversos indicadores físicos y del comportamiento del niño que resultan sospechosos de malos tratos, los cuales se resumen en la tabla adjunta.

Consideraciones de enfermería

- Existen diversas situaciones que predisponen a los individuos a abusar de los niños. Éstas son: niño prematuro o con disminución física o intelectual, hijo de madre adolescente o

Tabla 2 Indicadores físicos y del comportamiento de malos tratos a los niños

Físicos	*Comportamiento*
Abuso físico Heridas o contusiones sospechosas En cara, labios y boca En espalda, nalgas o muslos En diversos estadios de cicatrización Agrupadas, formando patrones regulares Marcando la forma del objeto utilizado para infligir la lesión (cable eléctrico, cinturón) En áreas distintas Aparecen de forma regular tras un período de vacaciones, ausencia o fin de semana Quemaduras de origen sospechoso Quemaduras por cigarros o cigarrillos, especialmente en las palmas de las manos, plantas de los pies, nalgas o espalda Quemaduras por inmersión (en forma de calcetín, de guante, circulares en genitales y nalgas) Con forma determinada, parecida a plancha, estufa eléctrica, etc. Quemaduras por cuerda en brazos, piernas, cuello o espalda Quemaduras infectadas, lo que demuestra retraso en aplicar tratamiento Luxaciones o fracturas sospechosas Cráneo, nariz, macizo facial En diversos grados de curación Fracturas múltiples o en espiral Rozaduras o laceraciones sospechosas En labios, encías, boca, ojos En genitales externos En diversas fases de curación Áreas de calvicie en la cabeza	Sentimientos de castigo Rechazo del contacto con adultos Aprensivos al oír el llanto de otro niño Comportamientos extremos Agresividad Huida Miedo a los padres Miedo a volver a casa Dice haber sido pegado por los padres Mirada ausente o poco viva Permanece inmóvil observando el entorno No llora al ser explorado por el médico Responde con monosílabos Madurez precoz o inadecuada Comportamiento manipulador con el fin de atraer la atención Únicamente capaz de mantener relaciones superficiales Busca afecto de forma indiscriminada Pobre autoestima
Negligencia en los cuidados Peso inferior al apropiado para su edad, crecimiento deficiente Hambre, mala higiene, ropa inadecuada Falta de vigilancia, en especial en situaciones peligrosas y durante largos períodos de tiempo Adelgazamiento de la capa subcutánea Desatención a las necesidades médicas y problemas físicos Abandono Distensión abdominal Áreas de calvicie en la cabeza	Mendicidad, robo de alimentos Períodos prolongados en la escuela (llega temprano y sale tarde) Falta a menudo a la escuela Cansancio constante, con frecuencia se distrae o se duerme en clase Adopta actitud y responsabilidades de adulto Abuso de derivados alcohólicos o drogas Delicuencia (p.e., robos) Declara no tener quién le cuide
Abusos sexuales Dificultad para andar o sentarse Ropa interior ensangrentada, rota o manchada	Mendicidad, robo de alimentos Estancia prolongada en la escuela (entrada temprano y salida tarde)

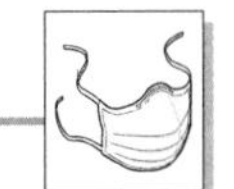

de un embarazo no deseado, déficit de los lazos materno/paterno-filiales, estrés familiar, alcoholismo de los padres, antecedentes de malos tratos de los padres durante su infancia, así como padres cuya personalidad no puede acoplarse a la vida familiar.

- Para el crecimiento y desarrollo de un niño normal es necesario un adecuado lazo entre padres e hijos. La carencia de dichos lazos se evidencia como una actitud impersonal por parte de los padres, así como una falta de contacto visual con el niño, con poca comunicación verbal o física.
- Todos los casos de niños menores de 24 meses con aspecto poco saludable deben ser estudiados. Debe investigarse la actitud de los padres (incluidas las observaciones sobre actitudes hostiles, agresivas, críticas o exigentes). Cuando se observe un comportamiento anómalo por parte de los padres, tal como euforia o depresión, requiere ser estudiado.
- Todo historial de traumatismos que no parezcan casuales debe ser investigado, haciendo preguntas concretas respecto a los mismos. Éstas deben ser: ¿quién se encargaba del niño?, ¿cómo tuvo lugar el accidente?, ¿qué hizo el niño después del accidente?, ¿qué cuidados se le prestaron inmediatamente después del mismo? Un retraso en acudir al médico sugiere la posibilidad de malos tratos. En caso de que un niño deba ser separado de la familia, es importante un cuidadoso estudio de las lesiones.
- En el caso de los malos tratos infantiles es extremadamente importante una actitud acrítica, ya que la reacción por parte de la familia o la persona al cuidado del niño puede ser hostil. El objetivo inmediato es la protección del niño, y sólo a largo plazo será el de la rehabilitación de la familia.

Problemas emocionales del niño hospitalizado

Descripción

Para cualquier niño, la hospitalización significa separarse de sus padres, hermanos y ambiente cotidiano. Tanto la hospitalización como la enfermedad pueden afectar al crecimiento normal, tanto emocional como físico, del niño. En los niños hospitalizados se produce una alteración del proceso de dependencia, que forma parte de la relación padres-hijos. Los niños de menor edad tienden a vivir cualquier tipo de separación como una forma de abandono o castigo. Entre los seis meses y los cuatro años de edad los niños tienen poca capacidad de enfrentarse a situaciones que, por su novedad, puedan originar ansiedad. Los niños de estas edades están muy predispuestos a tolerar mal la hospitalización. En los de mayor edad, la pérdida de la independencia y el control sobre sus propias actividades, acompañada a menudo de dolores y molestias, puede dar lugar a comportamientos regresivos y antisociales, incluso afectando negativamente a la relación padres-hijo. Un número importante de niños hospitalizados padecen alguna forma de trastorno emocional, que puede persistir incluso tras el alta hospitalaria.

La muestra de afecto por parte de los padres cuando el niño está en el hospital disminuye de forma importante el impacto de la separación. El contacto entre los padres y el personal de enfermería debe ir encaminado a aliviar la ansiedad que se produce en el niño, favorecer la relación entre padres e hijo, permitir un mejor conocimiento de la reacción del niño frente a la hospitalización y planificar la atención necesaria adecuada, tanto para el niño como para sus padres.

Observaciones

- El niño de seis meses a un año de edad tiende a reaccionar intensamente ante la separación de sus padres. El llanto inconsolable puede seguirse, a las pocas horas o días, de un comportamiento retraído y, posteriormente, de un rechazo del contacto humano. Los padres pueden reaccionar frente a esta situación con ira o sentimientos de culpabilidad.
- Los niños más grandes, incluso tras haberles preparado para la separación, se ven afectados por el cambio de su rutina cotidiana. Puede darse un comportamiento regresivo, anorexia o rechazo del contacto afectivo.

Estos niños, generalmente, suelen tener mucho miedo a la anestesia.

- Todo comportamiento del niño que se aparte del propio de su edad, o que sea significativamente distinto del referido por los padres en su vida previa a la hospitalización, es indicativo de estrés emocional.
- Es importante observar la reacción de los padres frente a la enfermedad del niño. Aquellos suelen tener sentimientos de culpabilidad, ansiedad, temor y pena, que limitan sobremanera su relación parental con el niño.

Consideraciones de enfermería

- El 80% de los ingresos de niños menores de cinco años de edad suelen ser debidos a problemas que requieren atención urgente. Es importante permitir que los padres o alguien de la familia permanezcan con el niño las 24 horas del día. La presencia de personas conocidas y queridas durante situaciones que produzcan molestias o dolor disminuye la ansiedad y el estrés del niño, facilitando la labor del médico y el personal de enfermería.
- Cuando se planifica la participación de los padres en los cuidados del niño, debe valorarse atentamente su estado emocional, su nivel de conocimiento y su comprensión acerca del estado del hijo.
- La ansiedad de los padres se transmite fácilmente al niño. Durante la hospitalización, es necesario brindar un adecuado apoyo emocional tanto hacia los padres como hacia el niño.
- Tanto el niño como sus padres deben ser informados detalladamente de lo que ocurre, así como de los procedimientos y/o tratamientos planeados. Es de extrema importancia el apoyo emocional antes, durante y después de llevar a cabo cualquier tipo de procedimiento médico y quirúrgico.
- Hay distintos factores que pueden causar temor en los niños y provocarles ansiedad, que siempre deben tenerse en cuenta: los niños de menos de seis años de edad temen separarse de sus padres; los niños en edad escolar temen el dolor físico y les cuesta entender por qué el dolor se asocia con la curación; los niños de mayor edad temen la alteración de su aspecto físico.
- Cuando no sea posible que alguno de los padres o familiares permanezca junto al niño, la mejor alternativa es que alguna enfermera tome al mismo bajo su cuidado. En el momento de realizar el historial de enfermería es importante atender a lo referente a las rutinas cotidianas, nombre con que se las denomina (especialmente a las funciones fisiológicas), temores, juegos favoritos, así como antecedentes patológicos. Debe contactarse con la familia con el fin de mantenerlos informados y ampliar las cuestiones referentes al niño que no hayan quedado claras. Es importante que los padres no se sientan desplazados de su papel por los miembros del hospital.
- Debe aconsejarse que el niño sea visitado por los hermanos, los amigos de la escuela, así como por toda persona a la que el niño se sienta apegado.
- Dada su importancia para el desarrollo normal, es necesario permitir e incluso favorecer los juegos, dentro de las limitaciones de cada niño hospitalizado. Las actividades recreativas permiten que el niño se exprese, siendo una forma de que afronte eficazmente los problemas a los que se enfrenta. La zona de juegos debe permitir que el niño se olvide de pruebas y procedimientos diagnóstico-terapéuticos.
- Siempre que sea posible, debe evitarse la hospitalización. Si ello no es posible, debe establecerse un plan concreto para dar el alta lo más pronto posible.

Síndrome nefrótico

Descripción

El síndrome nefrótico es un trastorno de la función renal caracterizado por una pérdida masiva de proteínas por la orina (hiperproteinuria) como resultado del aumento de la permeabilidad glomerular, lo que comporta una disminución de proteínas en la sangre (hipoproteinemia) y la aparición de edemas. Puede producirse durante el curso evolutivo de diversas enfermedades renales.

El síndrome nefrótico ha sido clasificado de las siguientes formas:

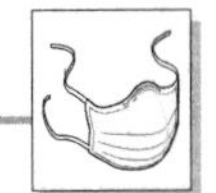

- *Síndrome nefrótico congénito*: provoca síntomas que aparecen de forma muy precoz en los primeros meses de vida. Esta enfermedad no responde al tratamiento convencional. El niño suele morir durante el primer o segundo año de vida.
- *Síndrome nefrótico primario idiopático*: aparece en el 80% de los niños con síndrome nefrótico, con una máxima incidencia entre los 2 y 6 años de edad. Se desconoce la etiología, pero parece que tiene como base una alteración inmunitaria y que los corticoides y los inmunosupresores originan su remisión. Esta entidad puede recidivar varias veces.
- *Síndrome nefrótico secundario*: suele aparecer como resultado de una glomerulonefritis, afección renal debida las reacciones antígeno-anticuerpo que a veces se producen en las enfermedades sistémicas, como el lupus eritematoso sistémico. Los antígenos responsables pueden ser fármacos o, más raramente, venenos o picaduras, pero suelen ser de origen desconocido (véase EMQ: Genitourinario, riñón, trastornos del, glomerulonefritis; Pediatría, glomerulonefritis aguda postestreptocócica).

La evolución del síndrome nefrótico secundario es la de la enfermedad subyacente: la glomerulonefritis aguda puede desaparecer tras varias semanas, pudiendo remitir el síndrome nefrótico y recidivar nuevamente, y la glomerulonefritis crónica puede evolucionar hasta llegar a ser una insuficiencia renal crónica.

Pruebas diagnósticas habituales

- Análisis de orina.
  1. Proteinuria masiva (la mayoría de los nefrólogos utilizan como estándar más de 3,5 g de proteína en orina de 24 h). Puede hacerse un proteinograma, advirtiéndose que la mayor parte de proteínas eliminadas en la orina corresponde al tipo albúmina.
  2. Ocasionalmente, presencia de hematíes y cilindros en la orina.
- La bioquímica sanguínea muestra:
  1. Hipoproteinemia, con niveles de albúmina en suero bajos (no superan los 3 g/100 ml de sangre).
  2. Elevación de los triglicéridos y el colesterol.
  3. Puede aparecer elevación de los niveles de urea y creatinina.
- Para llegar al diagnóstico correcto puede ser necesaria la biopsia renal, aunque esta técnica se reserva para los casos en que no existe ninguna enfermedad de base posiblemente responsable y cuando no hay una respuesta efectiva al tratamiento habitual (véase TE: Biopsia renal).

Observaciones

Los síntomas pueden comenzar de forma insidiosa.

- El principal signo corresponde al edema o acumulación de líquidos.
  1. Edema periorbitario (alrededor de los ojos), especialmente al levantarse por la mañana.
  2. Edema generalizado, especialmente en las zonas sometidas a gravedad: tobillos, escroto en los niños y labios en las niñas.
  3. Ascitis. Si es severa puede dar lugar a disnea (dificultad respiratoria).
  4. Diarrea, producida por edema de los intestinos.
  5. Suele observarse palidez de la piel. Si el edema es importante, la piel puede estirarse y exudar líquido, lo que la hace más susceptible a la infección.
- La orina puede ser espumosa y, en ocasiones, oscura y de poco volumen.
- Puede observarse irritabilidad, aletargamiento y fatigabilidad.
- Puede aparecer hipotensión ortostática debida a que la hipoalbuminemia produce inestabilidad cefálica al incorporarse (véase TE: Hipotensión postural).

Tratamiento

El objetivo del tratamiento es apoyar al niño durante la enfermedad.

- En caso de síndrome nefrótico primario idiopático, suele administrarse prednisona u otros corticosteroides suprarrenales, inicialmente a dosis elevadas y luego reduciendo las dosis progresivamente a medida que se normaliza la diuresis, la proteinuria y la proteinemia.
- Si se producen recaídas, pueden administrarse nuevamente corticoides, o bien inmunosupresores (*p.e.*, ciclofosfamida), que consiguen la recuperación en la mayor parte de los casos.

- Dieta elevada en proteínas (para reemplazar las pérdidas urinarias) y baja en sodio (para disminuir la formación de edema).
- No suele ser necesaria la restricción de líquidos, a menos que exista hiponatremia.
- Puede ser necesario el reposo en cama cuando exista edema.
- En ocasiones se prescriben diuréticos.
- Para el tratamiento del edema o de la ascitis grave se prescriben albúmina endovenosa y diuréticos. Los resultados son muy buenos, pero transitorios.
- Si se produce infección, se administran antibióticos. Debe evitarse, en lo posible, la aparición de infecciones a nivel cutáneo y sistémico, frente a las que estos pacientes presentan una elevada susceptibilidad.

Consideraciones de enfermería

- Debe considerarse la importancia del peligro de infecciones cuando se asigne una cama o una habitación a un niño con síndrome nefrótico.
- Explórense los edemas. Determínese el peso corporal de forma diaria, a la misma hora y en la misma báscula. Mídase el perímetro abdominal al nivel del ombligo diariamente.
- Cuando exista edema:
  1. Elévese la cabecera de la cama hasta una posición de semiincorporado para disminuir el edema periorbitario. Si éste ya está instaurado, frótese los ojos con gasas empapadas con suero fisiológico.
  2. Cuidados de la piel:
     a. Cámbiense con frecuencia los pañales, lavándose la zona perineal del niño con mucho cuidado (debe esperarse que incluso el niño de más edad que ya ha aprendido a usar el inodoro pueda perder este hábito de forma temporal).
     b. Lávese y espolvoréense polvos de talco sobre la superficie de la piel varias veces al día. Para evitar la irritación cutánea, pueden separarse con gasitas las áreas afectadas, por ejemplo el escroto del niño.
  3. Debe cambiarse la postura del bebé frecuentemente, pero procurando que el cuerpo quede alineado.
  4. Las inyecciones intramusculares deben darse a nivel del deltoides y no en los muslos o nalgas, que pueden estar edematosos.
- Deben registrarse con exactitud las entradas y salidas de líquidos.
- Deben controlarse diariamente las constantes vitales, con especial atención a la medición y registro de la tensión arterial.
- Debe procurarse que el niño coma lo suficiente para que mantenga un adecuado estado nutricional. Debe tenerse presente que durante la fase aguda de la enfermedad el niño afectado suele perder el apetito, por lo que debe hacerse todo lo posible para estimularlo (utilizando bandejas llamativas, cubiertos pequeños o haciendo comidas que le apetezcan).
- Si se impone una restricción de líquidos, es mejor que los vasos de agua sean pequeños y no grandes.
- Deben recogerse muestras de orina para determinar el contenido de proteínas.
  Debe comprobarse que tanto el niño como los familiares entienden la forma en que debe recogerse la orina de 24 horas.
- Mientras el niño se halle en reposo en cama, debe procurarse que se distraiga.
- Una vez remita el edema, debe procurarse que el niño se mantenga activo.
- Debe enseñarse a los padres a identificar los signos de las recaídas y recalcarse la importancia de comunicárselo al médico.
  1. Debe enseñárseles a analizar las muestras de orina con tiras reactivas, el cuidado del niño y la administración de la medicación.
  2. Debe advertírseles sobre el tratamiento con corticoides, los efectos secundarios y el peligro de interrumpir la medicación sin control médico.

Tensión arterial en pediatría

Descripción

La tensión arterial tiene unos valores normales diferentes a lo largo de la vida, especialmente durante la infancia, como puede apreciarse en las tablas adjuntas. Con respecto a los límites superiores, se consideran como normales los siguientes:

- 1-3 meses de edad: 80 mm Hg de presión sistólica y 55 mm Hg de presión diastólica.

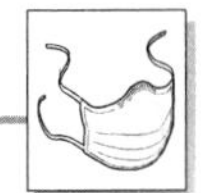

- 4-12 meses de edad: 90 mm Hg de presión sistólica y 65 mm Hg de presión diastólica.
- 1-4 años de edad: 110 mm Hg de presión sistólica y 70 mm Hg de presión diastólica.
- 5-10 años de edad: 120 mm Hg de presión sistólica y 75 mm Hg de presión diastólica.
- 11-15 años de edad: 130 mm Hg de presión sistólica y 80 mm Hg de presión diastólica.

Consideraciones de enfermería

- Debe tomarse la presión de forma rutinaria en todo niño mayor de 3 años de edad. Sin embargo, y dado que existe una gran variabilidad en la tensión arterial de los niños y adolescentes, el hallazgo de una tensión arterial elevada de forma aislada no es valorable. En aquellos que presenten tensiones arteriales diastólicas mantenidas por encima del percentil 90 en tres o más ocasiones, determinadas en intervalos de 1 a 2 semanas, es necesaria una investigación posterior (véanse las gráficas que acompañan).
- Antes de tomar la presión arterial a un niño es muy importante que éste se encuentre tranquilo y relajado, ya que de lo contrario podrían distorsionarse fácilmente los resultados. Si el niño no está familiarizado con la técnica o se muestra ansioso, conviene colocar el manguito del esfigmomanómetro y dejarlo desinflado durante un rato antes de iniciar la medición.

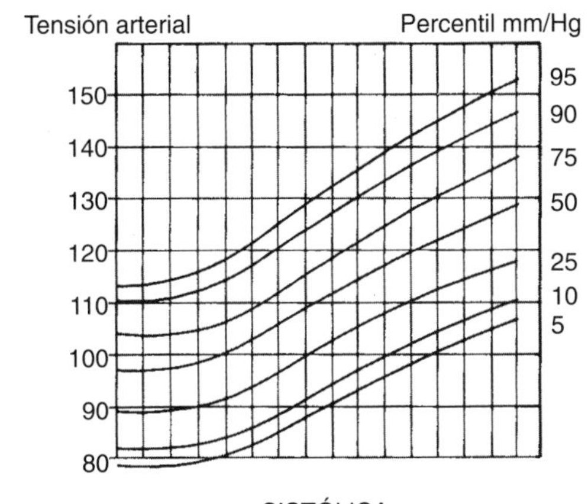

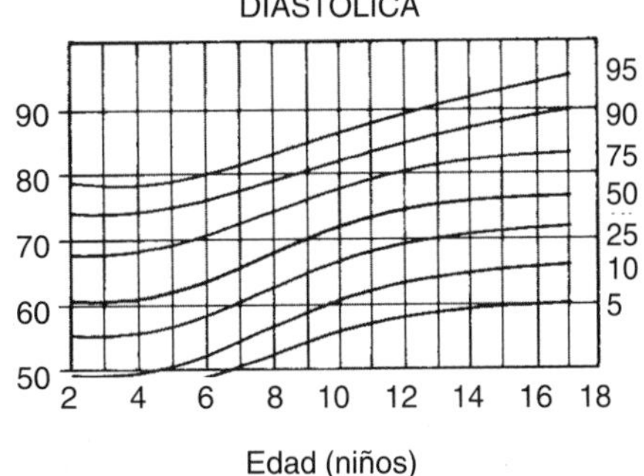

Percentiles de la tensión arterial en los niños (en el brazo derecho, posición sentada)

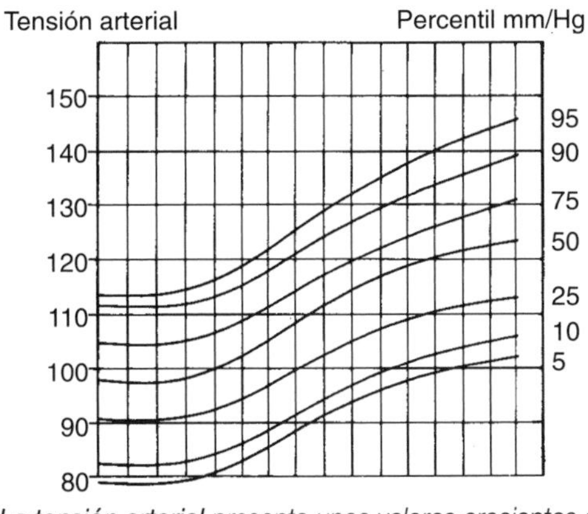

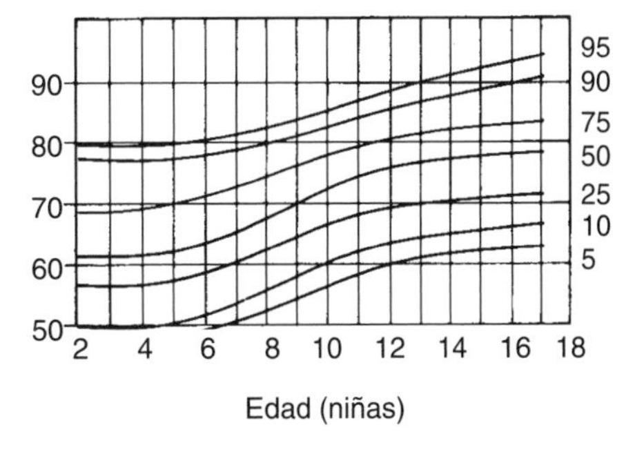

Percentiles de la tensión arterial en las niñas (en el brazo derecho, posición sentada)

***La tensión arterial** presenta unos valores crecientes a lo largo de la infancia, hasta alcanzar los correspondientes al adulto tras la adolescencia. Las ilustraciones muestran los valores de la tensión arterial durante la infancia en el sexo masculino (arriba) y en el femenino (abajo).*

- Es muy importante que el esfigmomanómetro empleado para medir la presión arterial en el niño tenga un manguito adecuado para las características del paciente, con una anchura equivalente a dos tercios de la longitud del brazo y una longitud suficiente para abarcar dos tercios de su circunferencia. En términos generales, la anchura de manguito aconsejada es:
  1. Menores de 1 año: 2-5 cm
  2. 1-4 años: 5-6 cm
  3. 4-8 años: 8-9 cm
- Debe colocarse el brazal aproximadamente unos 2,5 cm por encima del pliegue del codo cuando se tome la presión en el brazo, o bien unos 2,5 cm por encima del hueco poplíteo cuando se tome en la pierna.
- En los niños menores de un año de edad, la tensión arterial tomada en la pierna suele ser igual a la determinada en el brazo. Cuando la presión arterial de las extremidades superiores es elevada, deben palparse los pulsos femorales y determinarse la tensión arterial en las extremidades inferiores para descartar una coartación de aorta (causa importante de hipertensión precoz en la infancia). Después del primer año de edad, la presión arterial en la pierna suele ser de 15 a 20 mm Hg mayor que la determinada en los brazos.
- Véase TE: Constantes vitales, presión arterial.

Tumor de Wilms

Descripción

El tumor de Wilms, también llamado nefroblastoma, embrioma o adenomiosarcoma, es un tumor maligno mixto de riñón que se desarrolla a partir de células embrionarias y está constituido por diversos tipos de células. Este cáncer de riñón se observa en las fases precoces de la niñez, casi siempre antes de los seis años de edad, con una incidencia máxima a los tres años. Es el tumor intraabdominal más frecuente en la infancia, con una incidencia de aproximadamente 1 caso cada 10 000 niños, y es algo más frecuente en el sexo masculino. Suele presentarse simultáneamente en ambos riñones. Su origen es congénito, aunque no se considera hereditario. Puede presentarse juntamente con otros defectos congénitos (ausencia de iris del ojo), hemihipertrofia (hipertrofia de los músculos de la mitad del cuerpo) y trastornos genitourinarios.

Pruebas diagnósticas habituales

- Véase EMQ: Genitourinario, riñón, cáncer de riñón.

Observaciones

- Masa abdominal palpable de gran tamaño.
- Dolor sordo en el abdomen.
- Pérdida de peso, anemia.
- Hematuria (bastante infrecuente).
- Hipertensión arterial, por invasión de las arterias renales (frecuente en alguna fase de la evolución).
- Signos de metástasis, habitualmente en hígado, pulmones, huesos o cerebro.

Tratamiento

- Véase EMQ: Genitourinario, riñón, cáncer de riñón.
- El tumor de Wilms es radiosensible.

Consideraciones de enfermería

- Téngase presente el diagnóstico de tumor de Wilms siempre que se advierta una masa palpable en el abdomen de un niño pequeño.
- Debe tenerse sumo cuidado cuando se manipule a estos niños:
  1. Debe evitarse la palpación del abdomen.
  2. Debe advertirse a los padres que no deben palpar el abdomen del niño.
- El resultado del tratamiento es muy bueno si se procede al tratamiento cuando el tumor se halla localizado, consiguiéndose la curación total en el 80 % de los casos. El tumor de Wilms se considera curado cuando el paciente sobrevive dos años después de la extirpación del tumor, ya que es el período en el cual pueden presentarse complicaciones mortales.
- Véase EMQ: Genitourinario, cirugía del riñón y las vías urinarias, postoperatorio de la cirugía renal y de los uréteres; Aproximación general: Enfermería oncológica.

Oftalmología y otorrinolaringología

OFTALMOLOGÍA

Diagnósticos de enfermería asociados a trastornos oftalmológicos

Véase capítulo Diagnóstico de enfermería:

- Alto riesgo de traumatismo relacionado con déficit visual.
- Déficit en los cuidados personales relacionados con déficit visual.
- Alteraciones sensoperceptivas (alteración de la percepción visual).

Catarata

Descripción

La catarata consiste en una opacidad del cristalino del ojo, elemento que en condiciones normales es transparente. El 80% de los individuos mayores de 70 años tienen cataratas, aunque a menudo también se observan en individuos más jóvenes. En general, las cataratas se relacionan con el proceso fisiológico de envejecimiento, pero no son infrecuentes las cataratas congénitas y las que son resultado de traumatismos oculares, tratamientos prolongados con determinados medicamentos (*p.e.*, corticosteroides) o enfermedades sistémicas, como la diabetes mellitus.

Pruebas diagnósticas habituales

- Exploración oftalmológica:
  1. Oftalmoscopia.
  2. Exploración con lámpara de hendidura.

Observaciones

- Visualización de una opacidad gris o blanca a través de la pupila.
- Pérdida visual progresiva, con visión borrosa y disminución de la visión lejana (miopía).
- Sensibilidad ante la luz y dificultad para conducir de noche debido al deslumbramiento que ocasionan los faros.

Tratamiento

- Resección quirúrgica del cristalino afectado.
- En la cirugía de las cataratas se practican diversas técnicas, básicamente de dos tipos:
  1. La cirugía intracapsular, que consiste en extraer el cristalino y su cápsula con la ayuda de un criodo mediante el cual se congela la lente para facilitar la maniobra.
  2. La técnica extracapsular, en la que se secciona y se abre la cápsula y posteriormente se aspira el contenido turbio.

3. Cuando el cristalino opacificado es blando, como ocurre en casos de cataratas congénitas y en personas jóvenes, se puede efectuar una variante de la extracción extracapsular tras la fragmentación del contenido capsular mediante ultrasonidos. Sólo se requiere una pequeña incisión en la cápsula, tras lo cual se emulsiona la catarata y se aspira.

- Para corregir la pérdida visual que comporta la extirpación del cristalino, puede recurrirse a la implantación de una lente intraocular durante la intervención. De lo contrario, posteriormente el paciente deberá emplear gafas o lentillas.

Consideraciones de enfermería

- Cuando la opacidad del cristalino impide una visión correcta, se impone el tratamiento quirúrgico.
- Muchos pacientes con cataratas padecen diabetes mellitus.
- Antes de la intervención quirúrgica se aplica un colirio para dilatar los ojos.
- Las prescripciones del médico en el postoperatorio son específicas para cada individuo. El mismo día de la intervención puede permitirse a los pacientes volver a su domicilio.
- Tras la intervención se prescriben gotas oculares durante varios días. Compruébese que el paciente entiende la manera de instilarlas. En ocasiones el cirujano indica que durante la noche se coloque una protección ocular sobre el ojo intervenido por un espacio de cuatro a cinco semanas, para evitar así que se lo autolesione. Se indica al paciente que no realice esfuerzos tales como levantar pesos, inclinarse o presionar el ojo para evitar que se produzca una hemorragia o una lesión de la línea de sutura.
- A no ser que se hayan implantado lentes intraoculares de forma permanente, se utilizan lentillas, duras o blandas, que comienzan a emplearse alrededor de la sexta semana después de la intervención. Hay diversos tipos de lentillas, e incluso hay algunas lentillas blandas desechables que se pueden llevar de forma permanente durante períodos de varias semanas. Si existe alguna contraindicación para el uso de lentillas, también pueden prescribirse gafas.

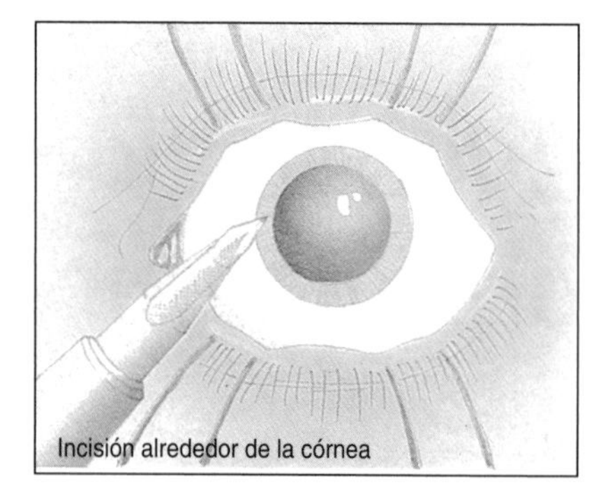

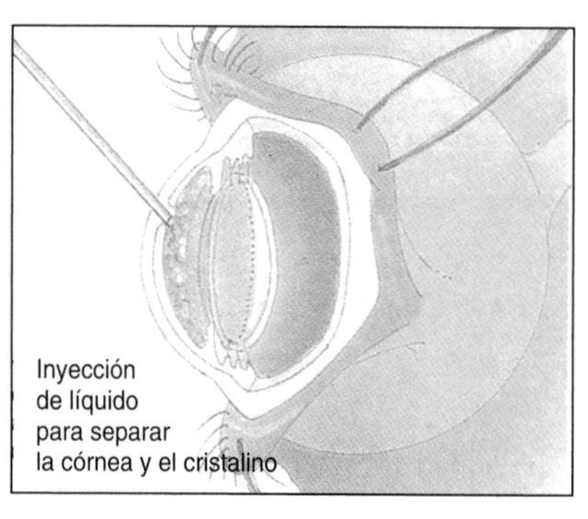

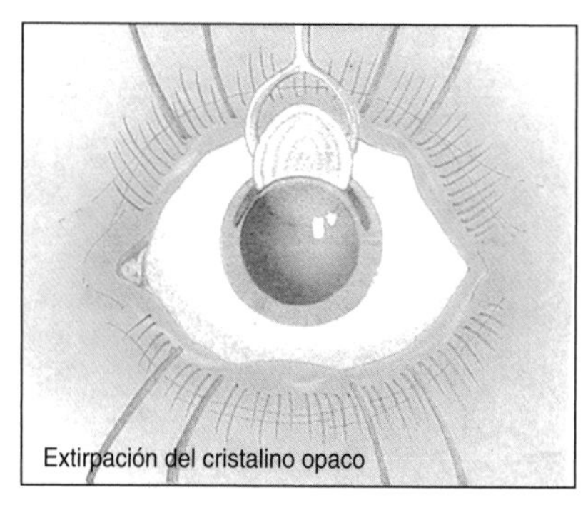

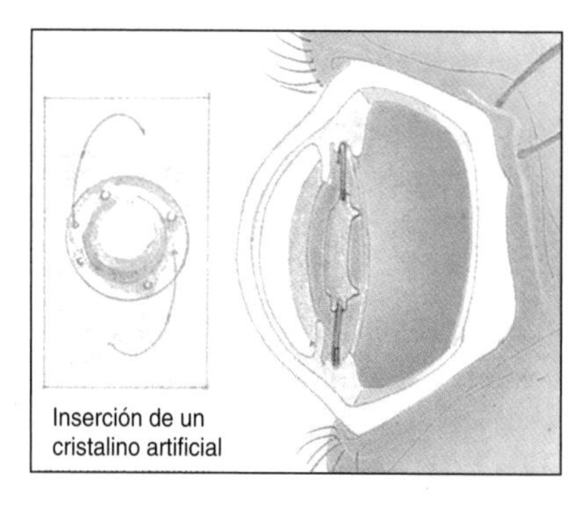

Catarata. *Los dibujos muestran los diferentes pasos de una técnica quirúrgica destinada a extirpar el cristalino opacificado y la posterior implantación de una lente intraocular.*

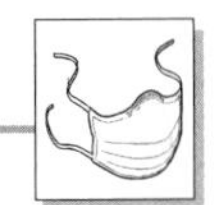

- Puede ser necesario enseñar a otro miembro de la familia a extraer y limpiar las lentes de contacto del paciente; en ocasiones, puede que el paciente deba acudir periódicamente a la consulta del facultativo para este fin.

Conjuntivitis

Descripción

La inflamación de la membrana conjuntiva que tapiza la parte anterior del globo ocular y la cara interior de los párpados constituye una respuesta común a una agresión causada por diversos factores: infecciones (generalmente bacterianas o víricas), agentes físicos o químicos (exposición a radiaciones ultravioletas, polvo, humos, gases irritantes) o mecanismos alérgicos. Según su forma de presentación, se diferencia la *conjuntivitis aguda*, que evoluciona de unos días a unas semanas, y la *conjuntivitis crónica*, que evoluciona durante meses o incluso años.

Pruebas diagnósticas habituales

- Exploración ocular.
- Análisis y cultivo de secreciones, con antibiograma.

Observaciones

- Enrojecimiento ocular (inyección conjuntival).
- Picor, que en ocasiones se transforma en ardor o dolor.
- Sensación de cuerpo extraño.
- Lagrimeo.
- Secreciones de diversas características, desde líquidas y claras (conjuntivitis irritativa y alérgica) hasta las mucopurulentas, espesas y amarillas (conjuntivitis bacteriana).
- Tumefacción del rodete conjuntival que rodea la córnea (quemosis).
- Intolerancia a la luz (fotofobia).
- Tumefacción palpebral.

Tratamiento

- En las conjuntivitis bacterianas, se emplean antibióticos en forma de colirios o pomadas de aplicación local o como medicamentos de administración oral. La elección del antibiótico y su forma de administración dependen del agente causal y del resultado del antibiograma.
- En las conjuntivitis víricas, pueden emplearse agentes antivíricos, de eficacia inconstante, y antibióticos para prevenir una sobreinfección bacteriana.
- En la conjuntivitis por agentes físicos o químicos y en las alérgicas, pueden emplearse antiinflamatorios (*p.e.*, corticosteroides), y en el caso de estas últimas, también antihistamínicos.

Consideraciones de enfermería

- La conjuntivitis infecciosa puede ser muy contagiosa, por lo que el personal de enfermería debe adoptar las precauciones oportunas para evitar su transmisión (lavado de manos, utilización de guantes), así como enseñar al paciente las normas apropiadas para evitar que se propague al ojo sano (evitar tocarse el ojo sano con las manos contaminadas, sin un estricto lavado previo) y para impedir su transmisión a otras personas (no compartir objetos posiblemente contaminados, como pañuelos o toallas).
- Enséñese al paciente a desprender las secreciones y las costras que dejan al secarse mediante lavado con agua templada.
- *Nunca* deben emplearse corticosteroides si no se ha descartado la infección vírica, puesto que podría agravarse con la utilización de estos fármacos. Como norma general, no debe utilizarse un colirio determinado hasta que el médico no haya establecido el origen de la conjuntivitis y estipulado el tratamiento oportuno.
- Insístase al paciente la necesidad de respetar las pautas de tratamiento indicadas por el médico, advirtiendo que una conjuntivitis aguda mal tratada puede cronificarse y comportar diversas secuelas, como reacciones cicatriciales que ocasionen alteraciones visuales.
- Para aliviar las molestias, recomiéndese al paciente la aplicación de compresas frías sobre el ojo, así como la utilización de gafas oscuras para evitar la fotofobia.

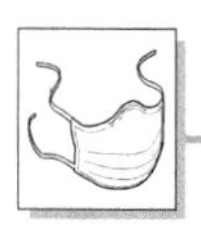

Cuerpos extraños en el ojo

Descripción

Se considera como cuerpo extraño todo material u objeto de pequeñas dimensiones localizado por debajo de los párpados, enclavado en la córnea o la esclerótica o que penetre en el interior del globo ocular. Puede tratarse de partículas de polvo o bien de esquirlas de metal, plástico, madera u otras sustancias que se introducen accidentalmente en el ojo y que, por lo general, quedan retenidas en la conjuntiva, aunque pueden dar lugar a lesiones oculares de diversa entidad.

Pruebas diagnósticas habituales

- Eversión de los párpados y exploración ocular.
- Tinción con fluoresceína.
- Oftalmoscopia.
- Examen con lámpara de hendidura.
- Radiografías y ecografías para localizar cuerpos extraños intraoculares.

Observaciones

- Enrojecimiento, dolor, lagrimeo y espasmo palpebral.
- En muchas ocasiones las molestias son intensas, pero en otras pueden ser leves o incluso mínimas, pasando inadvertidas, en especial si el cuerpo extraño penetra en el globo ocular.
- Si el cuerpo extraño es metálico, con su oxidación puede provocar una opacificación de la córnea o un cambio de coloración del iris.
- Entre las principales complicaciones destacan la infección y la úlcera corneal, así como las lesiones de las estructuras intraoculares cuando se trata de cuerpos extraños penetrantes.

Consideraciones de enfermería

- Los cuerpos extraños superficiales suelen eliminarse espontáneamente, con las lágrimas o mediante una simple irrigación ocular con solución salina isotónica.
- Para localizar un cuerpo extraño que no se observa en la superficie ocular debe procederse a la eversión de los párpados, ya que puede permanecer en la superficie de la conjuntiva tarsal.
- *Evítese restregar el ojo y adviértase al paciente en este sentido.* Una compresión inadecuada podría provocar el enclavamiento de un cuerpo extraño libre o favorecer la penetración de un cuerpo extraño enclavado superficialmente.
- Si el cuerpo extraño no se expulsa con la irrigación ocular, puede intentarse su extracción con la punta de un hisopo previa instilación de un anestésico tópico. *Atención: nunca debe intentarse la extracción de cuerpos extraños enclavados en el espesor de la córnea o que penetren parcialmente en la cámara anterior del ojo.*
- Para atenuar las molestias pueden utilizarse colirios anestésicos y ciclopléjicos, así como aplicar antibióticos tópicos para prevenir una sobreinfección.
- Si no se puede extraer el cuerpo extraño con métodos sencillos, o bien si el cuerpo extraño está enclavado, debe aplicarse un venda-

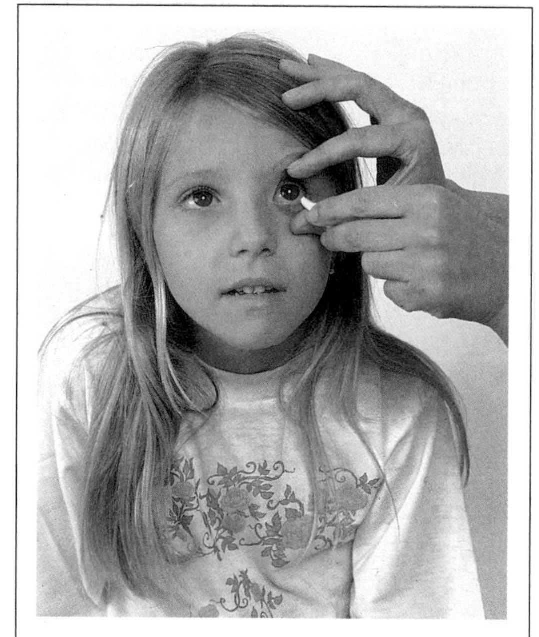

Los cuerpos extraños en el ojo pueden eliminarse con la punta un hisopo siempre y cuando se compruebe que no están enclavados en la córnea ni penetran parcialmente en la cámara anterior del ojo.

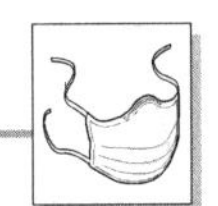

je oclusivo no compresivo y remitir al especialista.
- Si un paciente refiere la posible penetración de un cuerpo extraño y en la exploración no se detecta, enviar al especialista para que efectúe un examen más detallado. Recuérdese que los cuerpos extraños penetrantes pueden causar una sintomatología mínima o nula y a pesar de ello provocar lesiones intraoculares progresivas en los días posteriores al accidente.

Desprendimiento de retina

Descripción

El desprendimiento de retina corresponde a la separación de los dos componentes retinianos: la capa sensorial, que contiene el epitelio pigmentario, y la capa neural, que contiene las células nerviosas cuyas prolongaciones constituyen el nervio óptico. Su etiología suele ser un pequeño desgarro o agujero en la superficie de la retina que permite el paso de humor vítreo al espacio subretiniano, ocasionando un desprendimiento. Los desprendimientos de retina a menudo se dan en personas que presentan miopía intensa, y es raro observarlos en niños.

Pruebas diagnósticas habituales

- Exploración ocular, con oftalmoscopia.
- Exploración del campo visual.

Tratamiento

- Reposo inmediato en cama con la cabeza girada hacia el lado del desprendimiento, de manera que la gravedad actúe como una fuerza que lleve la retina de nuevo hacia la superficie interna del globo ocular.
- Para reparar los desgarros de la retina antes de que se produzca el desprendimiento puede emplearse la diatermia, la fotocoagulación con láser o la criocirugía. Estas técnicas dan lugar a una inflamación local que produce una cicatriz que cierra herméticamente la brecha.
- Cuando ya se ha producido el desprendimiento, puede ser preciso extraer el líquido presente en el espacio subretiniano, tras lo cual se hace un pliegue escleral con la aplicación de un pequeño dispositivo de silicona que presione el globo ocular desde fuera. De esta manera, empujando la esclerótica se favorece un nuevo contacto entre la retina y la coroides.
- El éxito de la intervención quirúrgica depende de la extensión del desprendimiento y del período de tiempo que haya transcurrido antes de instaurar la terapéutica.

Consideraciones de enfermería

- A menudo es necesario sedar al paciente para que no mueva la cabeza mientras se le mantiene en reposo en espera de realizar la intervención quirúrgica.
- Las órdenes médicas del postoperatorio son específicas para cada individuo. Se mantiene la cabeza girada hacia el lado del desprendimiento durante un tiempo después de la intervención.
- La complicación más importante que puede producirse es la hemorragia.
- Después de la intervención, el ojo puede estar inflamado durante varias semanas. Para disminuir la inflamación se suelen instilar colirios.
- Para eliminar las costras de los párpados se utilizan compresas oculares calientes.
- Después de darse de alta en el hospital, estos pacientes generalmente deben permanecer en su domicilio durante varias semanas y en este período postoperatorio han de evitar leer, inclinarse hacia delante, levantar pesos, o efectuar cualquier esfuerzo físico con objeto de reducir la posibilidad de que se produzca de nuevo el desprendimiento.

Glaucoma

Descripción

El glaucoma es un trastorno en el que la presión intraocular se halla elevada, produciéndose una lesión consiguiente en el nervio óptico. En condiciones normales, el humor

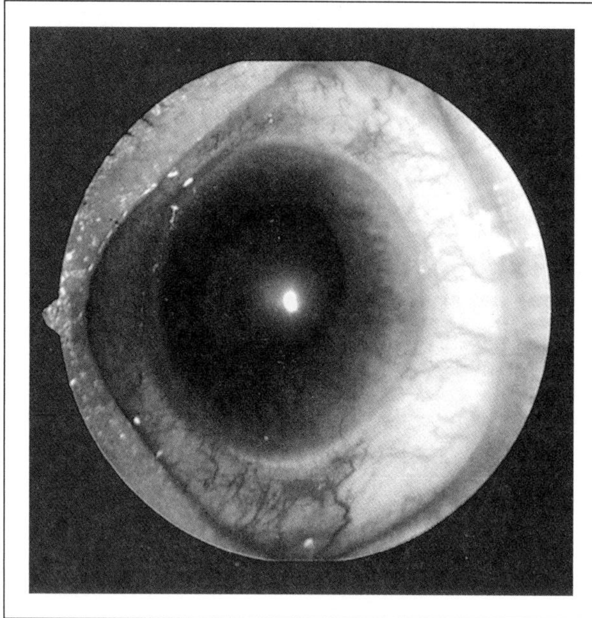

El glaucoma se caracteriza por un incremento del volumen de humor acuoso, líquido que en condiciones normales regula la adecuada presión intraocular y garantiza la forma redondeada del ojo. Cuando existe una obstrucción para el filtrado del humor acuoso, se produce su acumulación y la consecuente elevación de la presión intraocular, situación que evoluciona con una pérdida de agudeza visual y puede llegar a provocar un deterioro irreversible del nervio óptico que, en los casos más graves, determinará una ceguera completa y definitiva. El glaucoma crónico simple causa una pérdida visual progresiva que no se acompaña de ninguna otra manifestación, pero el glaucoma agudo se presenta como una crisis caracterizada por pérdida visual súbita y casi absoluta, enrojecimiento del ojo y dolor ocular muy intenso. La ilustración corresponde a un ojo afectado por glaucoma.

acuoso que se produce en el interior del ojo fluye desde la cámara posterior hacia la anterior y, finalmente, se drena hacia el sistema venoso. Cuando existe un obstáculo que reduce este paso de líquido, aumenta la presión intraocular, lo que da lugar a una lesión de los vasos sanguíneos que irrigan el nervio óptico. Existen diversos tipos de glaucoma. La forma más frecuente es el *glaucoma crónico* o *glaucoma de ángulo abierto*, que tiene lugar en individuos de edad media o avanzada y suele ser biocular. También se producen *glaucomas congénitos* como consecuencia de trastornos del desarrollo, aunque esto último es poco común. Los *glaucomas secundarios* se deben a un impedimento en el sistema de drenaje consiguiente a una lesión o inflamación del ojo. Si tiene lugar un aumento brusco de la presión intraocular en un ojo debido a la obstrucción completa del sistema de drenaje, aparece un *glaucoma agudo* o *glaucoma de ángulo cerrado.*

Pruebas diagnósticas habituales

- Tonometría: se coloca un tonómetro directamente sobre la córnea anestesiada y se mide así la presión intraocular. La presión normal varía entre 10 y 21 mm Hg. En caso de diagnóstico dudoso, puede recurrirse a una prueba de provocación para comprobar las oscilaciones de la presión intraocular ante determinados factores (ingestión de líquido, permanencia en la oscuridad, dilatación de pupila mediante midriáticos); en las personas sanas, este tipo de prueba provoca un aumento de la presión de 3 a 5 mm Hg, mientras que en el paciente con glaucoma el incremento supera los 6 mm Hg.
- Examen oftalmoscópico (fondo de ojo): se efectúa un reconocimiento visual de las estructuras intraoculares.
- Gonioscopia: consiste en un examen visual del ángulo iridocorneal mediante un biomicroscopio de lámpara de hendidura que lleva acoplada una lente especial que permite observar la parte anterior del ojo. De este modo, se comprueba si el ángulo está cerrado o abierto, o si es estrecho.
- Examen del campo visual: esta exploración detecta manchas ciegas (escotomas), que son una señal de pérdida del campo visual.

Tratamiento

Glaucoma crónico (de ángulo abierto)

- Suelen emplearse gotas oculares mióticas (pilocarpina) para producir una contracción de la pupila, de tal forma que el cristalino se

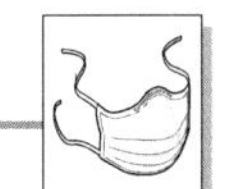

aleje de las vías de drenaje y disminuya así la presión intraocular.

- También suelen emplearse colirios con fármacos que inhiben la elaboración de humor acuoso (betabloqueantes, inhibidores de la anhidrasa carbónica) para intentar mantener la presión intraocular dentro de los límites normales.
- El glaucoma crónico suele controlarse mediante la medicación. Si este objetivo no se consigue, es necesario practicar una intervención quirúrgica (trabeculectomía o iridectomía) para favorecer el drenaje de humor acuoso, o bien una trabeculoplastia con láser para abrir una vía de drenaje artificial. Las técnicas a aplicar son diversas, y hay que elegir la más apropiada a las características de cada caso.
- Por lo general, el glaucoma congénito únicamente se puede tratar mediante cirugía.

Glaucoma agudo (de ángulo cerrado)

- El glaucoma agudo es una *urgencia médica* que requiere la instauración inmediata de un tratamiento para reducir la elevación de la presión intraocular. A menudo se lleva a cabo la administración intravenosa de una sustancia osmótica (*p.e.* manitol), capaz de atraer líquidos, para reducir indirectamente el volumen de humor acuoso; también se administran colirios mióticos.
- Si el ataque no se solventa en un plazo de seis a doce horas, debe procederse a una técnica que logre el drenaje de humor acuoso, mediante láser o cirugía, para evitar la pérdida irreversible de visión.
- Si no ha sido preciso operar, una vez superada la crisis se planifica una intervención que garantice el drenaje de humor acuoso.
- Generalmente se opera también el ojo sano, para prevenir posibles ataques.

Consideraciones de enfermería

- Para el examen con el tonómetro, instrumento del cual existen diversos tipos, se aplica un colirio anestésico en la superficie del ojo. Tras la exploración, hay que advertir al paciente que no se frote el ojo por lo menos durante los primeros 15 minutos.
- El glaucoma crónico es biocular (afecta a los dos ojos) y se presenta a menudo en sujetos diabéticos. No siempre puede determinarse su origen, aunque puede existir cierta predisposición familiar.
- Los pacientes con glaucoma pueden ser hospitalizados por otras razones; en este caso hay que recordar al paciente que no debe olvidarse nunca de instilarse el colirio recetado diariamente y tomar las otras medicaciones pautadas para el glaucoma. Si es posible, hay que darle los medicamentos al paciente para que, de este modo, pueda seguir sus pautas. Hay que asegurarse de que algunos medicamentos que se pueden prescribir para otros trastornos (como la atropina y el bromuro de propantelina) no estén contraindicados en los pacientes con glaucoma.
- Los betabloqueantes que suelen emplearse para el tratamiento del glaucoma pueden disminuir la frecuencia cardiaca. Cuando se instilen estas gotas oculares conviene hacer una ligera presión sobre el ángulo interno del ojo durante dos minutos, para así evitar que se absorban por vía sistémica al ocluir el canal lagrimal.
- Puede ser que el glaucoma no se cure con el empleo de fármacos; después de la intervención quirúrgica quizá se necesite seguir tomando medicación. El objetivo que persigue la terapéutica es mantener la presión intraocular dentro de los límites fisiológicos. Por lo tanto, los pacientes con glaucoma deben acudir al médico periódicamente para que éste realice un examen del ojo y establezca las modificaciones necesarias. Si hay algún indicio de infección ocular se requiere una atención médica inmediata.
- Después de la intervención se suele mantener al paciente en decúbito durante 24 horas, pero puede girarse hacia el lado que no se ha intervenido. Durante varias semanas debe evitarse cualquier maniobra que pueda aumentar la presión, como agacharse, realizar esfuerzos o levantar pesos.
- Estos pacientes deben llevar siempre una pulsera de identificación que indique que padecen glaucoma. Deberían pedir siempre consejo al farmacéutico antes de comprar cualquier tipo de medicamento, a fin de establecer las posibles contraindicaciones para el glaucoma.

Traumatismos oculares

Descripción

Los traumatismos oculares pueden ser directos, por impacto de un objeto sobre los párpados o la superficie del globo ocular, o bien indirectos, por impacto en algún punto del cráneo o por onda expansiva. Según sean las características de las lesiones y sus consecuencias, los traumatismos oculares se clasifican en distintos tipos:

- Los *traumatismos oculares superficiales* son consecuencia de impactos directos que causan lesiones en las cubiertas del globo ocular. Las consecuencias más habituales son hiposfagma (hemorragia subconjuntival) y abrasión o ulceración corneal.
- La *contusión ocular* corresponde al impacto directo de un objeto romo sobre el ojo. Además de lesiones superficiales, este tipo de traumatismo puede provocar alteraciones muy variadas, entre las que cabe mencionar: subluxación o luxación del cristalino, ruptura del iris, glaucoma secundario, hemorragia intraocular, conmoción retiniana, desprendimiento de retina, rotura o estallido del globo ocular.
- La *concusión ocular* corresponde al traumatismo ocular indirecto provocado por un impacto en el cráneo transmitido al ojo por vibración tisular o por ondas expansivas como las consecuentes a explosiones. Las posibles alteraciones consiguientes son similares a las citadas para la contusión ocular, a la que muchas veces se asocia.
- La *laceración ocular* es efecto del impacto de un objeto cortante sobre el ojo. Las consecuencias dependen de la gravedad del traumatismo, siendo la más importante la pérdida del contenido del globo ocular.
- Las *heridas oculares penetrantes* son consecuencia del impacto de objetos punzantes o cuerpos extraños, y pueden provocar lesiones disruptivas y complicaciones variadas de menor o mayor entidad según sea su profundidad.

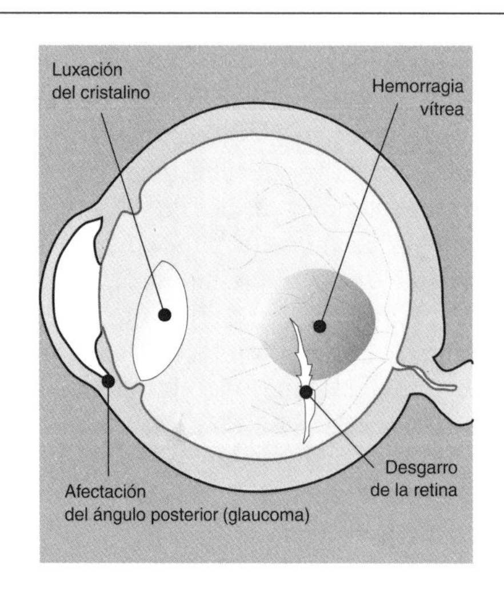

Traumatismos oculares. La ilustración muestra algunas de las posibles consecuencias y complicaciones de una contusión ocular.

Pruebas diagnósticas habituales

- Exploración ocular, con oftalmoscopia.

Tratamiento

- El tratamiento de los traumatismos oculares corresponde al especialista y dependerá de cada tipo de lesión.
- Como medidas generales, cuando no existen laceraciones o heridas se recurre a la administración de analgésicos, ciclopléjicos y antibióticos tópicos.
- Cuando existan heridas abiertas, debe colocarse un vendaje oclusivo-protector no compresivo y remitir al especialista con urgencia. Pueden administrarse analgésicos y/o sedantes, así como iniciarse una antibioticoterapia sistémica de amplio espectro.

Consideraciones de enfermería

- Es muy importante calmar al paciente que ha sufrido un traumatismo ocular y proceder a una cuidadosa exploración para determinar la auténtica gravedad de las lesiones, teniendo en cuenta que no siempre las que provocan más alarma son las de mayor gravedad y que algunas lesiones con poca sintomatología inicial son muy serias y requieren tratamiento especializado inmediato.
- Siempre deben buscarse signos de traumatismo ocular en todo paciente accidentado

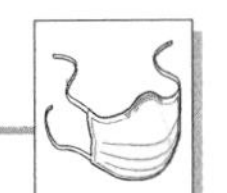

que presente obnubilación o que esté inconsciente.

- Ante la evidencia o probabilidad de una herida ocular penetrante *no se debe intentar ninguna exploración, practicar una eversión de los párpados ni ninguna otra maniobra.* Cualquier procedimiento practicado por personal no experto puede acarrear graves complicaciones y secuelas, por lo que el examen debe quedar en manos del especialista.
- La hemorragia subconjuntival suele ser muy alarmante, puesto que provoca un gran enrojecimiento ocular, pero su evolución suele ser favorable, dado que la sangre tiende a reabsorberse espontáneamente sin que se produzcan complicaciones.
- Mientras el paciente con una lesión ocular grave aguarda la atención del especialista, conviene mantenerlo en reposo absoluto con la cabeza elevada unos 60°.
- En todo paciente con heridas oculares los vómitos constituyen un problema a tratar de inmediato (mediante administración de antieméticos), ya que pueden propiciar un vaciado ocular.
- Si se aplica un vendaje ocular, éste debe ser oclusivo pero no compresivo, ya que, de lo contrario, podría agravar las lesiones. Debe solicitarse al paciente que cierre los párpados, cubrir su superficie con una gasa estéril, colocar un protector ocular rígido que apoye sobre el reborde orbitario y cubrirlo con un apósito que se fijará mediante tiras largas de esparadrapo que alcancen las prominencias óseas de la cara. Para lograr un reposo efectivo del ojo lesionado también debe procederse al vendaje en el ojo sano, ya que ambos tienen movimientos coordinados.

Cuidados oftalmológicos

Muchas veces los pacientes que presentan trastornos oculares ingresan en el hospital por otras patologías. Estos pacientes no deben olvidarse de seguir tomando diariamente su tratamiento médico para el trastorno ocular que padezcan. En el caso de que exista alguna duda, hay que ponerse en contacto con el oftalmólogo que los esté tratando.

Preoperatorio

- Los pacientes que ingresan en el hospital para someterse a una intervención ocular pueden tener una limitación importante de la visión. Se los debe orientar meticulosamente en su entorno físico, así como asesorarlos sobre la rutina hospitalaria, recalcándose que de vez en cuando entrará en la habitación el personal del hospital.
- Conviene advertir al paciente que probablemente en el postoperatorio deberá tener tapados los ojos durante unos cuantos días para disminuir así los movimientos oculares. También es posible que se le tape un solo ojo, pero limitando actividades tales como mirar la televisión o leer.
- Hágase hincapié en que después de la intervención se deben evitar las actividades que ocasionen un aumento de la presión intraocular. Con frecuencia están restringidas actitudes tales como inclinarse hacia adelante o peinarse o cepillarse el pelo, afeitarse, lavarse los dientes y sonarse la nariz. Si se necesita toser, debe mantenerse la boca abierta para reducir la presión intraocular.

Postoperatorio

- Véase EMQ: Aproximación general, postoperatorio, para la asistencia al paciente tras la anestesia general.
- Téngase en cuenta que las complicaciones de mayor importancia en la cirugía ocular son la hemorragia y la infección. Esta última se manifiesta por un aumento de secreciones oculares y fiebre.
- Después de la intervención puede haber un dolor ligero o molestias oculares. En el caso de que aparezca un dolor severo, comuníquese de inmediato al cirujano.
- Durante el postoperatorio puede ser muy importante evitar los vómitos. El paciente debe comprender que, en caso de sentir náuseas, debe comunicarlo al personal de enfermería, ya que se le puede administrar un antiemético. Para evitar los esfuerzos defecatorios, pueden administrarse laxantes y ablandadores de las heces.
- Obsérvese diariamente cualquier cambio que tenga lugar durante el reposo en cama en

busca de signos y síntomas de tromboflebitis (véase EMQ: Cardiovascular, tromboflebitis).

- Los pacientes que llevan parches sobre ambos ojos se desorientan a menudo (véase EMQ: Trastornos del comportamiento, desorientación). Conviene hablar a estos pacientes para tranquilizarlos antes de tocarlos o iniciar cualquier técnica. Inténtese evitar el uso de pastillas para dormir en los pacientes ancianos (sobre todo si tienen los ojos tapados) para evitar que aumente la confusión mental. Se debe alentar a los familiares y amistades a que permanezcan junto a los pacientes agitados.
- En el caso de cubrir un ojo con un parche, ha de valorarse la visión del otro ojo. Infórmesele al paciente, así mismo, de que se deteriorará su percepción de la profundidad (la percepción tridimensional depende de la visión binocular).
- Ayúdese al paciente a deambular colocándose en el lado que no lleva parche.
- A menudo se coloca una protección ocular sobre el ojo almohadillado para evitar que se lesione mientras el paciente duerme. Para que la protección se mantenga en su sitio, utilícense diversos trozos de esparadrapo que tengan una longitud aproximada de diez centímetros. Colóquese el esparadrapo en diagonal, cruzando el protector, de manera que los extremos se sitúen en las prominencias óseas de la cara. Asegúrese de que el paciente o los miembros de la familia saben cómo hacerlo.
- Es importante que se planifiquen los cuidados y actividades del paciente, y también que se le expliquen algunos aspectos para asegurarse de que comprende que necesita unos cuidados y debe tomar algunas precauciones tras la cirugía ocular.

Cambios producidos por la edad en oftalmología

- Disminuye la masa total del ojo y se reduce el aporte sanguíneo.
- La córnea se hace más turbia y pierde su transparencia. Puede estar rodeada de un anillo blanco o amarillento.
- El iris necesita más luz para reaccionar y disminuye la acomodación a los cambios de luminosidad. Las pupilas pueden aparecer contraídas.
- El cristalino tiene menor capacidad de acomodación total y no se puede ajustar a los trabajos que necesitan visión cercana. Es frecuente que exista un aumento de su viscosidad.
- Los músculos ciliares están más rígidos y son menos funcionales.
- El vítreo se contrae y se aglomera el colágeno, dando lugar a sombras (denominadas cuerpos flotantes) en la retina.
- La conjuntiva y la papila óptica aparecen pálidas.
- Disminuye la eficacia del mecanismo para reabsorber el líquido intraocular.
- Puede disminuir la secreción lagrimal.

Consecuencias

- La pérdida de visión tiene una trascendencia significativa en la calidad de vida.
  1. Se hace arriesgado el empleo de medicación.
  2. La dificultad para ir a comprar y cocinar puede hacer que se deteriore la nutrición del paciente. Aumenta el riesgo de sufrir quemaduras mientras se cocina.
  3. La incapacidad para percibir los objetos del entorno o los cambios de las superficies puede hacer que aumente el número de caídas y contusiones.
  4. El individuo se aburre cuando ya no puede leer, mirar la televisión, escribir cartas o hacer trabajos manuales.
  5. Como el iris no se acomoda fácilmente a los cambios de luz, puede hacerse imposible la conducción nocturna.
  6. El individuo se aísla, ya que es incapaz de ir a muchos sitios y establecer relaciones sociales.
- Al aparecer contraídas las pupilas, resulta difícil apreciar cambios en la monitorización en caso de producirse una lesión en la cabeza.
- Gran parte del material que se emplea para valorar los niveles de glucosa en sangre y orina necesita una adecuada capacidad para distinguir entre los tonos de verde (la diferenciación entre el color azul y el verde se reduce con la edad).

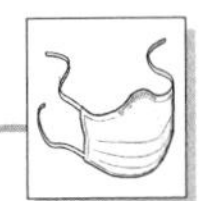

OTORRINOLARINGOLOGÍA

Diagnósticos de enfermería asociados a trastornos otorrinolaringológicos

Véase capítulo Diagnóstico de enfermería:

- Alto riesgo de traumatismo relacionado con déficit auditivo.
- Alto riesgo de broncoaspiración.
- Alteración de la comunicación verbal.
- Alteración de la deglución.
- Alteraciones sensoperceptivas (alteración de la percepción auditiva).

Cáncer de laringe

Descripción

La localización más frecuente corresponde al cáncer de glotis (60% de los casos), limitado a las cuerdas vocales. El cáncer situado por encima de las cuerdas vocales (30%) se denomina supraglótico o vestibular; el localizado por debajo de dichas cuerdas se denomina subglótico.

Pruebas diagnósticas habituales

- Para poder visualizar la lesión se realiza una laringoscopia. Inicialmente se practica una laringoscopia indirecta, que en la mayoría de los casos permite la observación del tumor, pero en otros casos es preciso efectuar una laringoscopia directa, con anestesia general.
- Las radiografías laterales de cuello y la tomografía axial computada permiten localizar el cáncer subglótico y demuestran la afectación de huesos o cartílagos.
- La confirmación diagnóstica se obtiene mediante la biopsia de la lesión; la muestra se toma en el curso de la laringoscopia.
- Puede hacerse una radiografía seriada con papilla de bario para detectar lesiones esofágicas, dado que hay una probabilidad del 5 al 10% de que exista una lesión primitiva simultánea.

Tratamiento

- En lesiones localizadas de pequeño tamaño, se procede a la resección mediante laringoscopia, pero generalmente sólo para diagnóstico.
- La radioterapia puede emplearse como tratamiento único del cáncer bien localizado en el momento del diagnóstico (95% de probabilidades de curación), o bien como complemento de la cirugía.
- La quimioterapia puede emplearse previamente a la cirugía, para limitar al máximo el crecimiento tumoral.
- Si se trata de un cáncer de glotis limitado a una cuerda vocal puede practicarse una *cordectomía* (extirpación de la cuerda vocal), intervención que altera la fonación pero permite conservar la voz.
- Cuando las lesiones son mayores o no responden a la radioterapia, se plantea una *laringectomía* (extirpación de la laringe), de diversas características según sea la localización y extensión del tumor.

Consideraciones de enfermería

Preoperatorio

- El paciente, al enfrentarse a la extirpación de su laringe, puede padecer una fuerte depresión y sentirse atemorizado al pensar que puede perder la voz de forma permanente. Aliéntese a la familia y a los amigos más íntimos para que estén con él y acentúese el hecho de que la rehabilitación vocal le permitirá hablar de nuevo.
- Se debe realizar una consulta de logopedia antes de la intervención para ayudar así a la rehabilitación vocal.
- Establézcase un método de comunicación para utilizar de inmediato tras la intervención quirúrgica (*p.e.*, pizarra mágica, cartas con dibujos, papel y lápiz).
- Es importante que el personal médico y de enfermería tenga en consideración todo lo que respecta a la intervención que se ha elegido, así como la información que debe darse al paciente.
  1. Se le debe enseñar y explicar el funcionamiento de todo el equipo que se empleará tras la intervención (*p.e.*, el tubo de

traqueostomía, el de alimentación, la sonda de aspiración, etc.).

2. Hay que asegurarse de que el paciente sepa si la traqueostomía será una medida temporal o permanente.

Postoperatorio

- Respóndase inmediatamente a la luz de llamada y obsérvese a menudo al paciente hasta que éste sea capaz de cuidarse por sí mismo.
- Dispóngase en la cabecera de la cama un tubo de traqueostomía extra o bien uno de laringectomía (con el obturador). El tubo de laringectomía es más corto y ancho que el de traqueostomía, pero los cuidados son similares (véase TE: Traqueostomía, cuidados). Compruébese que el tubo sea del tamaño adecuado.
- En el postoperatorio inmediato se requiere una mascarilla humidificada de traqueostomía. Más adelante, para aliviar la sequedad o carraspeo traqueal puede ser útil un humidificador en la habitación (véase TE: Oxigenoterapia).
- Téngase cuidado al limpiar el área afectada, ya que la piel cercana a la línea de sutura puede ser muy frágil como consecuencia de la radioterapia.
- La radioterapia también afecta a la piel, haciéndola más susceptible a las infecciones, lo que puede retrasar la cicatrización.
- En estos pacientes siempre existe el peligro de que se produzca una obstrucción de las vías aéreas. En caso de ocurrir, aspírese la traqueostomía, adminístrese oxígeno y solicítese ayuda. En el caso de que el tubo de traqueostomía disponga de una cánula en su interior, extráigase ésta antes de administrar el oxígeno.
- No debe efectuarse una aspiración intensa a través de la nariz ni de la boca sin que se hayan dado indicaciones específicas, ya que existe el peligro de romper las líneas de sutura.
- Se puede enseñar al paciente a realizar la aspiración traqueal. Hágase que se siente delante de un espejo y muéstresele cómo hacerlo, resaltando la importancia de emplear una técnica aséptica que se pueda utilizar en el domicilio (véase TE: Traqueostomía, cuidados). También se puede enseñar esta técnica a un miembro de la familia.
- Después de una laringectomía total ya no queda ninguna conexión interna entre boca, nariz y pulmones. Se alteran los sentidos del olfato y el gusto.
- El estoma cicatrizará y no será necesario un tubo de laringectomía. Ya que este agujero establece una entrada directa hacia los pulmones, se debe mantener limpio y cubierto con un cobertor de estomas. Compruébese que el paciente siempre tiene a mano el timbre de llamada y que se le han proporcionado lápices y papel.
- Es frecuente que el paciente tenga una fuerte depresión tras la intervención, al asumir totalmente la pérdida de la voz. Adviértasele de nuevo que esta pérdida es temporal.

Epistaxis

Descripción

El término «epistaxis» designa la hemorragia nasal, es decir, la pérdida de sangre en la mucosa que recubre las fosas nasales y que generalmente se exterioriza a través de una sola ventana nasal. Se trata de un trastorno común consiguiente a traumatismos en la zona, si bien puede tratarse de una epistaxis esencial, sin una causa conocida (probablemente por una alteración en el desarrollo de los vasos sanguíneos de la mucosa nasal, frecuente en la infancia), o bien de una epistaxis secundaria a trastornos ya sea locales, como tumores de la zona, o bien generales, tales como hipertensión arterial, alteraciones de la coagulación, leucemia o insuficiencia hepática.

Por lo general la hemorragia nasal cede al cabo de pocos minutos espontáneamente o con la aplicación de sencillos métodos de primeros auxilios, pero, cuando persiste, debe efectuarse un tratamiento más complejo.

Tratamiento

- Inicialmente se intenta detener la hemorragia mediante la maniobra de compresión nasal:

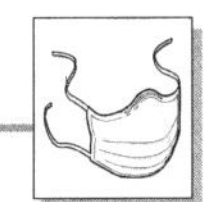

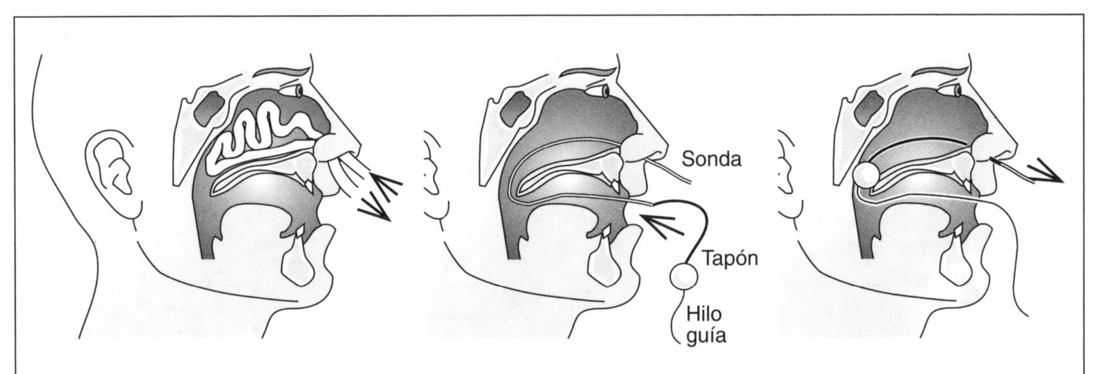

Epistaxis. La ilustración muestra un esquema de los dos métodos de taponamiento nasal destinados a cohibir la hemorragia nasal: el dibujo de la izquierda corresponde al taponamiento anterior; los otros dos dibujos corresponden al taponamiento posterior.

1. Situar el paciente con el tronco incorporado y la cabeza ligeramente inclinada hacia adelante, para facilitar la salida de sangre al exterior.
2. Indicar al paciente que respire por la boca.
3. Comprimir la nariz haciendo una pinza con el pulgar y el índice, presionando de manera continua y uniforme sobre el lado sangrante; puede ser útil colocar una torunda de algodón en el vestíbulo nasal que sangra.
4. Mantener la compresión durante 10 minutos y luego soltar suavemente para observar el resultado, indicando al paciente que continúe respirando por la boca.
5. Si al interrumpir la compresión la hemorragia continúa, efectuar una nueva compresión durante otros 10 minutos; si al cabo de este tiempo la hemorragia no se detiene, disponer lo necesario para efectuar un tratamiento más eficaz.

- Para detener una epistaxis persistente se procede a un *taponamiento nasal*, mediante la introducción de gasas en la fosa nasal sangrante para efectuar una compresión directa de los vasos. Existen dos modalidades de la técnica:
  1. El *taponamiento anterior* consiste en introducir una tira de gasa (gasa de mecha de 2-3 cm de ancho) previamente lubricada (*p.e.*, con vaselina) por el vestíbulo nasal sangrante, a través de un rinoscopio y con la ayuda de una pinza en bayoneta. Se efectúan sucesivos dobleces hasta que la gasa ocupe toda la fosa nasal, tras lo cual se corta el sobrante, se introduce el cabo en el vestíbulo nasal, se obtura con una torunda de algodón y se tapa con esparadrapo. Este taponamiento se deja colocado de 1 a 4 días.
  2. El *taponamiento posterior* consiste en introducir una torunda de gasa desde la faringe para obturar la coana (el orificio que comunica la parte posterior de la fosa nasal con la rinofaringe). En primer término se introduce una sonda de pequeño calibre por el orificio nasal sangrante y se la empuja hasta que el extremo atraviese la coana y salga a la faringe, por detrás de la úvula, de donde se la saca al exterior por la boca con la ayuda de una pinza.
- Si las medidas anteriores no logran contener la hemorragia, puede ser preciso efectuar una intervención quirúrgica para ligar el vaso sangrante.
- En caso de epistaxis repetidas, especialmente en niños y jóvenes, puede procederse a una cauterización, ya sea química (aplicación tópica de nitrato de plata) o eléctrica (electrocoagulación).

Consideraciones de enfermería

- Es fundamental tranquilizar al paciente con epistaxis, ya que si está inquieto y nervioso se favorecerá la dilatación arterial y el sangrado, con lo cual pueden fracasar las medidas terapéuticas.
- Si la hemorragia nasal es muy abundante y persistente, debe controlarse la presión arterial y la función cardiocirculatoria, así como inte-

rrogar al paciente o sus familiares sobre antecedentes de coagulopatías, siendo a veces oportuno solicitar pruebas de coagulación.

- Si la epistaxis no cede con las medidas adoptadas, obtener una muestra de sangre para analítica y solicitar tipificación y pruebas cruzadas por si se precisa una transfusión. Puede ser conveniente instaurar una vía venosa para reposición de la volemia.
- Cuando se vaya a proceder a un taponamiento, explíquese previamente al paciente la técnica y solicítese su colaboración.
- Infórmese al paciente sobre las molestias que puede presentar mientras tenga colocado el taponamiento, tales como cefalalgia, sequedad de boca y febrícula. Si se ha instaurado un taponamiento posterior, recomiéndese una dieta líquida o muy blanda.
- Siempre que se practica un taponamiento se administra un tratamiento antibiótico para prevenir el desarrollo de infecciones. Insístase al paciente en que respete la pauta indicada.
- El taponamiento debe quitarse en un plazo máximo de 5 días, ya que superado este límite puede producirse una necrosis de la mucosa nasal. Si el paciente es tratado de forma ambulatoria, adviértasele tal circunstancia.
- Cuando se retire el taponamiento, indíquese al paciente que en los días sucesivos no debe sonarse la nariz ni efectuar actuaciones que eleven la presión arterial, como levantar pesos.

Miringotomía y tubos de ventilación del oído medio

Descripción

La miringotomía es una pequeña incisión quirúrgica en el tímpano (membrana timpánica). Se realiza para aspirar pus o líquido seromucoso del oído medio; además, en ocasiones se acompaña de la inserción de un tubo de ventilación que proporciona una entrada de aire artificial hacia el oído medio cuando está obstruida la trompa de Eustaquio, hecho que suele deberse a inflamación, alergia o aumento del tamaño de las vegetaciones adenoideas. Si no hay aire en el oído medio y la trompa de Eustaquio no es permeable, se acumula líquido en este espacio, con el consiguiente deterioro de la audición. Después de retirar el tubo de ventilación se restablece el tímpano y no queda ninguna lesión permanente en la audición.

Consideraciones de enfermería

- La miringotomía se puede realizar con anestesia local o general; a los niños se les puede administrar anestesia general.
- Cuando está colocado el tubo de ventilación no es raro que aparezca supuración (otorrea). Se utilizan a menudo gotas para el oído con el fin de mantener el tubo desobstruido.

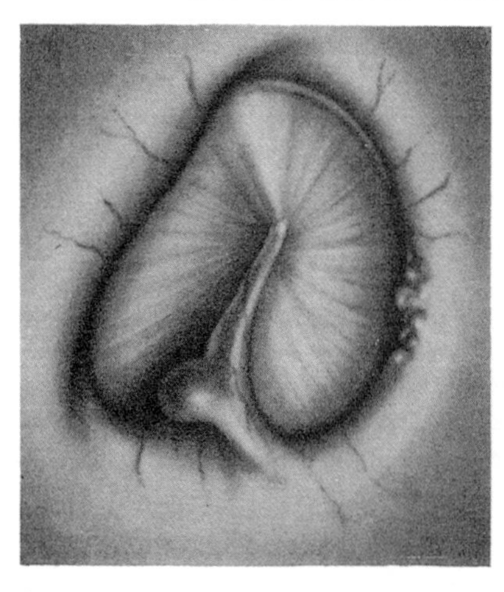

A

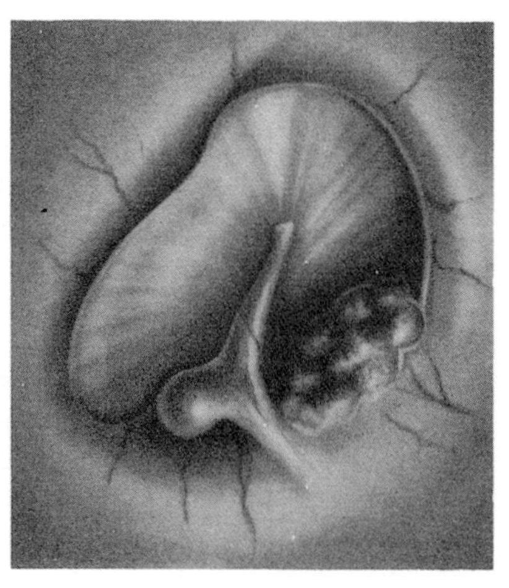

B

La miringotomía consiste en una pequeña incisión del tímpano destinada a la evacuación de pus o líquido acumulado en el oído medio, tras la cual la membrana timpánica cicatriza espontáneamente hasta adquirir sus características normales. Las ilustraciones corresponden a un tímpano sano (A) y un tímpano con miringitis granulosa (B).

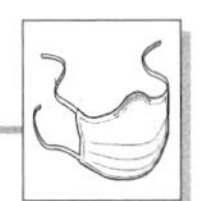

- El paciente debe evitar que le entre agua en el oído cuando lleva un tubo de ventilación. Al ducharse, lavarse el pelo o nadar debe emplear tapones para los oídos que ajusten bien. No se le permitirá bucear.
- El tubo de ventilación se deja colocado hasta que sale espontáneamente, lo que suele ocurrir entre los 9 y los 18 meses. Si no sale, quizá se necesite extraerlo. Si de nuevo aparece una pérdida de la audición, ello puede ser un indicio de que vuelve a existir una acumulación de líquido y se puede volver a colocar otro tubo.

Otitis media

Descripción

La otitis media corresponde a la inflamación del oído medio, que suele ser de origen infeccioso y aparece predominantemente en niños como complicación de infecciones respiratorias altas que llegan hasta el oído medio a través de la trompa de Eustaquio. Por lo general se trata de *otitis media aguda*, de aparición brusca y corta duración, aunque en ocasiones se instaura una *otitis media crónica*. En otros casos se trata de una *otitis media serosa*, de origen mecánico, debida a vegetaciones adenoideas u otra alteración que provoque la obstrucción de la trompa de Eustaquio.

Pruebas diagnósticas habituales

- Exploración del oído mediante otoscopio u otomicroscopio (en los niños pequeños).
- A veces se practican audiometrías para valorar el déficit auditivo, y radiografías de cráneo para determinar la existencia de mastoiditis.

Observaciones

- La otitis media aguda provoca dolor de oído (otalgia), pérdida de audición (hipoacusia) y fiebre, con acumulación de secreciones en el oído medio. Cuando la afección progresa, puede producirse una perforación espontánea del tímpano, con lo que aparece una supuración (otorrea) que inicialmente es abundante y de aspecto seroso o sanguinolento y en seguida se vuelve mucopurulenta. Tras la perforación del tímpano, el dolor y la fiebre disminuyen rápidamente y, si la evolución es favorable, a los pocos días desaparece también la supuración y el trastorno se resuelve por completo.
- La otitis media crónica se caracteriza por un déficit auditivo progresivo, acompañado de otorrea continua o intermitente.
- La otitis media serosa suele manifestarse con una sordera de mayor o menor intensidad y

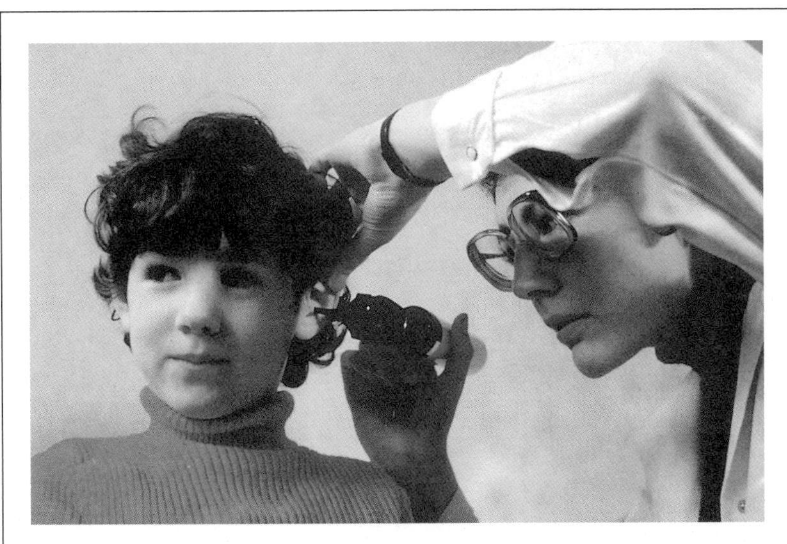

La otitis media puede diagnosticarse mediante una exploración con el otoscopio, instrumento que permite visualizar la membrana timpánica y detectar su tumefacción o los desgarros de su superficie provocados por la inflamación y supuración en caso de otitis media aguda, o bien su característica retracción en caso de otitis media serosa.

sensación de presión o plenitud en el oído. Generalmente mejora en unas semanas, pero si no se aplica el tratamiento oportuno puede favorecer la aparición de otitis media aguda y el desarrollo de otitis crónica supurativa.
- En el curso de la otitis media pueden aparecer diversas complicaciones graves, entre las que cabe destacar la mastoiditis, el absceso cerebral y la meningitis.

Tratamiento

- La otitis media aguda se trata con antibióticos y analgésicos. Si el tímpano no se perfora espontáneamente, puede recurrirse a una miringotomía (véase EMQ: Otorrinolaringología, miringotomía y tubos de ventilación en el oído medio).
- La otitis media crónica benigna se trata con administración tópica de antibióticos y limpieza local mediante aspiraciones y lavado. En ocasiones, si hay una perforación permanente del tímpano, se practica una miringoplastia (reparación quirúrgica de la membrana timpánica) para evitar la contaminación desde el oído externo.
- La otitis media crónica agresiva (colesteatomatosa) requiere una intervención quirúrgica para resecar el tejido anormal y las estructuras del oído medio que se hayan destruido. Para recuperar la función auditiva se practica una timpanoplastia (reconstrucción del tímpano y de la cadena de huesecillos del oído medio, a veces mediante el empleo de prótesis).
- En la otitis media serosa se administran antiinflamatorios y antibióticos. Para favorecer el drenaje del oído medio suele practicarse una miringotomía con colocación de tubos de ventilación (véase EMQ: Otorrinolaringología, miringotomía y tubos de ventilación en el oído medio).

Consideraciones de enfermería

- Insístase al paciente o a los padres del niño con otitis media aguda que deben respetarse las pautas de tratamiento antibiótico tanto en lo que se refiere a las dosis como a la duración de la terapia (generalmente de 7 a 12 días). Adviértase que la terapia debe completarse aunque los síntomas remitan para evitar una recaída o la instauración de una otitis crónica.
- Para aliviar el dolor suele ser útil aplicar compresas calientes sobre el pabellón auricular.
- En los niños pequeños, la otitis media suele provocar gran afectación del estado general y puede acompañarse de vómitos, diarrea y una dificultad para tragar debido a la cual el niño rechaza la comida. Si no se sigue una correcta pauta de hidratación puede producirse un cuadro de deshidratación.
- Cuando el médico lo indique como tratamiento de la otitis crónica, practíquese la técnica de lavado y limpieza de oído. Si los familiares se encargan de los cuidados del enfermo, enséñese el procedimiento y supervísese su ejecución.

Otosclerosis y estapedectomía

Descripción

En condiciones normales, el sonido es conducido desde el tímpano al oído interno a través de los tres huesecillos del oído medio (desde el martillo hacia el yunque y el estribo); la plataforma del estribo transmite el sonido a través de la ventana oval hacia el oído interno.
La otosclerosis consiste en la formación de hueso anormal y de consistencia muy dura en la cápsula ótica; el foco otoscleroso fija la plataforma del estribo en la ventana oval del oído medio y depara una sordera de transmisión progresiva.
Para restablecer la audición se realiza una estapedectomía (resección del estribo), junto con la reconstitución de la cadena de huesecillos con prótesis metálicas o plásticas.

Pruebas diagnósticas habituales

- Exploración otológica.
- Acumetrías y audiometrías.

Observaciones

- Pérdida de audición progresiva, a veces acompañada de acúfenos (zumbidos de oído) y, en fases avanzadas, vértigo.

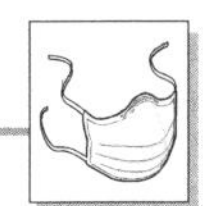

Tratamiento

- El tratamiento es quirúrgico, y corresponde a la estapedectomía. En la intervención se extrae el estribo en su totalidad y se sustituye por una prótesis que vuelve a unir el yunque con un injerto que cubre y al mismo tiempo crea otra ventana oval.

Consideraciones de enfermería

- Durante las primeras 24 horas posteriores a la intervención, debe mantenerse la cabeza del paciente en la posición que indique el cirujano para asegurar un adecuado drenaje y que se mantenga la posición de la prótesis en el oído.
- Durante las primeras horas que siguen a la intervención obsérvese si aparecen signos de parálisis facial. Si es así, o bien si aumenta la hemorragia o aparece un dolor severo, debe comunicarse al médico de inmediato.
- En los primeros días del postoperatorio el paciente puede presentar vértigo, que se agrava con los cambios bruscos de posición. Deben administrarse antieméticos para evitar los vómitos.
- Los apósitos empapados de sangre situados en el conducto auditivo se deben reemplazar según sea necesario para que no se afecte el material que se encuentra en el interior del oído.
- El paciente debe evitar los estornudos, así como también sonarse, para impedir que entre aire hacia la trompa de Eustaquio.
- Al explicarle al paciente estas normas, debe hacerse énfasis en que no debe permitir que entre agua en el oído hasta que el cirujano lo autorice.

Pólipos y nódulos de las cuerdas vocales

Descripción

Sobre las cuerdas vocales pueden formarse distintos tipos de tumoraciones consiguientes a una inflamación crónica debida a factores irritantes, en especial el consumo de tabaco y el uso inadecuado o excesivo de la voz.

- Los *pólipos* son tumoraciones de forma y tamaño variable unidas a las cuerdas vocales por un estrecho pedículo. Son consiguientes a la inflamación crónica causada por la inhalación de sustancias irritantes, ya sea tabaco o humos industriales, y en menor medida por abuso de la voz.
- Los *nódulos* son tumoraciones muy pequeñas, del tamaño de una cabeza de alfiler, que generalmente se forman en las dos cuerdas

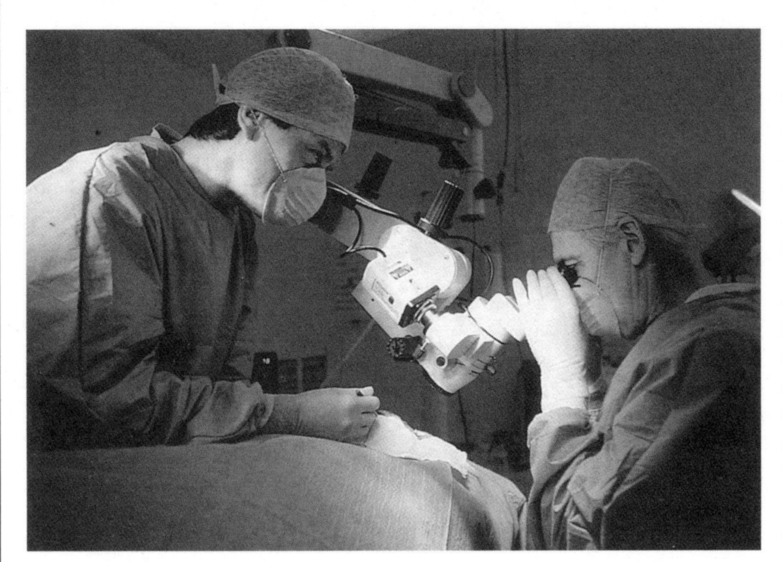

La estapedectomía es la técnica quirúrgica indicada como tratamiento de la otosclerosis, trastorno caracterizado por la formación de un foco de hueso anormal y muy duro que fija la plataforma del estribo en la ventana oval y depara una sordera progresiva. La intervención consiste en la resección del estribo y la reconstitución de la cadena de huesecillos con prótesis metálicas o plásticas, todo lo cual se realiza con la ayuda de un microscopio especial, mostrado en la ilustración.

vocales como consecuencia de abuso habitual de la voz. Son frecuentes en maestros, cantantes y otras personas que en sus actividades fuerzan la voz.

Pruebas diagnósticas habituales

- Laringoscopia.

Observaciones

- Los pólipos de las cuerdas vocales dan lugar a disfonía crónica (alteración persistente del tono de la voz), con voz ronca y también tos irritativa. El grado de disfonía depende de la posición que adopte el pólipo, que si es de gran tamaño puede obstruir parcialmente la vía aérea y provocar disnea o dificultad respiratoria.
- Los nódulos de las cuerdas vocales provocan ronquera, con una disfonía de diverso grado que puede llegar a la afonía casi total.

Tratamiento

- Foniatría, para reeducación de la voz.
- Administración de antiinflamatorios (corticosteroides).
- Extirpación quirúrgica de las tumoraciones mediante técnicas de microcirugía.

Consideraciones de enfermería

- Tanto los pólipos como los nódulos de las cuerdas vocales pueden reducirse mediante el tratamiento médico, siempre que se corrija el mal uso de la voz y se eviten las sustancias irritantes.
- Si se determina la necesidad de cirugía, tranquilícese al paciente sobre los resultados de la intervención, indicando que no se le extirparán las cuerdas vocales ni se alterará su capacidad de fonación.
- Consúltese con el foniatra o logopeda sobre las técnicas de reeducación de la voz necesarias como tratamiento o previamente a la intervención. Generalmente son precisas algunas sesiones con el especialista tras la operación.
- Adviértase al paciente las limitaciones para hablar que tendrá inmediatamente después de la intervención y dispóngase un sistema de comunicación oportuno.
- Insístase al paciente en que los nódulos o pólipos podrán formarse nuevamente si no se corrigen los factores predisponentes.

Resección submucosa o reconstrucción del tabique nasal

Descripción

La resección submucosa o reconstrucción del tabique nasal es una técnica quirúrgica empleada para mitigar una obstrucción nasal de la respiración causada por deformidades de la nariz o por desviaciones del tabique nasal. Suele llevarse a cabo con anestesia local, practicando una incisión interna en un lado del tabique nasal y resecando el hueso o cartílago correspondiente.

Consideraciones de enfermería

Postoperatorio

- El aire húmedo facilitará la respiración.
- Manténgase elevada la cabecera de la cama.
- El paciente llevará durante dos o tres días un taponamiento nasal, que se cambiará según sea necesario. La hemorragia debería disminuir progresivamente y nunca incrementarse, situación que debe comunicarse al cirujano de inmediato.
- Los primeros días puede haber un dolor severo, por lo que debe preverse una pauta de analgésicos.
- Es necesario practicar una higiene frecuente de la boca, ya que el paciente debe respirar por ella.
- Los pacientes suelen quedar hospitalizados durante veinticuatro horas.

Sinusitis

Descripción

La sinusitis es la inflamación de la mucosa que tapiza los senos paranasales, general-

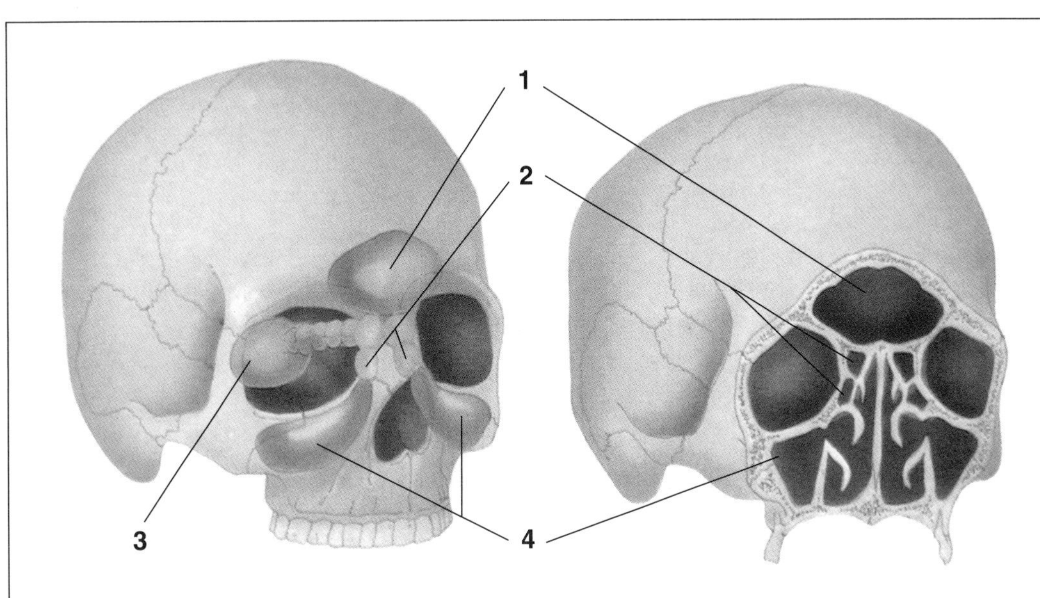

La sinusitis es la inflamación de la mucosa que tapiza los senos paranasales, unas cavidades llenas de aire localizadas en el interior de los huesos de la cara y el cráneo que se comunican directamente con las fosas nasales. La ilustración muestra la localización de los diferentes senos paranasales: 1, seno frontal; 2, seno etmoidal; 3, seno esfenoidal; 4, seno maxilar.

mente debida a una infección que se extiende a partir de las fosas nasales, el maxilar superior (absceso dentario) u otra estructura vecina. Puede afectar a cualquiera de los senos paranasales y evolucionar de forma aguda o crónica. Las más frecuentes son la sinusitis maxilar y la etmoidal, aunque también pueden producirse sinusitis esfenoidal y frontal.

Pruebas diagnósticas habituales

- La rinoscopia a veces permite observar la salida de secreciones de los senos afectados.
- Las radiografías de cráneo y la tomografía computada permiten observar si hay una condensación de los senos.
- Puede practicarse una diafanoscopia o transiluminación, técnica que consiste en colocar una fuente de luz potente para determinar el grado de penetración luminosa en el seno, que es inferior a lo normal cuando está ocupado por secreciones.
- En algunos casos se practica una punción del seno afectado para obtener una muestra de secreciones y confirmar el diagnóstico.
- La endoscopia sinusal permite acceder al interior de los senos y comprobar si están inflamados.
- El cultivo de las secreciones y el antibiograma sirven para decidir el tratamiento antibiótico.

Observaciones

- La sinusitis aguda suele iniciarse como una rinitis infecciosa común (secreción nasal, obstrucción nasal, cefalea difusa), y al cabo de unos días se instauran los síntomas propios, básicamente rinorrea o secreción nasal de intensidad y características variables y dolor de diferente localización según sea el seno paranasal afectado.
  1. La sinusitis maxilar provoca dolor en la zona del pómulo, con irradiación hacia la frente, el oído y el maxilar superior.
  2. La sinusitis frontal provoca dolor en la zona de la frente y alrededor del ojo.
  3. La sinusitis etmoidal provoca dolor en la raíz de la nariz y el ángulo interno del ojo, irradiado hacia la frente y por detrás de los ojos.
  4. La sinusitis esfenoidal provoca cefalea mal localizada, con dolor más intenso por detrás de la oreja.

- La sinusitis crónica tiene síntomas semejantes a los de la sinusitis aguda, pero más larvados y menos intensos, con un dolor no tan bien localizado y cierto grado de obstrucción y secreción nasales persistentes. La intensidad de la sintomatología varía a lo largo del año, con agudizaciones en las épocas frías.
- Pueden producirse diversas complicaciones a partir de una sinusitis, entre las que cabe mencionar la celulitis orbitaria, la osteomielitis, la meningitis y el absceso cerebral.

Tratamiento

- Administración de vasoconstrictores en forma de gotas o nebulización nasales.
- Administración de antibióticos y antiinflamatorios.
- Inhalaciones de vapor.
- Irrigación y lavado de fosas nasales con suero fisiológico.
- En la sinusitis crónica puede practicarse una punción del seno afectado y aspiración de secreciones, lavado de la cavidad e instilación de antibióticos; puede dejarse colocado un catéter durante unos días para repetir la operación.
- Si las medidas anteriores no solucionan el problema, puede efectuarse una intervención quirúrgica bajo anestesia general para eliminar ampliamente el tejido infectado.

Consideraciones de enfermería

- El dolor de cabeza típico de la sinusitis se inicia por la mañana, se incrementa hasta el mediodía y luego se reduce hasta el atardecer, en que vuelve a intensificarse.
- Instrúyase al paciente o sus familiares sobre la forma en que deben realizarse las instilaciones, las nebulizaciones nasales y las inhalaciones de vapor si se van a practicar en el domicilio.
- Si el médico indica lavados de las fosas nasales, respétense las instrucciones prescritas con respecto al tipo de solución, la temperatura a que debe administrarse y la cantidad deseada, la presión de la irrigación y la posición que debe adoptar el enfermo. Explíquense previamente al paciente las características de la técnica, para contar con su máxima colaboración.
- Insístase al paciente en la importancia de respetar el tratamiento antibiótico prescrito por el médico, indicando que debe completarse la pauta aun cuando las molestias cedan.
- Adviértase al paciente que las molestias suelen incrementarse ante situaciones que produzcan una dilatación de los vasos sanguíneos, como la exposición al sol o a un ambiente caluroso y el consumo de alcohol. También suelen aumentar al hacer determinados movimientos de la cabeza, en especial al inclinarla hacia delante.

Cambios producidos por la edad en otorrinolaringología

- La audición es menos aguda, comenzando por afectarse las frecuencias altas.
- Disminuye el sentido del olfato y aumentan los pelos de las ventanas nasales.
- Disminuye el número de papilas gustativas. Primero se reduce el número de papilas especializadas en los sabores dulce y salado; las que persisten más son las correspondientes a los sabores ácido y amargo.
- Disminuye la secreción salival.
- Puede retrasarse el reflejo de deglución.

Consecuencias

- En el caso de que haya una pérdida de audición de los sonidos de alta frecuencia, conviene disminuir el tono de voz cuando se habla al paciente, pero no hablar más alto.
- Cuando se hable al paciente con pérdida de audición, conviene situarse frente al mismo, ya que quizá sea capaz de leer los labios.
- Existe una relación altamente significativa entre la pérdida de la audición y la depresión.
- La disminución de la audición puede conducir a la introversión y la paranoia.
- La situación nutricional del individuo se puede ver afectada de forma perjudicial debido a que se reduce el sentido del gusto y disminuyen las papilas gustativas.
- Las personas de edad puede tender a utilizar mayor condimentación, sobre todo la sal.
- La reducción de la secreción salival puede aumentar la halitosis. Es importante la higiene bucal.